W9-DIV-381

左手李嘉诚 右手王永庆

王光海 编著

石油工业出版社

图书在版编目（CIP）数据

左手李嘉诚 右手王永庆/王光海编著.
北京：石油工业出版社，2009.7
ISBN 978-7-5021-7164-3

Ⅰ.左…
Ⅱ.王…
Ⅲ.①李嘉诚—商业经营—经验
②王永庆—商业经营—经验
Ⅳ.F715

中国版本图书馆 CIP 数据核字（2009）第 080627 号

左手李嘉诚 右手王永庆
王光海　编著

出版发行：石油工业出版社
（北京安定门外安华里 2 区 1 号楼　100011）
网　址：www.petropub.com.cn
编辑部：（010）64523643　营销部：（010）64523603
经　销：全国新华书店
印　刷：北京晨旭印刷厂

2009 年 7 月第 1 版　2009 年 7 月第 1 次印刷
787×1092 毫米　开本：1/16　印张：16.75
字　数：245 千字

定　价：35.00 元
（如出现印装质量问题，我社发行部负责调换）
版权所有，翻印必究

左手李嘉诚 右手王永庆

“经商要学李嘉诚，经营要学王永庆。”这名广泛流传于商界的熟语，深刻道出了一个洞悉商业之道的“超人”李嘉诚和一个深谙管理智慧的“经营之神”王永庆在世界华人圈中不可动摇的崇高地位。他们两个既是闪耀在现代商业史上的双子星座，也是那些仍然在茫然之中寻求成功与卓越真谛的后人的道路指南。

他们两个的影响之所以如此深远，在于他们在特定历史条件下所取得的巨大成就。李嘉诚一步一个脚印，从 14 岁投身于商界，22 岁正式创业，在长达半个世纪的奋斗中始终不断超越他人，不断超越自身，到如今已统领长江实业、和黄集团、香港电灯、长江基建等集团公司，业务遍及各行各业，如地产、港口货运、超级市场、基建、电信、酒店、保险、水泥、电力、网络，等等，形成一个逾万亿资产的跨国企业帝国。因此他也理所当然地成为全世界华人最成功的企业家、全球华人首富，被誉为“超人”，他的名字已成为了“成功”与“奇迹”的代名词。而王永庆则从一个不名一文的农家子弟开始奋斗，经过不断拼搏，赤手空拳硬是在几十年内创造了一个员工超过 7 万人、资产总额高达 1.5 万亿新台币的台湾最大民营企业王国——台塑集团，跨足医疗业、生化科技业、火力发电厂、汽车业、石化业、电子业、硅晶圆、厨余回收等大型产业，被人称为“主宰台湾的第一大企业家”、“世界塑胶大王”、“经营之神”。

他们之所以能取得如此巨大的成功，在于他们拥有一套经营管理以及为人处世的绝学，这使得他们能从芸芸众生之中脱颖而出，成就其丰功伟业，成为他人学习的榜样。这些绝学是他们历经商场磨难之后精心提炼出来的，是他们对其人生得失成败的一种深刻总结。同时，也表达了他们对于中国传统智慧和世界现代文明的独特应用，体现了他们对掌控各种错综复杂的局面的一种有效应对。这些绝学不但指出了一个人达到成功所必须遵循的路径，也指明了一个人走向卓越所必须借鉴的原则，是我们为人处世、经商管理所必须学习和参考的。

善谋人脉。人脉就是财脉。人脉资源丰富，意味着你做事情所得到的机会越多，所能够利用的资源就越多，你创造财富以及成功的可能性也就越大。李嘉诚一直把建立良好的人脉关系奉为自己的圭臬，他深明做人的道理，以诚待人，与人为善，重情重义，事事为他人考虑，为他人着想，这让他拥有了一般人所不能拥有的人缘，也为他事业的成功奠定了扎实的基础。

知人善任。事业发展靠人才。人才是一个企业最重要的资源，也是一个人成事最重要的基础。只要集众人之长，采众人之优，就能做到无所不能，百战百胜。李嘉诚是知人善任的用人高手，他把人才当第一资源，敢于根据事业的需要起用新人，做到量材而用、各尽所能，并能以良好的待遇留住这样的人才，这使得他周围聚集了一大批志同道合、才华横溢的商界英才。

运筹帷幄。眼界决定成败。要想获得成功，就一定要拥有过人的眼光，掌握其中蕴含的机会。李嘉诚拥有过人且独到的眼光，这使得他能够审时度势，把握住市场的脉搏，并能先想一着，先走一步，通过运筹帷幄来处处占领先机，从而让他在复杂多变、竞争激烈的当代社会中脱颖而出，不断地从一个成功走向下一个成功。

坚忍不拔。艰难困苦，玉汝于成。人生之路并非坦途，而是充满了各种挑战和困难，因此成大业者必须自强不息，要有战胜一切的雄心，只有敢于向一切艰难挑战，并做到永不言弃，方能开创出一片属于自己的天地。李嘉诚具有一种坚忍不拔之力，这使得他总是自强不息，勤奋做事，面对困难敢于迎难而上，并永不放弃，最终成就了他的伟业。

合作互惠。合作双赢为永恒之道。利益对人的行为有着最为持续和强烈的激励作用，要想使合作行为持久地维持下去，就必须兼顾好各方的利益，让大家都有利可图。李嘉诚是一位使用合作互惠策略的高手，他始终讲究一个“和”字，处处从他人的利益出发，坚持“利益共沾”的原则，主张让利于人和不占他人便宜，这使得他与别人能够长久地合作下去，在别人得利的同时自己也得到了应有的利益，实现了自身事业的长足发展。

长袖善舞。资本只有进行运作才能创造财富的神话。资本运作是一项复杂的智慧活动，不是一般意义上的加减乘除，而是需要高超的运作能力，去巧妙进行运筹，以一搏十，让自己的投资得以增值。李嘉诚对于资本运作可谓是长袖善舞，他能准确抓住市场的脉搏，巧妙进行投资以及融资，做到有利则进，无利则退，并以大手笔赢得大收益，这是他打造财富神话的不二法门。

精妙推销。推销无处不在。做商业是在推销自己的产品，做人就是在推销自己的实力。只有学会推销自己，才可以取信于人，获取做人的成功；只有学会推销产品，才能把自己的产品给卖出去，获得商业的成功。李嘉诚是一个精于推销的高手，他一方面精心树立自己的良好形象，打造自己的品牌，另一方面又善于精心推销产品，让产品替自己说话，并且把推销自己与推销产品完美结合为一起，借推销自己来推销产品，这也是他商业成功的一大秘诀。

一流管理。一流的管理打造一流的企业。要使企业将技术转化为资金，实现资源利用率的最大化，在激烈竞争的环境下脱颖而出并获得长足的发展，就离不开科学的管理之道。王永庆作为一个管理大师，深得现代管理之精髓，他大力推进管理制度化、管理电脑化、管理目标化、管理压力化、管理合理化，这使得他成为了一代管理大师和当代“经营之神”。

客户至上。客户就是上帝。没有客户就是没有市场，没有客户的市场需要就没有企业存在的价值，只有不断地了解和满足客户的需求，给客户提供合适的产品和服务，才能让企业得以长久存在和持续发展。王永庆一直奉“客户至上”为宗旨，高度重视客户管理，提出兼顾顾客利益和疏解客户困难的主张，要求业务人员千方百计满足客户的需求，达到企业和客户的双赢，这是他之所以百战不殆的杀手锏。

精明用人。人才永远是事业发展的最大资本，用好人才则是事业成功的最佳保证。谁拥有人才，谁就会成为强者。谁用好了人才，谁的事业就会蒸蒸日上。王永庆是一个精明的用人高手，他善于挖掘人才，集聚人才，知人善用，人尽其才，针对不同的人，采用不同的方法，将人才的积极性充分地激发出来，为其事业的发展提供了源源不断的强大动力。

经营关系。经营关系就是在经营成功。人生在世，没有谁单打独斗就能成就一番事业，都需要结交各种人际关系，以利用其中的资源，帮助自己抓住各种机会，战胜各种困难来壮大发展自身的力量。纵观王永庆的事业发展过程，他建立的人际关系起到了非常关键的作用。从早期踏入塑胶工业到后来台塑的发展过程中，他通过经营各种关系，使自己涉险不惊并勇渡难关，让自己的事业得以顺利的发展。

吃苦耐劳。不经一番寒彻骨，哪得梅花扑鼻香。世上没有免费的午餐，没有付出就没有收获，要想获得比常人更多的成就，就必须付出比常人更多的汗水。王永庆拥有常人所没有的吃苦耐劳之精神，他由此还提出了著名的“瘦鹅理论”，指出要想成功，就需要学习瘦鹅那样的忍耐力和面对困境时的坚毅态度，吃苦耐劳，这样方可渡过难关，踏上人生的坦途。

价廉物美。价廉物美最具竞争力。降低成本，是一件众人皆知的企业经营道理。但很多人用不好，也不在乎，而王永庆却运用自如，将其发挥得淋漓尽致，成为他的发财之宝与看家本领。王永庆降低成本的本事，连世界级管理大师都为之惊叹，望尘莫及。正是坚持价廉物美这个信念，王永庆孜孜不倦地追求效率，千方百计地降低成本，终能积少成多，溪流成河，使自己的企业从一个小米行变为一个塑胶王国。“价廉物美”，这一最简单、最普通的生活哲理却成为了王永庆事业成功、发达的法宝。

止于至善。如果要用一个词来概括王永庆的一生，“止于至善”最为合适不过。正是对于内心完美的不懈追求，才成就了足以让台湾乃至中国为之骄傲的台塑基业，才成就了影响台湾企业家至今并将持续影响下去的“经营之神”，更是留下了充满智慧光芒的管理和经营理念，这些理念仍旧在为我们提供着源源不断的精神营养。

成功可以复制，因为成功有诀窍。把握了“超人”李嘉诚、“经营之神”王永庆成功绝学的精髓，然后再结合实际加以运用，肯定可以让我们的事业再上台阶，我们的人生境界得以提升，我们的梦想得以走近。朋友们，就让我们一起从现在开始，学习他们的绝学，改变我们的人生，创造不愧于这个伟大时代的功业吧！

上篇　左手李嘉诚

——不可不知的做人与经商绝学

第一章　李嘉诚的善谋人脉之智

人脉就是财脉。人脉资源丰富，意味着你做事情所得到的机会越多，所能够利用的资源就越多，你创造财富以及成功的可能性也就越大。李嘉诚一直把建立良好的人脉关系奉为自己的圭臬，他深明做人的道理，以诚待人，与人为善，重情重义，事事为他人考虑，为他人着想，这让他拥有了一般人所不能拥有的人缘，也为他事业的成功奠定了扎实的基础。

第二章 李嘉诚的知人善任之决

事业发展靠人才。人才是一个企业最重要的资源，也是一个人成事最重要的基础。只要集众人之长，采众人之优，就能做到无所不能，百战百胜。李嘉诚是知人善任的用人高手，他把人才当作第一资源，敢于根据事业的需要起用新人，做到量材而用、各尽所能，并能以良好的待遇留住这样人才，这使得他周围聚集了一大批志同道合、才华横溢的商界英才。

第三章 李嘉诚的运筹帷幄之智

眼界决定成败。要想获得成功，就一定要拥有过人的眼光，掌握其中蕴含的机会。李嘉诚拥有过人且独到的眼光，这使得他能够审时度势，把握住市场的脉搏，并能先想一着，先走一步，通过运筹帷幄来处处占领先机，从而让他在复杂多变、竞争激烈的当代社会中脱颖而出，不断地从一个成功走向下一个成功。

目录

第四章　李嘉诚的坚忍不拔之力

艰难困苦，玉汝于成。人生之路并非坦途，而是充满了各种挑战和困难，因此成大业者必须自强不息，要有战胜一切的雄心，只有敢于向一切艰难挑战，并做到永不言弃，方能开创出一片属于自己的天地。李嘉诚具有一种坚忍不拔之力，这使得他总是自强不息，勤奋做事，面对困难敢于迎难而上，并永不放弃，最终成就了他的伟业。

第五章　李嘉诚的合作互惠之慧

合作双赢为永恒之道。利益对人的行为有着最为持续和强烈的激励作用，要想使合作行为持久地维持下去，就必须兼顾好各方的利益，让大家都有利可图。李嘉诚是一位使用合作互惠策略的高手，他始终讲究一个“和”字，处处从他人的利益出发，坚持“利益共沾”的原则，主张让利于人和不占他人便宜，这使得他与别人能够长久地合作下去，在别人得利的同时自己也得到了应有的利益，实现了自身事业的长足发展。

第六章 李嘉诚的长袖善舞之要

资本只有进行运作才能创造财富的神话。资本运作是一项复杂的智慧活动，不是一般意义上的加减乘除，而是需要高超的运作能力，去巧妙进行运筹，以一搏十，让自己的投资得以增值。李嘉诚对于资本运作可谓是长袖善舞，他能准确抓住市场的脉搏，巧妙进行投资以及融资，做到有利则进，无利则退，并以大手笔赢得大收益，这是他打造财富神话的不二法门。

第七章 李嘉诚的精妙推销之术

推销无处不在。做商业是在推销自己的产品，做人就是在推销自己的实力。只有学会推销自己，才可以取信于人，获取做人的成功；只有学会推销产品，才能把自己的产品给卖出去，获得商业的成功。李嘉诚是一个精于推销的高手，他一方面精心树立自己的良好形象，打造自己的品牌，另一方面又善于精心推销产品，让产品替自己说话，并且把推销自己与推销产品完美结合为一起，借推销自己来推销产品，这也是他商业成功的一大秘诀。

下篇　右手王永庆

——不可不学的做事与经营绝学

第八章　王永庆的一流管理之绝

一流的管理打造一流的企业。要使企业将技术转化为资金，实现资源利用率的最大化，在激烈竞争的环境下脱颖而出并获得长足的发展，就离不开科学的管理之道。王永庆作为一个管理大师，深得现代管理之精髓，他大力推进管理制度化、管理电脑化、管理目标化、管理压力化、管理合理化，这使得他成为了一代管理大师和当代“经营之神”。

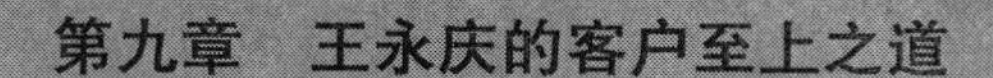

第九章　王永庆的客户至上之道

客户就是上帝。没有客户就是没有市场，没有客户的市场需要就没有企业存在的价值，只有不断地了解和满足客户的需求，给客户提供合适的产品和服务，才能让企业得以长久存在和持续发展。王永庆一直奉“客户至上”为宗旨，高度重视客户管理，提出兼顾顾客利益和疏解客户困难的主张，要求业务人员千方百计满足客户的需求，达到企业和客户的双赢，这是他之所以百战不殆的杀手锏。

第十章　王永庆的精明用人之道

人才永远是事业发展的最大资本，用好人才则是事业成功的最佳保证。谁拥有人才，谁就会成为强者。谁用好了人才，谁的事业就会蒸蒸日上。王永庆是一个精明的用人高手，他善于挖掘人才，集聚人才，知人善用，人尽其才，针对不同的人，采用不同的方法，将人才的积极性充分地激发出来，为其事业的发展提供了源源不断的强大动力。

第十一章　王永庆的经营关系之妙

经营关系就是在经营成功。人生在世，没有谁单打独斗就能成就一番事业，都需要结交各种人际关系，以利用其中的资源，帮助自己抓住各种机会，战胜各种困难来壮大发展自身的力量。纵观王永庆的事业发展过程，他建立的人际关系起到了非常关键的作用。从早期踏入塑胶工业到后来台塑的发展过程中，他通过经营各种关系，使自己涉险不惊并勇渡难关，让自己的事业得以顺利的发展。

第十二章　王永庆的吃苦耐劳之功

不经一番寒彻骨，哪得梅花扑鼻香。世上没有免费的午餐，没有付出就没有收获，要想获得比常人更多的成就，就必须付出比常人更多的汗水。王永庆拥有常人所没有的吃苦耐劳精神，他由此还提出了著名的“瘦鹅理论”，指出要想成功，就需要学习瘦鹅那样的忍耐力和面对困境时的坚毅态度，吃苦耐劳，这样方可渡过难关，踏上人生的坦途。

第十三章 王永庆的价廉物美之招

价廉物美最具竞争力。降低成本，是一件众人皆知的企业经营道理。但很多人用不好，也不在乎，而王永庆却运用自如，将其发挥得淋漓尽致，成为他的发财之宝与看家本领。王永庆降低成本的本事，连世界级管理大师都为之惊叹，望尘莫及。正是坚持价廉物美这个信念，王永庆孜孜不倦地追求效率，千方百计地降低成本，终能积少成多，溪流成河，使自己的企业从一个小米行变为一个塑胶王国。“价廉物美”，这一最简单、最普通的生活哲理却成为了王永庆事业成功、发达的法宝。

第十四章 王永庆的止于至善之慧

如果要用一个词来概括王永庆的一生，“止于至善”最为合适不过。正是对于内心完美的不懈追求，才成就了足以让台湾乃至中国为之骄傲的台塑基业，才成就了影响台湾企业家至今并将持续影响下去的“经营之神”，更是留下了充满智慧光芒的管理和经营理念，这些理念仍旧在为我们提供着源源不断的精神营养。

上　篇

左手李嘉诚

——不可不知的做人与经商绝学

第一章

李嘉诚的善谋人脉之智

人脉就是财脉。人脉资源丰富，意味着你做事情所得到的机会越多，所能够利用的资源就越多，你创造财富以及成功的可能性也就越大。李嘉诚一直把建立良好的人脉关系奉为自己的圭臬，他深明做人的道理，以诚待人，与人为善，重情重义，事事为他人考虑，为他人着想，这让他拥有了一般人所不能拥有的人缘，也为他事业的成功奠定了扎实的基础。

“诚”乃做人的宗旨

李嘉诚语录：*你要相信世界上每一个人都精明，要令人信服并和你交往，那才最重要。*

一个只有初中文化的人、一个茶楼里的跑堂者、一个普通的推销员，在经过几年的艰苦奋斗后，成为了香港首富。这听起来像天方夜谭，但却是事实，创造这一商业神话的人便是李嘉诚。

对于李嘉诚，有人曾有如下评价：“李嘉诚发迹的经过，其实是一个典型青年奋斗成功的立志式故事，一个年轻小伙子，赤手空拳，凭着一股干劲儿勤俭好学，刻苦而劳，创立出自己的事业王国。”但李嘉诚自己认为，他取得成功的真正原因是懂得做人的基本道理，他曾多次说过：“要想在商业上取得成功，首先要懂得做人的道理，因为世情才是大学问。世界上每个人都精明，要令人家信服并喜欢和你交往，那才是最重要的。”

因此，做为一名成功的商人，光有一个精明的头脑还远远不够，还必须在做人处世方面有自己的一套绝学。不得不说，李嘉诚的勤勉、节俭、朴实、坦诚以及他的善待他人（包括竞争对手），为他的事业王国奠定了坚实基础。

李嘉诚 13 岁时父亲去世，因此，他不得不辍学，过早挑起家庭的重担。他的第一份工作是在一家小茶楼当跑堂，每天他起早摸黑，忙得不可开交。即便是这样，他还利用每天工作的空余时间，学习和研究别人是如何做生意、如何接待主顾的。

经过这段艰苦的打工生涯，李嘉诚变得非常勤快能干，并且具备了察言观色的本领，这为他日后从事推销工作建立了基础。

刚开始做推销工作时，李嘉诚因没有经验而屡屡碰壁。他每天背一个装有商品的大包，长途跋涉，挨家挨户的推销产品。

李嘉诚正是凭着自己的勤劳、机敏以及对用户心理的准确把握，在做推销的第一年就业绩骄人——年终计算时，他的销售额是公司第二名的7倍。

李嘉诚是一位以诚信为原则，坚持公道的商人。他说过："最聪明的商人不是只看到手中的钱，而是想尽办法以做人为头等大事。"正是坚持做人与处世的基本原则，李嘉诚在商界赢得了良好的信誉，并且赢得了同行、同业、同仁对他的尊重和爱戴。甚至他的商业竞争对手，也不得不由衷地敬佩他。而这些，恰恰是一个商人赖以生存发展的最宝贵的资源。

诚信对于商人来说也是宝贵的资源。在李嘉诚创办的塑胶厂刚开始生产塑料花时，有一位外商曾希望大量订货。为确保李嘉诚有供货能力，外商提出须有富裕的厂家作担保。当时的李嘉诚由于是白手起家，没有背景，没人愿意为他作担保，无奈之下，他只能对外商如实相告。李嘉诚的诚实感动了对方，外商对他说："从您坦白之言中可以看出，您是一位诚实君子。诚信乃做人之道，亦是经营之本，不必用其他厂商作保了，现在我们就签合约吧。"但李嘉诚这时却拒绝了对方的好意，他对外商说："先生，能受到您如此信任，我不胜荣幸！可是，因为资金有限得很，一时无法完成您这么多的订货。所以，很遗憾我还是不能与您签约。"

李嘉诚的诚信使外商大受震动，于是，外商决定，即使冒再大的风险，他也要与这位具有罕见诚实品德的人合作一把。于是，他对李嘉诚说："您是一位令人尊敬的可信赖之人。为此，我预付货款，以便为您扩大生产提供资金。"

由于外商的鼎力相助，使得李嘉诚既扩大了工厂的生产规模，又拓宽了产品的销路，李嘉诚也从此成为香港塑料花大王。通过这件事，李嘉诚悟出了一个道理：诚信乃生命所系，也是生意场上必须坚持的金科玉律。

李嘉诚曾说过："一个人最要紧的是，要有中国人的勤劳、节俭的美德。最要紧的是节省你自己，对人却要慷慨，这是我的想法。顾信用，够朋友，这么多年来，差不多到今天为止，任何一个国家的人，任何一个省份的中国人，跟我合作之后都能成为好朋友，从来没有为某件事闹过不开心，这一点我是引以为荣的。"

一个"诚"字，是李嘉诚做人处世的宗旨，也是他事业辉煌的秘诀。

善待他人广结善缘

李嘉诚语录：*以德服人，广交朋友，广结善缘才能把生意越做越大。*

俗话说："在家靠父母，出门靠朋友。"

商场上，人缘和朋友显得尤其重要。善待他人，利益均沾是生意场上交朋友的前提，诚实和信誉是交朋友的保证。就像在积累财富上创造了奇迹一样，李嘉诚的人缘之佳在险象环生的商场上同样创造了奇迹。李嘉诚生意场上的朋友多如繁星，几乎每一个与之有过一面之交的人，都会成为他的朋友。

有一位加拿大记者对李嘉诚的为人赞不绝口：

"李嘉诚这个人不简单。如果有摄影师想为他造型摄像，他是乐于听任摆布的。他会把手放在大地球模型上，侧身向前摆个姿势……他不摆架子，容易相处而又无拘无束。他可以从启德机场载一个陌生人到市区，没有顾虑到个人的安全问题。他甚至亲自为客人打开车尾箱，让司机安坐在驾驶座上。后来大家上了车，他对汽车的冷气、客人的住宿，都关心周到，他坚持要打电话到希尔顿酒店问清楚房间预订好了没有，当然，这间世界一流酒店也是他名下的产业。"

下面的故事更能说明问题。

1991 年秋，李嘉诚收到一位英国丁姓华侨的来信。这位华侨在信中说自己已经到了山穷水尽、万念俱灰的处境。李嘉诚日理万机，平时连一些重大的应酬都无法参与，他却亲笔复信，以诚挚的态度为丁姓华侨"指点迷津"：

"丁先生：人生起伏无常，尤其从事商业。穷人易做，穷生意难做。所以你们现在面临的困难，只是数千年来亿万生意人曾经面对的苦痛的一部分。但如果明白大富在天，小富在人，如果肯勤俭有效力地面对现实，尽心经营，则俗话所说：‘山重水复疑无路，柳暗花明又一村。’说不定不久你们又有一个好和新的局面。即使一切都不如意，退一步想，则海阔天空。以今日英国的工资水平，最大不了的也就是多找一份职业，生活应绝对无问题。留得青山在，不怕没柴烧，送上英镑500，请你俩一顿晚餐。想想明天会更好！想想世界上有多少更苦的人！”

李嘉诚的为人宽厚，善待他人，还反映在他为老家族人扩建祖屋这件事上。

1979年，李嘉诚为家乡捐建了14栋“群众公寓”。筹建“群众公寓”时，家乡政府部门提出“优先安排其亲属入居”的建议，李嘉诚坚决反对，他在给家乡的信中说：“本人深觉款项捐出，即属公有，不欲以一己之关系妨碍公平分配。”

由于在海外漂泊了40余年，李嘉诚十分怀念自己出生的祖屋，于是决定重修祖屋。在修复祖屋的问题上，李嘉诚小心谨慎的态度，以大局为重的处理方法无不体现出他的过人之处。平心而论，极富爱心、孝心的李嘉诚，何尝不希望有一个优雅的居住环境，修复一座宽大舒适的祖屋，一则解决族人的居住问题，也能节省“群众公寓”的分配单位，更多地安排其他缺房户；二则聊表本人慎终追远先祖的微愿。

并且，家族内也有亲属提出原有祖屋面积过于窄小，族人居住多有不便，强调这样的祖屋既与李嘉诚今日在香港的显赫地位不相称，又无法更完美地纪念李氏先祖的功德，希望扩大祖屋原有的面积。

潮州市政府对李嘉诚祖屋的修复十分重视，积极配合与支持李嘉诚祖屋的扩建工作。而居住在面线巷左邻右舍的乡亲们，十分感动李嘉诚在捐建“群众公寓”的同时，并不安排族人入居，也觉得扩建祖屋在情理之中，对这件事纷纷表示理解与合作。人们从心理上乃至行动上都做好了搬迁让地的准备。

在狭小悠长的面线巷，收置行囊准备搬迁的众乡亲们只等候着李嘉诚的一声令下。

这是一次“德”与“孝”的冲撞。

然而李嘉诚却并没有这样做。

从小饱读儒家经典，择其德善而处世为人的李嘉诚，对这个问题考虑得更全面、更深远。

在认真思考之后，李嘉诚决定不扩大面积。他打算就在原有面积的基础上建造一栋四层楼房，以供族人居住。他给那些深表疑惑的亲属们解释说：

“虽然目前要拿多少钱，扩充多大的面积都不是问题。但是要想一想，这样做的后果必然会影响到左邻右舍的切身利益，我们不能拿乡亲们的祖屋来扩充自己的祖屋，绝对不可以以富压人，招致日后被人指责。”李嘉诚这一行为在让人感动之余也给他自己带来了极高的声誉。

一个品德如此高尚的人，别人怎么会不愿意跟他合作呢？李嘉诚在生意场上只有对手而没有敌人，可以说是在情理之中。想一想李嘉诚这句箴言：“人要去求生意就比较难，生意跑来找你，你就容易做。”如何才能让生意来找你？那就要靠朋友。“千里难寻是朋友，朋友多了路好走……”

人是社会关系的总和，与他人有着千丝万缕的联系。不管在哪儿，朋友和人缘都十分重要。所谓“一个篱笆三个桩，一个好汉三个帮”，一个人只有尽己所能，善待他人，广交朋友，才能使自己在事业上如鱼得水，在生活中左右逢“缘”。

真心结交朋友做事业

李嘉诚语录： *朋友取之不尽，用之不竭，你对别人好，别人对你好也是很自然的。世界上任何人都可以成为你事业中的核心人物。*

一个人要成就一番事业，就必须有得力的人才辅佐。而一个企业的发展，不仅需要企业内部人员的齐心协力，还需要得到企业外部人士的支持和帮助。

李嘉诚在事业逐步发展，缔造商业帝国的过程中，其用人之法颇有些战国时代孟尝君的风范。他以自己的信誉和重用人才的作风吸引了许多“客卿”来为他出谋划策，鼎力相助，甚至不图报酬者也比比皆是。

可以说，李嘉诚能有后来的辉煌，“客卿”功不可没。

“客卿”之中，数大牌律师李业广与当红经纪杜辉廉两人的影响最大。李业广是“胡关李罗”律师行的合伙人之一。李业广还持有英联邦的会计师执照，是个“两栖”专业人士，在业界声誉很高。

人们都说李业广是李嘉诚的“御用律师”。李嘉诚则说：“不好这么讲，李业广先生可是行内的顶尖人物，我可没有这个本事独包下他。”事实上，也确实是这么一回事。

当时的李业广身兼香港20多家上市公司董事职位，而这些公司的市值总和已超过了全港上市公司总额的1/4。此外，李业广还是许多商界富豪的高参。

李嘉诚是一位彻底的务实派，他邀李业广进董事局，绝对不是拉虎皮做大旗，虚张声势。

李嘉诚之所以重用李业广，是因为敬重李业广的博识韬略。

而李业广也并非那种见钱眼开，唯利是图的人。李业广做事一贯甘处幕后，保持低调。直到1991年，李业广出任香港证券联合交易所董事局主席后，才突然一鸣惊人。虽然李业广事务繁忙，一般的大亨很难请得动他，但只要是他敬重的人，没钱他也会鼎力相助。

而李嘉诚正是李业广所敬重的人物。因此，长实不少扩张计划，都是两李“合谋”的杰作。长江上市之初，李业广便是首届董事会董事；长江扩张之后，李业广又是长江全系所有上市公司的董事。仅此一点，足见两人的关系非同寻常。

杜辉廉是一位英国人，出身伦敦证券经纪行，是一位证券专家。20世纪70年代，英国唯高达证券公司来港发展，委任杜辉廉为驻港代表。在业务往来中，杜辉廉与李嘉诚结下了不解之缘。

1984年，唯高达被万国宝通银行购并，杜辉廉随之参与万国宝通国际的证券业务。

杜辉廉是长江多次股市收购战的高参，并实际操办了“长实”及李嘉诚家族的股票买卖，因而被业界称为“李嘉诚的股票经纪”。

但杜辉廉并不是李嘉诚属下公司的董事，他多次谢绝了李嘉诚邀请他担任“长实”董事的好意，是众多“客卿”中唯一不拿薪水的。但他从不因为未拿薪水，而拒绝参与“长实”系股权结构、股市集资、股票投资的决策，这让重情重义的李嘉诚一直觉得欠他一份重情，总想着寻找机会报答他。

机会终于来了。1988 年底，杜辉廉与他的好友梁伯韬共创百富勤融资公司，李嘉诚当即决定帮助百富勤公司，以报杜辉廉的相助之恩。

杜梁二人各占百富勤公司 35% 的股份，其余股份，由李嘉诚等 18 路商界巨头参股，如长江系的和黄，中资的中信、越秀等。这些商界巨头也得到过杜辉廉的帮助，所以接到李嘉诚的邀请后，便欣然允诺。他们都和李嘉诚一样不入局，不参政，目的仅在于助其实力，壮其声威。

在 18 路商界巨头的大力协助下，百富勤发展势头迅猛，先后收购了广生行与泰盛，还分拆出另一家公司——百富勤证券。杜辉兼任这两家公司的主席。到 1992 年，该集团年盈利已达到了 668 亿港元。

当百富勤集团成为商界小巨人后，李嘉诚等巨商主动摊薄了自己所持的股份。其目的是再明显不过了，那就是让杜梁两人的持股量达到绝对的“安全”线。

李嘉诚对百富勤的投资，完全出于非盈利目的，他之所以这样做，是为了报杜辉廉之恩。

尽管李嘉诚并不想从百富勤赚得一分一厘，但其持有的 5% 的百富勤股份，仍为他带来了大笔红利。这是因为百富勤发展迅速，是市场备受宠爱的热门股，他不想赚钱也得赚钱了。

20 世纪 90 年代，李嘉诚与中资公司的多次合作（借壳上市、售股集资），基本上都是请百富勤担当财务顾问，身兼两家上市公司主席的杜辉廉，仍然忠诚不渝地充当李嘉诚的智囊。

由于有证券专家杜辉廉的鼎力相助，李嘉诚在股市上更是如虎添翼，挥洒自如，甚至对股市形成了强大的左右力。

李嘉诚最辉煌的战绩在股市，最能显示其超人智慧的场所也是在股市。而被称为“李嘉诚的股票经纪”的杜辉廉，在其中起了不可估量的作用。

李嘉诚的投桃报李，知恩图报，又使杜辉廉更加专心致志地回报李嘉诚，一心一意充当李嘉诚的“客卿”。

李嘉诚就是这样，无论是自己用人，还是求助他人，都特别看重其品质和才干。因为德才兼备者，才是最佳人选，才能与自己彼此忠诚，相互帮助，携手共进。

其实，李嘉诚得到“客卿”的大力相助，也是他“善有善报”的延伸。所谓“家有梧桐树，引得凤凰来”，假若自己品质不良，没有“梧桐树”，又如何引得“凤凰”来栖呢？李嘉诚的做人用人之道，的确值得借鉴。

商场内也可有朋友

李嘉诚语录：以诚待人，不怕吃亏，事事为他人考虑，为他人着想，就是赢得真正友谊的最佳方法。

李嘉诚先生的处世哲学就是为他人、为朋友、为员工、为股东、为国家、为民族着想。以这样广阔的胸襟，交上真正的朋友自然是应该的。

就以当年包玉刚爵士想收购九龙仓集团一事为例。本来李嘉诚先生也有意入主当时仍然是英资的九龙仓集团。但他知道包玉刚爵士已经买入了不少九龙仓股份，如果自己加入战圈，和包玉刚爵士一起争夺九龙仓的控制权，正所谓两虎相斗，必有一伤。李嘉诚先生处世的态度是处处以他人利益为先，于是他就放弃了争夺九龙仓的机会，还将手中的九龙仓股份转让给了包玉刚爵士，成人之美，使包玉刚爵士能够顺利夺得九龙仓的控制权。包玉刚爵士之后就和李嘉诚先生成了好朋友。当时，他们各自所属的两个集团的影响力和实力不相伯仲。两位集团的领导人就因为这一次机会而结识，成了好朋友。之后，他们合作发展了不少项目。

还有一个例子。李嘉诚先生和香港汇丰银行集团的关系极为密切。李嘉诚先生曾经当过汇丰银行的副主席多年。他是继包玉刚爵士之后，香港第二位登上汇丰银行副主席之位的华人。其实，李嘉诚先生在业务发展期间就和汇丰银行的关系发展得极为良好。李嘉诚先生的信誉，得到汇丰银行的欣赏，于是汇丰银行早年就在业务上支持李嘉诚先生。李嘉诚先生的业务不断扩张之后，仍然很珍惜和汇丰银行的关系，所以，到今日，汇丰银行仍然是长江实业及其属下机构众多往来银行中重要的一家银行。

从这一点，我们体会到这样一个事实：在商场内，并非所有人都是我们的敌人。在商场内，一样有朋友，甚至可以有深交。但在商场内，生意人能否找到朋友，特别是真挚的朋友，主要在于你怎样对人。对人真诚，你找到真朋友的机会就一定会比对人虚伪的人大得多。

在商场内处处是朋友，究竟有什么好处？为什么我们要学习李嘉诚先生在商场内多结交朋友，少树立敌人的做法？从感性方面讲，我们每一个人都需要朋友，都需要真正的友谊。这能使我们在人生路上减少孤单，遇到问题有朋友可以倾诉，使我们在精神上得到更多的支持。拥有朋友的关怀，遇事有人分担，快乐有人分享，我们的生活才更加有意义。

从功利主义的角度看，多交朋友，在我们遇到困难之时，就可以得到朋友的帮助，遇到问题时有更多人和我们一起商量，一起找出问题的答案。

中国人讲究“和为贵”。这不单是在商场上存在的哲学，更应该是人生处世的哲学。李嘉诚先生在商场内能够处处是朋友，相识满天下，是值得我们认真学习的。

一流人才最注重人缘

李嘉诚语录：**商道即人道，“做人”和“做生意”的道理其实是一样的。**

俗话说“广撒网才能多捕鱼”，商界也常言“一流人才最注重人缘”，又说“擦肩而过也有前世姻缘”，这些话说明了商界中最重人际关系。

“一流人才最注重人缘”，这句话反过来说就是：“最注重人缘的人，才能成一流人才。”

人缘对于商人来说是至关重要的，因此，做生意一定要建立好的人缘。好的人缘是要靠自己去创造的，它并不会从天上掉下来。如果太拘谨，太内向，就将失去许多和人接触的机会。人缘是自立开业者重要的课题，生意能否成功，人缘的好坏，很可能是决定的关键。

那么怎样才能拥有好的人缘呢？敢于和人接触，当然是最基本的，但并不是只要能说善道就够了，最重要的是要在朋友之间，在此后所交往的人之间，在所有认识的人之间，建立一个“信用可靠”的印象。不但要让朋友信任你，而且要让客户依赖你。

李嘉诚在这方面就做得很好，他深知与人为信、与人合作的重要性，他曾多次对别人讲：“要照顾对方的利益，这样人家才愿与你合作，并希望下一次合作。”跟随李嘉诚做事多年的洪小莲，在谈到李嘉诚的合作风格时说：“凡与李先生合作过的人，哪个不是赚得盘满钵满！”

香港著名人士林燕妮对此也有深切体会。她曾经营过广告公司，与李嘉诚的公司有业务往来。广告市场是一个明显的买方市场，只有广告商有求于客户，而客户不用担心有广告无人做。一般而言，大客户都有着颐指气使、盛气凌人的气焰，但李嘉诚却是一个例外。

林燕妮回忆道："头一遭去华人行的长江总部商谈，李嘉诚十分客气，预先派了穿长江制服的男服务员在地下电梯门口等我们，招呼我们上去。"

"电梯上不了顶楼，踏进了长江大厦办公厅，更换了个穿着制服的服务员陪着我们拾级步上顶楼，李先生在那儿等我们。"

"那天下雨，我的外衣湿淋淋的，李先生见了，便帮我脱下外衣，他亲手接过，亲手替我挂上，不劳服务员之手。"

双方做了第一单广告业务后，彼此建立了信任，李嘉诚便减少参与广告事宜，只由洪小莲出面商谈下一步的售楼广告。

"有时开会，李先生偶尔会探头进来，客气地说：'不要烦人太多呀！"

"我们当然说：'愈烦得多愈好啦，不烦我们的话，不是没生意做？'……"

李嘉诚这种"与人为善"的处世方法，使他获得了大量的人缘，从而为他成为一个一流的商人奠定了基础。

创业者成功的重要因素之一是人缘广，人缘广，自然财源广进。要想人缘好，那就要善待他人。善待他人，能使两颗心紧紧地连在一起，碰撞出人生美丽的火花。努力去善待周围的每一个人吧，你的人生会因此而散发出和谐的光芒。

做人当重情重义

李嘉诚语录：要以真心真意来取得对方的信心。

李嘉诚曾经历过一次终生难忘的"饭碗危机"。那时，他在茶楼当跑堂，每天工作十几小时，可以说天天处于疲乏之中。听茶客聊天，是李嘉诚排困解乏的最佳疗法。然而，有一天却发生了意外。

那天，一位茶客坐在桌旁大谈生意经，生意场上斗智斗力，尔虞我诈的故事，令李嘉诚大开眼界。他觉得做生意很神奇也很刺激。李嘉诚听得入了迷，竟忘了自己的本职工作，没有及时给客人冲水。

这时，有一位伙计看到客人的杯子早空了，便大声叫他，听得如痴如醉的李嘉诚这才回过神来，慌里慌张地拿起茶壶为客人冲开水。由于动作匆忙，他一不小心把开水淋到了茶客的裤腿上。这下可糟了！

李嘉诚吓坏了，呆呆地站在那里，脸色煞白，不知该如何向这位茶客赔礼谢罪。茶客是茶楼的衣食父母，若遇上蛮横的茶客，必会甩堂倌的耳光，而且会找老板闹个不休。

李嘉诚知道自己闯下大祸了，他不敢想象将会有什么样的厄运降临到自己身上。他早已听说，在自己进来之前，一个堂倌也犯了这样的过失，老板不敢得罪那位茶客，硬是逼着堂倌给茶客下跪请罪，然后当即辞退了堂倌。

李嘉诚已做好了受罚的准备。这时，老板跑了过来，正要责骂李嘉诚，想不到的是，这位茶客却说："是我不小心碰了他，不怪这位小师傅。"茶客一味为李嘉诚开脱，老板当然乐得顺水推舟，也就不再说什么了，只是恭恭敬敬地向茶客连声道歉。

茶客坐了一会就走了，李嘉诚愣愣地回想着刚刚发生的事，依然心有余悸，双眼湿漉漉的，暗自庆幸自己遇上了好人。

事后，老板对李嘉诚道："我晓得是你把水淋到了客人的裤腿上。以后做事千万得小心。万一有什么闪失，要赶快向客人赔情道歉，说不准就能大事化小了。这客人心善，若是恶点的，不知会闹成什么样子。开茶楼，老板伙计都难做啊！"

回到家，李嘉诚把这事情说给母亲听，母亲感叹不已，觉得儿子确实很幸运。她说："客人和老板都是好人。"她又告诫儿子："种瓜得瓜，种豆得豆"；"积善必有善报，作恶必有恶报。"

李嘉诚对母亲的告诫谨记在心。他满心感激那位好心的茶客，也感激老板对自己的宽容。

其实，李嘉诚逃过这一劫，并非侥幸，也是他平日积善得善报的结果。由于李嘉诚平时真诚待人，吃苦耐劳，顾客和老板自然是看在眼里，记在心上，自然不愿为难他。如果是一个懒惰而又不负责任的伙计，客人早就看他不顺眼，老板早就对他心怀不满。那么，即便他没事，饭碗也很危险，若是闹出点事来，还能有好果子吃吗？

所以，从某种意义上说，李嘉诚是自己拯救了自己，是凭借自己一贯的诚实勤劳的作风度过了这一次险境。

但是，李嘉诚后来依然对那位好心的茶客念念不忘。多年以后，他曾对别人说："这虽然是件小事，在我看来却是大事。如果我还能找到那位客人，一定要让他安度晚年，以报他的大恩大德。"

李嘉诚从小便从父母那里接受了中华民族传统道德观的教育，如"和为贵"、"和气生财"、"善有善报，恶有恶报"、"知恩报恩"等。但那是父母灌输给他的，他并不能完全领会其中的真正含义。而这一次"饭碗危机"才让他真正体会到了这些传统美德的重要作用。有亲身体验，才会去贯彻执行。李嘉诚后来始终信奉"以和为贵"、"积德行善"的做人准则，这也为他的事业发展开辟了道路。

如果说李嘉诚在商业上的成功来自于他经商技巧的精妙，那么他做人重情重义的一贯风格便是他成功不可或缺的根本所在。

一个成大事的人，情义是他的无形资本。做人当讲真情、知道报恩，这是成大事者恪守的人生准则。用真心，动真情，做人不狡猾，不奸诈，这样事业才能走向成功，人生也才会亮丽多姿。

舍利取义得人心

李嘉诚语录：*要做好生意，最重要的不是积累金钱，而是积累人心。*

每一个干大事的人，都懂得人际关系的重要性。李嘉诚作为一个杰出的商人，更是把它当做重中之重来处理。

他身体力行，做到事事以考虑别人为先，做到千金面前不忘义，从而建立了良好的人缘，同时也使自己受益匪浅。李嘉诚在董事袍金上的做法就是一个很好的例子。

李嘉诚出任10余家公司的董事长和董事，董事局为他开支了优厚的董事袍金。但他把所有的袍金都归入长实公司账上，自己全年只拿5000港元，而且他为和黄公差考察、待客应酬都是自掏腰包，从不在和黄财务上报账。

这5000港元，还不及公司一名清洁工在20世纪80年代初期的年薪。

以20世纪80年代中期的水平，像长实系这样盈利状况甚佳的大公司主席的袍金，一年就该有数百万港元。进入20世纪90年代，更是递增到1000万港元上下。

李嘉诚20多年维持不变，只拿5000港元。按现在的水平，李嘉诚万分之一都没拿到。

李嘉诚每年放弃数千万袍金的做法，获得了公司众股东的一致好感。爱屋及乌，大家自然也信任长实系股票。甚至李嘉诚购入其他公司股票，投资者也莫不步其后尘，纷纷购入。

李嘉诚是大股东和大户，得大利的当然是李嘉诚。

有公众股东帮衬，长实系股票被抬高，长实系市值大增。

李嘉诚欲办大事，很容易得到股东大会的通过。

对李嘉诚这样的超级富豪来说，袍金算不得大数，大数是他所持股份所得的股息及价值。

1994年4月至1995年4月的年度，李嘉诚仅所持的长实、生啤、新王股份，所得年息就共计有12.4亿港元——尚未计他的非经常性收入，以及海外股票的年息。

有人说，一般的商家，只能算精明，唯李嘉诚一类的商界翘楚，才具备经商的智慧。舍利取义，舍小取大，李嘉诚又是其中最最聪明的人。

此外，李嘉诚将长实旗下部分公司私有化的做法也充分体现了他见利不忘义的品格。

“私有化”是一个专用名词，是指改变原上市公司的公众性质，使之成为一家私有公司。

根据证券条例的规定，公司上市必须拨出25%以上的股份向公众发售，即使是一家家族性的上市公司，本质上也属于公众公司。

公司上市、收购公司以及供股集筹，都被称做“进取”，而将公司私有化，取消其挂牌的上市地位，即是“淡出”。

其实，“淡出”也是一种收购形式，只不过取消挂牌后的私有公司，不能再从社会集资，也就不再具有以小搏大、以少控多的优势。

李嘉诚之所以将部分公司实行私有化，主要有两个方面的原因：

①李嘉诚所控的长实系集团够庞大的了，仅就长实、和黄、港灯三家巨型公司的规模而言，已足以获准浩大的集资计划。因此，将部分公司私有化，并不影响长实日后的集资扩张。

②私有化以后的公司，将重新变为不受公众股东和证监会制约监督的公司，因而有利于保守商业秘密，也不必再像公众公司那样定期向公众公布财务经营状况。

要实行私有化，时机选择是一个很关键的问题。骑牛上市，借熊退市是大股东选择的最佳时机。道理谁都懂，但要真正掌握好时机，却并非那么简单；而要显出大度来，避免小股东的怨恨，则更不容易。而李嘉诚的实行私有化时，却兼顾了这两点，再一次显示了他与众不同的人格魅力。

1984年，中英就香港前途问题的联合声明签订后，香港投资气候转晴，股市开始上扬。1985年10月，李嘉诚宣布将国际城市有限公司私有化，出价1.1港元，较市价高出一成，亦较该公司上市时的发售价高出0.1港元。

对于这种价格，小股东自然是大喜过望，纷纷接受收购。李嘉诚这次提出私有化，正在牛市之时，付出了较高的收购代价。如果是赶在两年前或等到两年后的熊市之时再进行私有化，就能够实现低价收购。

对此，有人认为一贯善于把握时机的李嘉诚看走了眼，没有抓住实行私有化的最有利时机。

其实，以李嘉诚多年的商业经验，运筹帷幄的商业技巧和坚实的经济基础，他完全可以在股市低潮这种有利的条件下，将公司用超低的价格收归到自己的手中。但他并没有这样做，他充分考虑到了小股东们的不易。他们资金小，赚得的利润也少，这一次竞争也许一下子就把他们置于死地了。他说，我不是没想过借熊退市，但趁淡市以太低的价钱收购对小股东来说不公平。所以，李嘉诚实行了他们较为满意的收购价格。李嘉诚这种千金面前不见利忘义的品格实在是难能可贵的。

李嘉诚这种成全他人利益的做法，无疑为自己换得了人心，所造成的影响虽然看不见，但时时处处都可能对他产生良好的作用。许多人自作聪明，将损人利己当成本事，殊不知，懂得照顾别人的利益，才是真正的智慧。

人活在世上不能光顾一己之利。仅把目光停留在个人利益上，而舍不得为别人付出半分半厘的人，最终只能赚得一时小利，而失去的则是长远之大利。如果我们在决定做一件事情之前能想想别人的利益和感受，那么我们就会发现自己的道路会因此而越走越宽阔。

第二章

李嘉诚的知人善任之诀

事业发展靠人才。人才是一个企业最重要的资源，也是一个人成事最重要的基础。只要集众人之长，采众人之优，就能做到无所不能，百战百胜。李嘉诚是知人善任的用人高手，他把人才当作第一资源，敢于根据事业的需要起用新人，做到量材而用、各尽所能，并能以良好的待遇留住这样人才，这使得他周围聚集了一大批志同道合、才华横溢的商界英才。

人才是最重要的资源

李嘉诚语录：*我做生意一直抱定一个信念，不靠投机取巧。而靠自己的一帮有才能的人。*

没有人才就干不成事业。人才，是一个组织最重要的资源。有了人才，企业才能运作，才能成长，才能做到基业长青。

美国《财富》杂志报道李嘉诚“甚为华人中重要的伙伴”，“靠友人合作投资地产和塑胶生意发迹”。看一看李嘉诚的创业之路，及其所作所为，恐怕谁也不能说李嘉诚的成功纯属偶然。

李嘉诚由一个身无分文的打工仔成为香港首富，“长江”企业由一间破旧不堪的小厂成长为庞大的跨国公司，其巨大成功离不开“那帮有才能的人”，李嘉诚为企业取名“长江”，就是基于其不择细流，有容乃大。

企业的发展因素众多，但其中总有一个关键的因素，在李嘉诚看来，这个因素就是人才的吸引和使用。李嘉诚多次在接受传媒访问时表示，企业能否吸引到足够的人才，将是新经济竞争胜出的关键。对于新经济对传统企业的冲击，他认为，企业必须更有创造力，要有“逢山开路、遇水搭桥”的精神才能成功。

在回答该如何面对新经济事业挑战的问题时，李嘉诚说，全球化不是一蹴而就的，新经济不会只是短暂的现象，而是一个持久的方向。一个国家与民族要孕育少数精英很容易，但要提高整体素质却非常困难，在急速发展的年代中，更要有效地与时间竞赛，不允许有太多反复的尝试。

有人总结说，李嘉诚的成功是因为在他周围聚集了一大批志同道合、才华横溢的商界英才。在长江实业的发展具有一定规模之后，李嘉诚便开始着手选拔人才和发掘人才。他打破东方家族式管理企业的传统格局，构架了一个拥有一流专业水准和超前意识，而且组织严密的现代化“内阁”，来配合他苦心经营起来的庞大的李氏王国。

在李嘉诚看来，企业的发展，在不同的阶段，企业主扮的角色不尽相同。而企业主下属的辅佐人才，在不同的阶段，亦不相同。在企业创立之初，企业主最希望有忠心耿耿、忠实苦干的人才。而李嘉诚身边的盛颂声、周千和就是这样的人才。

创业阶段是艰苦的，如果没有荣辱与共，风雨同舟的共识，就很容易见异思迁。所以在创业之初，李嘉诚身体力行，身先士卒，为大家树立了榜样。他宁亏自己，不亏大家，使企业增强了凝聚力。

当时，盛颂声负责生产，周千和主理财务，他们兢兢业业，任劳任怨，辅佐李嘉诚创业，是长实劳苦功高的元勋。

周千和回忆道：“那时，大家的薪酬都不高，才百来港纸（港元）上下，条件之艰苦，不是现在的青年仔所能想象的。”“李先生跟我们一样埋头拼命做，大家都没什么话说的。”“李先生宁可自己少得利，也要照顾大家的利益，把我们当自家人。”在这段时间里，李嘉诚知人善任，任人唯贤，企业获得了较大的发展。

为了适应企业后来的发展，1980 年，李嘉诚提拔盛颂声为董事副总经理；1985 年，他又委任周千和为董事副总经理。当时，有人说：“这是很重旧情的李嘉诚给两位老臣子的精神安慰。”其实不然，李嘉诚委以重职又同时委以重任：盛颂声负责长实公司的地产业务，周千和主理长实的股票买卖。

1985 年，盛颂声因移民加拿大，才脱离长实集团，李嘉诚和下属为他饯行，使盛颂声十分感动。另一名元老周千和仍在长实服务，他的儿子也加入了长实，并成为了长实的骨干。正如李嘉诚所说：“长江实业能扩展到今天的规模，是要归功于属于同仁的鼎力合作和支持。”

自创业以来，长实有起有落，但不管怎样，鲜有跳槽者，这不能不说是李嘉诚吸引和使用人才的成功之处。而反观一些事业上没有像李嘉诚这般飞速发展的富豪，倘若说他们有什么缺失的话，那往往就是不晓得任用人才，以至阻碍了企业的发展。

量材而用，各尽所能

李嘉诚语录：*大部分的人都会有部分长处部分短处，好像大象食量以斗计，蚂蚁一小勺便足够。各尽所能、各得所需，以量材而用为原则。*

李嘉诚通过自身不懈的努力，从一个普通人一跃成为商界名人，最后取得了世人瞩目的成就，其中虽然有他的勤奋和聪明，但也离不开他的“量材而用，各尽所能”的用人之道。

李嘉诚在长江实业集团发展到一定规模时，就敏锐地意识到人才是企业发展的关键：一个企业的发展在不同阶段需要有不同的管理专业人才，而他当时的企业却面临着“人才困境”。由于受当时社会所限，企业里工人文化水平低，多数人只有小学文化程度，技术管理方面的人员更是奇缺，那些曾和他一起出生入死打天下的元老重臣的知识结构和专业水平均达不到企业发展的要求，面对激烈的商业竞争，靠这样一支队伍要想创出佳绩显然是不可能的。

在这种情况下，李嘉诚克服重重阻力，劝退了一批在创业之初跟他一起并肩作战的兄弟，果断起用了一批年轻有为的专业人员，为集团的发展注入了新鲜血液。此外，他还制订了若干培养人才的措施，诸如：开办夜校培训在职工人，选送有培养前途的年轻人出国深造。而他自己也专门请了家庭教师补习文化知识，并自学英语。

在李嘉诚新组建的董事会里，既有具有杰出金融头脑的投资专家，也有非凡分析本领的财务专家，还有经营房地产的“老手”；既有生气勃勃年轻有为的港人，也有作风严谨善于谋断的洋人。

可以说，李嘉诚今日能取得如此成就，他的集团能成为世界一流的跨国集团，是与他回避了东方式家族化管理模式，大胆起用洋人的做法分不开的。他聘的那些洋专家，把西方先进的企业管理经验带入长江集团，使长江集团在规范化、科学化、经济化的管理下进行运作。这些洋专家不但是李嘉诚接洽收购的先锋，而且也是他集团进军西方市场的向导。其中杰出的代表人物有英国人 Ceorge C Magnus，他是一名现代企业管理大师，20 世纪 70 年代加入长江实业后一直追随李嘉诚左右，为“长江实业”的发展立下了卓越的功劳；另一名为李嘉诚十分器重的英国人是 Simon Mur，更是李嘉诚远征西方的代表。

李嘉诚深知，但要在企业发展的不同阶段大胆起用不同才能的人，而且要在企业发展的同一阶段注重发挥人才的特长，恰当、合理地运用不同才能的人，维持一个科学的人才结构。因此，在他的“智囊团”里既有朝气蓬勃、精明强干的年轻人，又有一批老谋深算的“客卿”。其中最令人注目的，是精明过人，集律师与会计师于一身的李业广和叱咤股坛的杜辉廉，后者为李嘉诚在资本市场上的收购立下了汗马功劳，特别是在 1987 年香港股灾之前，为李嘉诚的集团成功集资 100 亿港元助李嘉诚走出了金融危机。

因此，一个企业要想获得发展，就必须像李嘉诚那样做到量材而用，各尽所能。

建立合理化的人事制度

李嘉诚语录： *要吸引及维持好的员工，要给他们好的待遇及前途，及有受重视的感觉。当然，还要有良好的监督和制衡制度，这是一定要有的，不管怎么样，都要有个制度，不能山高皇帝远。否则，一个好人也会变坏。*

在建立合理化的人事制度上，李嘉诚花费了大量心血，建立了一套中西合璧的有效管理制度。

西方经济学家探索日本经济起飞奥秘时发现，日本企业的家族氛围浓郁，其商业文化带有厚重的儒家文化特色。这可能正是日本经济创造了奇迹的重要原因。李嘉诚觉得中日同属东方文化体系，日本企业的经验也值得借鉴。李嘉诚少年时接受的教育，即是以儒教为核心的传统文化。在他的公司内部，自然带有儒教色彩。

李嘉诚善于吸收新事物，又绝不人云亦云，他对任何事情都有自己独到的看法。

他说："我看过很多古圣先贤的书，儒家一部分思想可以用，但不是全部。"

他又说："我认为要像西方那样，有制度比较进取，用两种方式来做，而不是全盘西化或是全盘儒家。儒家有它的好处，也有它的短处，儒家在进取方面是很不够的。"

在对儒家思想的运用上，李嘉诚吸收了宽厚为怀的"仁爱"思想，并与西方的民主自由思想整合。例如，日本的一些企业，在新员工报到的第一天，通常要做"埋骨公司"之类的宣誓。李嘉诚从不苛求员工做出终身效力的保证，而是通过做一些对员工有益的事，让员工觉得公司值得自己效力终身。所以，在长实的发展过程中，并非没有跳槽的，但公司行政人员十分稳定，流失率极低，甚至可以说微乎其微。

李嘉诚对员工既宽厚，又严厉。长实的员工说："如果哪个员工做了错事，李先生必批评不可，不是小小的责备，而是大大的责骂。他急起来，恼起来时，半夜三更挂电话到员工家，骂个狗血淋头的也有。"

李嘉诚的骂，不是喜怒无常的"乱骂"，而是"骂到实处"。当然，也有骂错之时。但一旦骂错了人，他也会知错就改。往往在他冷静后，便会向被批评者赔礼道歉，说明道理。

一般而言，在长实公司，越为李嘉诚看好的职员，所挨的批评越多、越严厉。他们经受过李嘉诚一段时期的"锤打"之后，通常又能升职和加薪。

汇集中西方文化精粹的李嘉诚既有重情义、讲仁德的一面，又有拼强手、抢先机的另一面，这种中西融合的经营方式和理念，在企业家中并不多见。

在李氏王国的管理上，李嘉诚曾多次声称，他素来不主张古老的家族性统治，而更看重西方公众公司的那一套，即公司首脑由董事股东选举产生，而非父传子承，这样方可保持公司的活力。他说，如果他的儿子不行，不会考虑让他们接班，只要事业能发展，他不会在乎是家庭内还是家族外的人执掌大权。

按照中国的传统观念，子承父业乃天经地义。李嘉诚的观念分明已经超越了时空和民族，充分显示出了他冷静而又理智的一面。确实，商场来不得半点感情用事，将家族事业发扬光大，这才是最重要的。相比之下，谁来主管并不重要。

李嘉诚常说："唯亲是用，必损事业。"

唯亲是用，是家族式管理的习惯做法，这无疑表示为对"外人"不信任。这样一来，必定会严重挫伤外人的积极性，不利于事业的发展。

20 世纪 80 年代，内地开放后，不少潮州老家的侄辈亲友，想来李嘉诚的公司做事，都遭到了他的委婉拒绝。

在长实系有他的亲戚，也有他的老乡，但他们都没因这层关系而获得任何照顾，都是靠自己打拼。

对此，李嘉诚说："我老是在说一句话，亲人并不一定就是亲信。一个人你要跟他相处，日子久了，你觉得他的思路跟你一样是正面的，那你就应该可以信任他。你交给他的每一项重要工作，他都会做，这个人就可以做你的亲信。"

香港作家何文翔曾这样评论李嘉诚说："任人唯贤，知人善任，既严格要求，又宽厚待人。""李嘉诚成功的关键，是他融汇了中西文化的精华，采用了西方先进的管理方式。"

在人才的使用和管理上，李嘉诚确有高人一筹的眼光和胸襟。

家族式管理容易将许许多多的优秀人才拒之门外。这样的管理，也许凭创业者的杰出才华可以显赫一世，但很难维持第二代的辉煌，更难像一些具有先进管理制度的西方家族企业那样百年兴盛。

李嘉诚中西合璧，各采其长，因而形成了自己的独特风格。比如一个项目，李嘉诚会周密调查，仔细研究——这是西方的方式；一旦确定，打一个电话或握一握手，就完成并实施了决策——这是李嘉诚的风格。

经过多年思考的探索，在李嘉诚的现行管理体制中，既有老、中、青相结合的优点，又兼备中西方色彩，是一种行之有效的合作模式。长实是一家股权结构复杂、业务范围广泛的庞大集团公司，李嘉诚可以说是这一商业帝国的绝对君主，但在集团内部，却丝毫看不到家长制的影迹，它完全按照现代企业的管理模式在运行。

当然，不只是李嘉诚，任何大企业家都有自己独特的管理风格。这种风格的形成，一方面靠学习别人的长处，一方面则靠自己在实践中摸索，根据企业自身特点进行整合。因此既不能轻视管理，也不能图省事，照搬别人的经验，一定要建立适合于自己企业的人事管理制度。

敢于重用新人

李嘉诚语录：*企业要不断注入新人才的血液，才能保持旺盛活力。*

敢于重用新人，是李嘉诚使其企业获得发展的重要法宝，也是他事业长青的关键手段。

有杂志在探讨李嘉诚的用人之道时这样说：

“创业之初，忠心苦干的左右手，可以帮助富豪‘起家’，但元老重臣并不能跟得上形势。到了某一个阶段，倘若企业家要在事业上再往前跨进一步，他便难免要向外招揽人才。一方面弥补元老们胸襟见识上的不足，另一方面是利用有专才的干部，推动企业进一步发展。故此，一个富豪便往往需要任用不同的人才……李嘉诚的用人之道，显然超卓。如果他一直只任用元老重臣，长实的发展相信会不如今天。”

在事业上小有成就之后，李嘉诚便决定大量起用新人。

在长实管理层的后起之秀中，最引人注目的要数霍建宁。他之所以引人注目并非因为他经常抛头露面。实际上，霍建宁主要从事幕后工作。此人擅长理财，负责长实集团的财务策划，处事较为低调，认为自己不是个冲锋陷阵的干将，而是个专业管理人士。

霍建宁毕业于香港名校香港大学，随后赴美深造。1979 年学成回港后被李嘉诚招至旗下，出任长实会计主任。

李嘉诚很赏识他的才学，1985 年委任他为长实董事，两年后又提升他为董事副总经理。此时，霍建宁才 35 岁，如此年轻就担任香港最大集团的要职，实属罕见。

传媒称霍建宁是一个“浑身充满赚钱细胞的人”。长实集团的重大投资安排、股票发行、银行贷款、债券兑换等，均由霍建宁亲自办理或参与决策的。这些项目，动辄涉及数十亿资金，亏与盈都取决于最终决策。从李嘉诚对霍建宁如此器重和信任来看，即可知盈大亏小。

霍建宁本人的收入也非常可观。当时他的年薪和董事袍金，再算上非经常性收入如优惠股票等已达 1000 万以上。到了 1999 年，其年收入更是高达 2.7 亿，连续多年蝉联香港“打工皇帝”称号。

年薪 2.7 亿港元是一个什么样的概念呢？它相当于平均月薪 2283 万港元，即使以每天上班 12 小时计算，霍建宁每工作一分钟，银行户口即可进账 1040 港元，每日薪酬达 75 万港元。这个数字甚至比一些蓝筹公司的全年盈利还高。

1993 年，霍建宁坐正和黄“大班”之位。他在任期内的一个代表作，是令多年亏损的赫斯基石油“转亏为盈”。1999 年年末，他促成了多宗大交易，将和黄发展成为名牌电信商；2000 年和黄被国外的杂志评选为全港最佳管理公司，霍建宁立下了汗马功劳。另外，和黄以高价“卖橙”（把和黄手中的欧洲移动电话业务 Orange 出售给全球最大的移动电话运营商沃达丰）后，一次盈利高达 1173 亿港元，论功行赏之下，身为集团总经理的霍建宁一人获得 1.646 亿港元红利，占全数红利的 50%。

人们常说霍建宁的点子“物有所值”，他是香港“食脑族”（靠智慧吃饭）中的大富翁。

另外，霍建宁还为李嘉诚充当“太傅”的角色，肩负着培育李泽楷、李泽钜的重要职责。

由此看来，李嘉诚十分重视对专业管理人才的任用，将之视为事业拓展的基石。他不但能够不拘一格委以大任，而且给予其相应的收益，以增强其归属感。

在长江公司的高级管理层中，还有一位名叫周年茂的青年才俊。

周年茂是长实的元老周千和的儿子。周年茂还在学生时代时，李嘉诚就把他当做长实未来的专业人才来培养，将他和其父周千和一道送往英国专修法律。

周年茂学成回港后，很自然地就进了长实集团，并被李嘉诚指定为长实公司的代言人。仅仅两年后，周年茂就升为长实董事，1985 年后又与其父亲周千和一道擢升为董事副总经理。当时，周年茂才 30 岁。

有人说周年茂一帆风顺，飞黄腾达，是得其父的荫庇——李嘉诚是个很念旧的主人，为感谢老臣子的犬马之劳，故而“爱屋及乌”。这话虽有一定的道理，但并不尽然。李嘉诚的确念旧，却不能说周年茂的“高升”是因为李嘉诚对他的关照。其实，最主要的一点，仍然是周年茂自身具备的相应实力，有足够的能力担任重任。

周年茂走马上任，任副总经理，是顶替移居加拿大的盛颂声的缺位，负责长实系的地产发展。压在周年茂肩上的担子比盛颂声在职的时候还要大，责任还要多。周年茂上任后，积极开展工作，接连落实了茶果岭丽港城、蓝田汇景花园、鸭利洲海怡半岛、天水围的嘉湖花园等大型住宅屋村的发展规划，顺利完成了李嘉诚的迂回包抄计划，以自己的能力赢得了李嘉诚的信任。于是，李嘉诚将更大的重任托付于他。

周年茂不负众望，凭着出色的工作业绩得到了公司上下的一致好评。

以往长实参与政府官地的拍卖，都是由李嘉诚一手包揽，全权掌握。而现在，同行和记者经常看到的长实代表，却是周年茂那张文质彬彬的年轻面孔。只有资金庞大的项目才会由李嘉诚亲自出面进行。

现在长实的地产发展有了周年茂，财务策划又有了霍建宁，楼宇销售方面则有一名女将洪小莲。“三驾马车”把长实带向了更高更远之处。

李嘉诚任用俊才，把自己从事无巨细一把抓的初级阶段释放了出来，得以将主要精力放到了事关全局的重大决策上。

“造物之前先造人才。”重用新人就是一个“造就人才”的过程。对新人委以重任，让他们参加到事业中来，不仅是给新人一个机会，也是给自己一个机会——新人会以其特有的思想，向上的朝气，为你的事业带来新的气象。当然，重用新人的前提是你能够发现新人才并冒着可能失败的风险对其委以重任——这就需要你培养自己猎人般的眼光和过人的胆识了。

用人必须适合企业发展

李嘉诚语录：*适合自己事业发展的人才是最好的人才。*

李嘉诚经商，有一套独特的人才观。他深深地懂得，得人才者，得商业大势；同时他更清楚，适合自己企业发展的人才是最宝贵的。因此，李嘉诚在用人时总是以适合企业发展为前提。

20世纪70年代末至80年代中期，李嘉诚大举进军香港英资企业。

1977年，李嘉诚购得美资永高公司后，迅速把矛头指向称雄香港的英资企业。他的第一个目标是收购怡和系的九龙仓。但后来，李嘉诚以退为进放弃了对九龙仓的收购，将其转手让与船王包玉刚，自己则转而把经营不善的和黄洋行作为收购对象。

李嘉诚在部署收购和黄的同时，又在市场悄悄吸纳英资青洲水泥公司的股票。1978年，李嘉诚持有的青洲水泥股票达25%，他入青洲水泥董事局出任董事。1979年，李嘉诚所持的股份增购至40%，顺理成章坐上了青洲水泥董事局主席之位。

李嘉诚完成收购和黄洋行等过程长达3年之久。1981年伊始，他正式出任和黄集团董事局主席。

港刊称，“以鬼治鬼”是李嘉诚完成收购英资企业后的治理大计。青洲水泥的行政总裁选留布鲁嘉，和黄集团的行政总裁任用李察信。

1982年秋，英首相撒切尔夫人赴京就香港的政治前途与中方谈判，香港英人惶恐不安，信心危机席卷香江。李察信竭力主张和黄集团将重心转向海外发展，李嘉诚却看好香港前途，他说：“不可能那样，我们长实集团不打算迁册。若论个人在公司的利益，我比你拥有的多，我是经过慎重考虑才说这种话的。中国政府欢迎海外企业家来华投资，也就根本不可能对香港私人资产采取行动。”

李嘉诚把自己赴内地的观感以及海内外舆论的评论讲给李察信听，但他不能说服李察信。两人分歧严重，一直无法协调工作。1984年8月，李察信辞职。接替和黄行政总裁一职的是另一位英籍人士——马世民。

1966年，马世民来到香港，进入最负盛名的怡和洋行工作。他形容自己就像个推销员，墙纸、果仁、钢材、机器、电器等，什么都卖过。其中有3年，他被派驻怡和在泰国的分支机构，负责怡和地产的建筑合约，他称自己是万金油。也正是因为在多种领域经受过锻炼，李嘉诚在煞费苦心物色综合性集团和黄行政总裁时，把他列为了首要人选。

马世民在怡和服务了14年，深得怡和重视，他是怡和工程、金门建筑公司多年的执行董事。

20世纪70年代末的一天，马世民代表怡和贸易来长实推销冷气机，希望长实在未来的大厦建筑中，采用怡和经销的冷气系统。他坚持要见李嘉诚，通常情况下，公务繁忙的李嘉诚并不过问这一类“小事”，但他还是同意会见这位倔强的“鬼佬”经理。

这次会面，他们彼此都留下了深刻印象。马世民自我评价说：“目前来说，我的能力和经验还有待于边干边学，但香港是这样，只要你拿出真本事来做生意，你就会学得很快。”

李嘉诚与马世民就好些话题交换了意见，对他颇有好感。

1980年，40岁的马世民决定告别打工生涯自立门户创立 Davenham 工程顾问公司，承接新加坡地铁工程。

1982年，李嘉诚物色接替李察信的人选，竭力拉马世民加盟。

1984年，李嘉诚透过和黄收购了马世民的Davenham公司，委任他担任和黄第二把手——董事行政总裁。

马世民一上任，便为和黄赚了大钱，并辅佐李嘉诚成功地收购港灯集团，战果辉煌，是当时华资进军英资四大战役（李嘉诚收购和黄、港灯，包玉刚收购九龙仓、会德丰）中的一役。

在马世民加盟之前，李嘉诚就与他在“看好香港前途问题上”达成共识。1986年，马世民提出立足香港、跨国投资的策略，得到李嘉诚的支持。于是，就有了和黄、长实及李嘉诚私人大笔投资海外的惊人之举，从而引起了世界经济界的瞩目。但总的来说投资回报却并不理想。

李嘉诚无疑是海外投资金额最大的一位香港华人富豪。与此同时，香港不少财团已在中国内地轰轰烈烈地干了起来，并取得骄人成绩。李嘉诚先输一轮，岂能甘心？他奋起直追，从1992年起，开始把对外投资的重点放到内地市场。

是年，邓小平视察南方经济特区，掀起改革开放的巨浪。中国内地被经济界看成全球最具潜力的投资市场。据传，亲英亦亲华的马世民，固执地要李嘉诚三思而行。两人想法开始出现分歧。

1993年9月，马世民辞去和黄行政总裁的职务，由长实董事副总经理与和黄执行董事霍建宁接替。马世民成为和黄最后一位洋大班。

李嘉诚为了增强下属对集团的归属感，往往会给他们以低价购入长实系股票的机会。在马世民离职的9月中，马氏就用8.19港元/股的价格购入160多万股长实股票，当日就按每股23.84港元的市价出手，净赚了2500多万港元。

李嘉诚“以夷制夷”的策略方针，对于稳定军心、控制局势起到了无以替代的重要作用。

在收购英资公司之后，如果实行排外，势必会使公司出现混乱，进而陷于停滞和瘫痪。这样，经济上势必遭受惨重的损失。相反，保持稳定，“以夷制夷”，则可使公司正常运转。以马世民为例，他任和黄总裁达9年之久，为和黄创下了辉煌的业绩。一些投资的失利，只是白璧微瑕。马世民的政见，曾招来不少非议，但他的人品，却几近完美——他的口碑，甚至可与李嘉诚相提并论。马世民辞职后，其下属无不对"波士"（老板）交口称赞，有的还掉下了眼泪。

但是，李嘉诚的投资重心转向内地时，就顺应现实需要，以本地人为重，并且要通晓普通话，这是李嘉诚适时应变的体现，实乃明智之举。他同时也表示，以后公司要多任用有才能的华人。这也是李嘉诚针对立足香港，大举投资内地的适时之举。可见，重用适合自己事业发展的人才有多重要。

人们往往片面地去追求最好，却迟迟没有搞清楚：什么才是最好的？不适合自己的东西，再贵也没有用；不适合自己的人，再优秀也是枉然。不可否认，马世民确是优秀人才，李嘉诚也可称伯乐，但是情势总在变化着，李嘉诚最初选用马世民，最后因意见不同而分道扬镳，无不是从人才是否适合自己事业发展的角度出发考虑。适合的话，双方合作，双方受益；不适合的话，就此分开，或另谋他人，或寻求其他发展。总而言之，适合才好。

像对待家庭成员一样对待员工

李嘉诚语录：可以毫不夸张地说，一个大企业就像一个大家庭，每一个员工都是家庭的一员。就凭他们对整个家庭的巨大贡献，他们也实在应该取其所得。所以说，是员工养活了整个公司，公司应该多谢他们才对。

李嘉诚曾经归纳出自己日常管理的九大要点：

①勤奋是一切事业的基础。要勤奋工作，对企业负责、对股东负责。

②对自己要节俭，对他人则要慷慨。处理一切事情应以他人利益为

出发点。

③始终保持创新意识，用自己的眼光注视世界，而不随波逐流。

④坚守诺言，建立良好的信誉，良好的信誉，是一个人走向成功的不可缺少的前提条件。

⑤决策任何一件事情的时候，应开阔胸襟，统筹全局。但一旦决策之后，则要义无反顾，始终贯彻一个决定。

⑥要信赖下属。公司所有行政人员，每个人都有其消息来源及市场资料。决定任何一件大事，应召集有关人员一起，汇合各人的资讯，从而集思广益，尽量减少出错的机会。

⑦给下属树立高效率的榜样。集中讲解具体事情之前，应预早几天通知有关人员准备资料，以便对答时精简确当，从而提高工作效率。

⑧政策的实施要沉稳持重。在企业内部打下一个良好的基础，注重培养企业管理人员的应变能力。决定一件事情之前，应想好一切应变办法，而不去冒险妄进。

⑨要了解下属的希望。除了生活，应给予员工好的前途；并且，一切以员工的利益为重，特别在年老的时候，公司应该给予员工绝对的保障，从而使员工对集团有归属感，以增强企业的凝聚力。

从中，我们不难看出李嘉诚取得巨大成功的原因所在，而能够做到最后一点更是难能可贵。

李嘉诚深受儒家思想的影响，再加上年少时期历经磨难，艰苦创业，因此最能体会他人的疾苦。儒家“老吾老以及人之老，幼吾幼以及人之幼”的思想，对他影响深远，他认为，大企业就像一个大家庭，每个员工都是家庭的一分子。

20 世纪 70 年代，林燕妮为她的广告公司租场地，跑到长江大厦去看楼，却发现李嘉诚仍在生产塑料花。林燕妮深感诧异，因为这时塑料花早过了黄金时代，根本就无钱可赚。长江地产业当时的盈利已十分可观，就算塑料花有微薄小利，对长江实业来说，增之不见多，减之也不见少，并不值得再去干。但李嘉诚却仍在维持小额的塑料花生产。林燕妮甚感惊奇之余，说李嘉诚“不外是顾念着老员工，给他们一点生计”。而公司职员也说：“长江大厦租出后，塑料花厂就停工了。不过老员工亦被安排在大厦里干管理事宜。对老员工，他是很念旧的。”有人提起李嘉诚善待老员工的事，说：“怪不得老员工都对你感恩戴德。”李嘉诚回答说：“一家企业就像一个家庭，他们是企业的功臣，理应得到这样的待遇。现在他们老了，作为晚一辈，就该负起照顾他们的义务。”

有人说：“李先生精神难能可贵，不少老板待员工老了一脚踢开，你却不同。这批员工，过去靠你的厂养活，现在厂没有了，你仍把他们包下来。”这时，李嘉诚急忙解释道：“千万不能这么说，老板养活员工，是旧式老板的观点。其实应该是员工在养活老板，养活公司。”

“对我自己来说，股东相信我，我能为股东赚钱则是应该的。我一向这样想：虽然老板受到的压力较大，但是做老板的所赚的，已经多过员工很多。所以我事事总不忘提醒自己，要多为员工考虑，让他们得到应得的利益。”

在李嘉诚的公司里，曾经有一个工作了 10 多年的中级会计，因为患了青光眼没有办法继续工作，而此时公司规定限度的医疗费用都已用完了，人生压力之大，可想而知。李嘉诚知道后，说了两句话：“第一，我再支持你去看病；第二，不知道你太太的工作是否稳定，如果是不稳定的话，可以来这里工作，我可以担保她有一份稳定的工作。你太太有一个稳定的工作，你就不用担心收入和生活了。”

后来那位患病的会计接受了医生的建议，到新西兰退休。事情本来应该就此过去了。然而难能可贵的是，多年来，每当李嘉诚在报章上看到关于治疗青光眼方面的文章，就会叫下属把那些文章寄往住在新西兰的那位患有青光眼的会计，看看他知道不知道这个消息，知不知道这些新的治疗方法。那个会计的全家都很感动。

他说：“管理一间大公司，你不可能样样事情都自己亲力亲为，首先要让员工有归属感，使得他们安心工作。那么，你就首先要让他们喜欢你。”

一位长江实业的司机对采访李嘉诚的记者说：“我们真的很喜欢我们老板，他对我们非常好。他知道公司的公积金投资在外面遇到金融风暴，损失很多，老板填了那笔数，不让员工的公积金受损。”

李嘉诚认为，要吸引好的员工，就要给他们好的待遇及前途，及受重视的感觉。他体恤下属，让下属分享利益，使集团拥有更强的凝聚力。其实，如果要计算的话，李嘉诚给予下属额外的利益，比他们因勤奋工作而创造的效益，相差不知多少。

李嘉诚将下属视为自己的家人，关照其生活。给予他们前途与年老后的保障，可谓是一切以员工利益为重，由此增强了员工对企业的归属感与凝聚力，为企业更好地发展打下了坚实的基础。

一个人要想让下属全心全意为自己服务，那就一定要让下属看到希望所在，这样他才会拼搏向上；要给予下属一定的后备保障，这样他才会免除后顾之忧，一心向前；要让下属感觉到你对他的重视，这样才能让他更清楚地认识到自己的价值，更加自信，更加努力。总之一句话：要像对待家人一样对待他们，使他们愿意为自己服务。商场、人生莫不如此。

第三章

李嘉诚的运筹帷幄之智

眼界决定成败。要想获得成功，就一定要拥有过人的眼光，掌握其中蕴含的机会。李嘉诚拥有过人且独到的眼光，这使得他能够审时度势，把握住市场的脉搏，并能先想一着，先走一步，通过运筹帷幄来处处占领先机，从而让他在复杂多变、竞争激烈的当代社会中脱颖而出，不断地从一个成功走向下一个成功。

眼光独到，先人一步

李嘉诚语录：*最重要的是有远见，杀鸡取卵的方式是短视的作风。*

李嘉诚在市场风云中磨砺了几十年，对经商这盘棋总能做到纵横捭阖，气势恢弘，张弛有度。其实早在少年时期，他就已经表现出了作为一个商人的独到眼光。

在中南钟表公司，李嘉诚从一个泡茶扫地的小学徒慢慢地升为公司属下的高升街钟表店店员。他年少位卑，但生活的境遇却使他骨子里有股不屈的傲气，他渴望出人头地，渴望像自己的舅父、像茶楼里遇到的那些大老板一样，干一番大事业。

一旦有了目标，李嘉诚就义无反顾地去实现它。他把工余时间几乎全用在了学习上。李嘉诚利用自己所学，时刻关注着钟表业的市场信息。经过半年的观察分析，他逐渐形成了自己对钟表业现状和未来的成熟看法。

1946年上半年，香港经济迅速繁荣起来。中南钟表公司的业务也借着这股繁荣的大潮，取得了长足的发展，重新建立了东南亚的销售网络，港内港外的经销形势蒸蒸日上，营业额呈几何级数迅速递增。公司老总庄静庵决心抓住大好时机拓展事业，再筹划办一家钟表装配工厂，然后将中南公司的业务逐步扩展为以自产钟表为主，建立起香港的钟表基地。

李嘉诚也看好中南公司的前景，他更为香港经济的迅速繁荣而兴奋不已。李嘉诚站在维多利亚港湾边，眺望着尖沙咀五彩缤纷的灯光，开始思考自己的人生之路。

经过仔细考虑，喜欢应对挑战的17岁的李嘉诚决定离开中南公司，再一次到社会上闯荡。

李嘉诚认为，呆在舅父庄静庵的羽翼下，容易束缚自己，贪图安逸会磨去自己的斗志。要趁现在年轻，多学一些谋生的本领，拓宽视野，增长见识，以实现自己做大事的愿望。

临别前，他对庄静庵就香港钟表业的前途做了一番今天看来依然堪称大商家眼光的分析。

李嘉诚认为，瑞士的机械表生产技术炉火纯青，举世无敌。而日本人则避其锋芒，瞄准空当，抢先开发了电子石英表的新领域，并很快占据了中档表市场。于是，世界钟表市场便形成了这样的形势：高档表市场为瑞士人独霸，中档表市场则为日本人独占。这样，只剩下中低档表市场是可开拓的空当。李嘉诚建议舅父迅速抢占这一滩头。

历史已经证实，后来的香港正如李嘉诚所预言，以价廉物美的中低档表迎合中下层顾客的需要，成为了世界上继瑞士、日本外的又一大钟表基地，中低档表生产也成为了香港的支柱产业之一。

后来，庄静庵的中南钟表公司成为香港钟表业界的巨擘，这其中是否与少年李嘉诚的建议有关联，就无从考证了。但不管怎样，少年李嘉诚的商业眼光已经颇具大家风范确是事实。

李嘉诚离开中南公司后在五金厂做过推销员。在跳出五金厂后，他仍十分感激五金厂老板的知遇之恩。李嘉诚知恩图报，就像当年离开舅父的中南钟表公司时一样，他也向五金厂的老板提出了自己的建议。

他认为：办企业重要的是审时度势。五金厂要取得发展，只有两条路可走：第一，转行做前景看好的行业；第二，调整产品门类，尽量避免与塑胶制品冲突，占领塑胶制品不能替代的空当。

但是，五金厂老板并没有听从李嘉诚的建议，李嘉诚走后，厂里仍然坚持生产铁桶。不久，危机果然降临，五金厂很快便奄奄一息，濒临倒闭了。老板焦头烂额，后悔不已。

李嘉诚是个重情重义之人。当他获知此消息后，马上专程赶往五金厂找到老板，劝他立即停止生产镀锌铁桶，转为生产系列铁锁。

原来，李嘉诚一直在关注着五金厂的前途。一来他想要证实自己的眼光是否正确；二来他认为五金厂对自己不薄，而自己跳了槽，心中总有一股歉疚之情，总想找机会报答。因此，他经常抽空了解五金制品的市场行情。经过一番调查分析之后，他发现还没有哪一家五金厂专门生产铁锁，因此生产铁锁不存在激烈的竞争。

李嘉诚坚信：生产铁锁稳保红火。李嘉诚进一步指出，为了保证稳步领先，还应制订计划，开发系列铁锁。否则，只要一发现有利可图，其他五金厂就会跟风而上，竞争就会很激烈。只有永远先人一步推出新产品，才能稳操胜券。这一次，五金厂老板对李嘉诚言听计从，马上根据李嘉诚的建议组织人力开发系列铁锁。一年后，危机重重的五金厂重新焕发出勃勃生机，盈利丰厚。

这虽然与整个行业的变化形势有关，但李嘉诚的一番忠告可以说起到了关键作用。

后来，五金厂老板再次见到李嘉诚时，欣喜地说："阿诚，你在我厂里时，我就看出你是个不寻常的后生仔，你将来准会干出大事业!"

的确，李嘉诚凭着他的过人胆识和超人一等的布局商势的头脑，在商界越走越远，最终成为了震撼世界的商业泰斗。

商机在于发现。要在这个复杂多变、竞争激烈的社会中创立自己的事业，就必须拥有敏锐的眼光，以捕捉信息，把握商机。如果你能挖掘出潜藏的商机，做人之未曾做，行人之未曾行，那么，你离成功也就不远了。

审时度势，把握市场脉搏

李嘉诚语录： *看清形势，选择等待，有时也不啻为做人经商的好计谋。*

所谓"审时度势"，这是成大事的经验之一，因为自己所做的事，只有顺应时代潮流的大趋势，才可以成功，而不重视周边环境的人，其结果注定是失败。

市场的脉搏，是精明的商人非常注意并善于把握的一个关键点。应该讲，最成功的商战都是紧跟市场而进行的一场智慧之战。

李嘉诚的发迹，是靠地产和股市，他的事业的壮大过程，是一部中小地产商借助股市杠杆急剧扩张的历史。

李嘉诚的作风，一如他是生意场上的豪客。他的生意原则就是把握市场脉搏来一个“审时度势”。

1972 年，香港股市处于大牛市，股民疯狂，成交活跃。李嘉诚借此大好时机，让长实上市。长实股票以每股溢价 1 港元公开发售，上市不到 1 天，股票就升值 1 倍多。李嘉诚第一步迈进股市就是典型的“高出”。

接着，1973 年香港大股灾突然爆发，恒生指数于 1974 年 12 月跌至最低点。1975 年 3 月，股市形势好转，开始缓慢回升，深受股灾之害的投资者仍“谈股色变”，视股票为洪水猛兽。

这时，与一般股民不同，眼光独到的李嘉诚，清醒地看到了股市的升值潜力，在当时低迷不起的市价基础上，他亲自安排长实发行 2000 万新股，以每股 3.4 港元的价格自购。

此外，李嘉诚还宣布放弃两年的股息，这既讨得了股东的欢心，又为自己赢得了实利。股市渐旺，牛市一直持续到 1982 年香港信心危机爆发之前。长实股升幅惊人，李嘉诚后来赢得的实利远远超过了当年放弃的股息。

“人弃我取，低进高出”是李嘉诚搏击股市的基本原则，他在这方面的实战案例不胜枚举。

1985 年 1 月，李嘉诚在收购港灯时，紧紧抓住了卖家置地公司急于脱手减债的心理，以比前一天收盘价低 1 港元的折让价，即每股 6.4 港元，收购了港灯 34% 的股权。仅此一项，就节省了近 4.5 亿港元。

6 个月后，港灯市价涨到 8.2 港元一股，李嘉诚又出售港灯一成股权，结果净赚 2.8 亿港元。这就是低进高出，两头赚钱。

天水围之役，也是一次典型的“人弃我取，低进高出”的战术运用实例。当时，由于港府的“惩罚性”决议，天水围开发计划濒临流产，众股东纷纷萌发了退出之意。早就看好天水围发展前景的李嘉诚，从其他股东手中折价购入股权。此举催生了嘉湖山庄大型屋村的宏伟规划，长实成了两大股东中最大的赢家。

大型屋村的特点是综合能力强，集居住、购物、餐饮、消遣、医疗、保健、教育、交通为一体，非常便于集中管理，统一规划。屋村之外，还有相配套的工业大厦及社区服务物业。李嘉诚以开发大型屋村而闻名香港。20世纪80年代，李嘉诚先后完成或进行开发的大型屋村有：黄埔花园、海怡半岛、丽港城、嘉湖山庄等。李嘉诚由此赢得了“屋村大王”的称号。

1978年，港府开始推行“居者有其屋”的计划，采取半官方的房委会与私营房地产商建房两条腿走路的方针。建成的房屋分为公共住宅楼宇与商业住宅楼宇两种：前者为公建，后者为私建；公房廉价出租或售予低收入者，私房的对象则以中高消费家庭为主。李嘉诚的大型屋村计划，就是为这类大众消费家庭推出的。

兴建大型屋村不是很难，难的地方在于获得整幅的大面积地皮。李嘉诚通过于富有地皮的公司合作，成功地解决了这一问题。

1979年李嘉诚与会德丰洋行大班约翰·马登合作，发展会德丰大厦。与“地主”广生行联手发展告士打道、杜老志道、谢斐道的三面单边物业，建成一座30万平方英尺的商业大厦。与约翰·马登再次合作组建美地有限公司，集资购入港岛、九龙、新界楼宇物业近20座。与中资侨光置业公司合组宜宾地产有限公司，以3.8亿港元投得沙田广九铁路维修站上盖平台发展权，平台面积29万平方英尺，计划兴建30层高的高级住宅大厦和商业大厦。

同年，长实还与美资凯沙、中资侨光，三方合作投资香港（中国）水泥厂。投资额（其中李嘉诚私人投资10亿港元）创香港开埠以来重工业投资的最高纪录。该厂于1982年底建成投产。

1980年，长实联营公司加拿大怡东财务与九龙仓、置地、中艺（香港）、怡南实业、新鸿基证券合组联营公司，以13.1亿港元的价格，投得尖沙咀西一幅7.1万平方英尺的综合商业大厦，建成后全部出售。

当年8月，李嘉诚与联邦地产联手合作，斥资10亿港元购入国际大厦和联邦大厦，5个月后，以22.3亿港元出售，利润达100%以上。

有人曾经问李嘉诚：“长实兴建和购得的楼宇，现在为何大部分做出售用途，而少做出租用途？”李嘉诚回答道：“这并不违背我们增加经常性收入的原则，因为要决定将楼宇出售或收租，须看时势及环境而定，而现时楼宇价急升，售楼所能获得的利润远比租屋为多，在为股东争取最大利润的前提下，是将建成楼宇出售为合算。”

1980年11月，长实与港灯集团合组国际城市有限公司上市，共同开发港灯位于港岛的电厂零散旧址地盘。

李嘉诚一面对屋村运筹帷幄，伺机而动；一面脚踏实地、埋头苦干。人要两条腿走路方踏实，做生意亦如此。

1981年元月，李嘉诚入主和记黄埔任董事局主席。李嘉诚收购和黄的动机之一，便是它有丰富的土地资源。先前，和黄洋行大班祈德尊，已开始在腾出的黄埔船坞旧址的地皮上发展地产，兴建黄埔新村。但祈德尊不谙地产之道，竟未能在这块地的开发赚到钱。祈德尊下台后，韦理主政，仍未能把财政黑洞填满，售房不拣时机，便宜了炒家，坑苦了股东。

幸运的是，这幅大型地皮没有开发完，这使得李嘉诚有了施展的舞台。

李嘉诚酝酿大型屋村已有数年，但他仍耐心等待。

1984年9月，中英签订《中英联合声明》。香港前景骤然明朗，恒生指数回升，地产也开始转旺。

该年年底，和黄宣布投资40亿港元，在黄埔船坞旧址的地盘兴建包括商业中心的大型住宅区——黄埔花园屋村。

其实李嘉诚早在1981年就已计划推出这一宏伟计划。1981年4月正值地产高潮，按当时地价计算，和黄需补地价28亿港元。李嘉诚认为补地价太过于昂贵，遂决定暂缓计划。

李嘉诚有意把与港府的谈判，拖延至1983年的地产低潮，结果，李嘉诚仅以3.9亿港元的价格获得了商业住宅开发权。

李嘉诚的审时度势，一下子节省了补地价费用达24亿港元之多。

这样，李嘉诚就大大降低了发展成本，屋村的每平方英尺地皮成本还不及百元。

屋村计划尚未出台，李嘉诚已狠“赚”一笔，仅此一点，已比祈德尊、韦理高出几筹，足见其“超人”之智。

整个黄埔花园占地19公顷，拟建94幢住宅楼宇，楼面积约760万平方英尺，共11224个住宅单位，附有2900个停车位及170万平方英尺商厦。专家估计，整个计划可赚60亿港元。

地产低潮时补地价，地产转旺则大兴土木，地产高潮则出售楼宇，由此可见，李嘉诚是一个驾驭时势的优秀骑士。

1989年，香港股市一度低迷。

1991年9月，李嘉诚斥资近13亿港元，购入一家有中资背景财团的19%股权。稍后，此财团收购了香港历史悠久的大商行“恒昌”。

4个月后，这个财团的大股东“中信泰富”向财团的其他股东发起全面收购，李嘉诚见出价尚可，便将手中的股权售出，总价值15亿多港元，李嘉诚净赚2.3亿港元。

低进高出，关键在于扣紧市场脉搏，眼光准，出手时机适宜。李嘉诚每一次大进大出，几乎都能准确地把握时机，预测股市未来的走势。

这似乎很神奇，其实不然。股市的兴旺与衰微，大都与政治经济大环境有直接关系，大致有一定的规律性。要研究这一规律，就要时刻关注整个国际国内大环境的时势变化。一般股民坐井观天，眼睛只盯着股价变化表，而不探究大势的变化。这样，就可能被表象、假象迷惑，时有被套住之虞，即使偶有所获，也不过是侥幸罢了。

如何灵活地运作自己的经商计划，当然离不开对商势的把握。商势之变，不可捉摸，常出人意料。所以，“审时度势，整体组合”，此为李嘉诚经营宏观理念的具体表现，也显示了他的灵活运作思想。

识时务者为俊杰

李嘉诚语录：*不论做什么生意，必先了解市场的需求预谋制胜，只有不断充实自己，才能追上瞬息万变的社会。*

精明的商人只有嗅觉敏锐才能将商业情报的作用发挥到极致，那种感觉迟钝、闭门自锁的公司老板常常会无所作为。

李嘉诚认为，预谋制胜兵法在今天使用起来应该更为容易和方便，因为现代科技使得信息的传达非常迅速，人们能够很快地掌握最新的事件和新闻，所以，采取预谋制胜的做法把握更大。

20世纪50年代初，李嘉诚在销售过程中特别注重黄金般的信息反馈，他从各种渠道得知，欧洲人最喜欢塑料花。

在北欧、南欧，人们喜欢用它装饰庭院和房间，在美洲，连汽车上或工作场所也往往摆上一束塑料花。在前苏联，扫墓时用它献给亡者，表示生命早已结束，但留下的思想和精神是长青的。

于是，从20世纪50年代末起，李嘉诚生产的塑料花便大量地销往欧美市场，获得了海外厂商的一片赞誉，一时间大批订单从四面八方飞来，年利润也从三五万上升到一千多万港元，直至1964年，塑料花市场一直旺盛不衰。

从此，李嘉诚得出一条重要的投资秘诀：不论做什么生意，必先了解市场的需求预谋制胜，只有不断充实自己，才能追上瞬息万变的社会。李嘉诚后来之所以获得巨大的成功，这一重要谋略功不可没。

塑料花使李嘉诚成为“塑料花大王”，并让他赚得盆盈钵满。

然而，物极必反。早在李嘉诚开发塑料花之前，他就预见到塑料花迎合社会发展的快节奏，只能风行一段时间。人类崇尚自然，而塑料花无论如何也不能取代有生命的鲜花。

执全港塑胶业牛耳的李嘉诚，常会思考这样一个问题：塑料花的大好年景还会持续多久？

长江公司拥有稳固的大客户，作为塑胶业的“大哥大”，自然还不愁市场问题。但是整个行业走下坡路，最后走向萎竭，已是不以人的意志为转移的大趋势。这样，竞争势必日益残酷。

此外，越来越多的因素已向李嘉诚敲响了警钟。

塑胶厂遍地开花，塑料花泛滥成灾。据港府劳工处注册登记的数据，塑胶及玩具业厂家，1960年为557家，1968年增加到1900家，1972年则猛增到3359家，该行业的就业人员，由1960年占全港制造业劳工总数的8.4%，增加到1972年的13.2%。据估计，该行业的厂家，有半数以上是塑料花专业厂和兼营塑料花的。

李嘉诚从海外杂志上了解到，西方有的家庭已把塑料花扫地出门，种植真花。国际塑料花市场，渐渐向南美等中等发达国家转移，而这些国家，也在利用当地的廉价劳力生产塑料花。香港的劳务工资与年递增，劳务密集型产业，非长远之计。

香港已出现过几次塑料花积压，原因之一是生产过滥，之二是欧美市场萎缩，虽未造成大灾难，更未直接影响长江，却引起了李嘉诚的高度重视。

李嘉诚早有心理准备，因此，他一叶知秋，见微知著，未雨绸缪。

他的未雨绸缪，一是不断投资，强化塑胶业的竞争能力；二是顺其自然，采取一种无方而治的态度，让其自兴自衰。

李嘉诚将主要精力放在了缔造以地产为龙头的商业帝国上，这是他蕴藏于心多年的抱负。与塑料花相比，后者显得更重要。他实现了他的抱负，舆论给他戴上了“超人”的桂冠。

识时务者为俊杰——李嘉诚正是这样一位商界俊杰。

先想一着，先走一步

李嘉诚语录：眼光独到是事业成功的重要因素，准确而有远见的预测往往决定一个人的成败。

想做大事就要做别人没想过的事，比别人先走一步。尤其是经商，要扩大自己公司的规模，就必须要比别人有创意，不能走别人的老路子。在这方面，李嘉诚做得非常好。

第二代移动电话面市之初，出席官地拍卖会上的李嘉诚突然离席到场外，掏出一个大哥大打电话。

当时许多记者追上去，抢拍下这个镜头，次日照片就出现在香港的大小报刊上。许多家报刊还配上了如下妙文：

超人推销有绝招，为和黄的摩托罗拉做广告，并且是不花钱的广告。这么多的记者拍照，这么多的报刊刊登，到哪去找超人要广告费?人们纷纷称李嘉诚广告手段之高妙。

总算有负责的报章，当然也得倚仗记者的拍摄角度好，最后澄清的事实是：依放大的照片，此大哥大并非摩托罗拉，恰恰是和黄的竞争对手代理的牌号。

这一次关于李嘉诚为自己产品做广告的说法显然是子虚乌有。但是李嘉诚善于为自己的产品做广告这一点，却不容否认。

李嘉诚是一个广告大师，一个随心所欲、能在举手投足中完成一个广告并取得良好效果的广告大师。兹举凡例如下：

李嘉诚拥有好几款轿车，名车、大众车皆有。

李嘉诚有一部劳斯莱斯，买下已近30年。李嘉诚说，他自己轻易不用，只有陪客时才劳驾它代步。

李嘉诚的意思是，坐太名贵豪华的车，恐怕会使自己贪恋奢侈，忘记勤俭。但是现在，李嘉诚多数时间乘坐坐日产总统型房车。

李嘉诚开始拥有此车时，这种房车名气并不大——香港人青睐欧美名车，而认为日本只配生产皇冠、丰田、本田等价廉省油的大众车。

李嘉诚具有名人广告效应，他拥有日产总统型房车，令此车身价大增，香港富豪纷纷选购此车，作为欧美名车的调剂。该车的配额，原本少人问津，现在趋之若鹜。

当记者惊奇地发现，原来日产总统型房车为李嘉诚参股的中泰合诚汽车公司代理经销时，不禁瞠目——如此推销术，令人佩服得五体投地，敬若神明。李嘉诚的偏宠，救活了一种车的销路。

李嘉诚并没有为总统型房车做一句话的宣传，但他的选择比任何广告都更具威力。

精明的商家可以将商业意识渗透到生活里的每一件事中去，甚至是一举手一投足。充满商业细胞的商人，赚钱可以是无处不在、无时不在。李嘉诚对隐形广告的运用可谓炉火纯青。

长实集团的盈利大头一直来自楼市。由于楼利滚滚，楼市的竞争异常激烈，楼市广告也是费尽心机、争奇斗妍。传统的屋村现场广告，均是大幅宣传画和霓虹灯等。李嘉诚却别出心裁，在天水围的嘉湖山庄安置激光广告。安放在楼顶的两个大型激光发射器入夜便发射出多组五颜六色、形态各异的激光，甚为壮观，让人留下深刻印象。

1996 年春节，长实集团发展的嘉湖山庄举行丰富多彩的贺岁活动。除了舞龙舞狮这些传统项目外，花样翻新的是一副挂在大厦外墙的对联，十分瞩目。

该对联宽 25 英尺、长 175 英尺，约 18 层楼高，颜色以红、金为主，象征鸿运当头、财源滚滚。对联上面写着“嘉湖千家贺新岁，山庄万户庆春风”14 个大字，气势磅礴地俯瞰整个天水围区，令整个地区平添不少新春气息，为区内及于春节期间前往天水围区的市民带来了美好的祝愿。这副对联因其奇大而成为春节期间港人争相谈论的话题达到了良好的广告效果。

大年初七那天，香港公益金与长实举行全港首次新界西北区公益金百万行。李嘉诚、李泽钜、洪小莲、李业广等出席。

大年初七被称为“人日”，李嘉诚特地向采访百万行活动的记者大派红包，每封 200 港币，出手阔绰。

香港《信报》报道此事说：“李超人每年只象征式收长实董事袍金 5000 元，但昨天收到‘超人’利是（红包）的记者保守估计也有四五十人，‘超人’支出肯定不止 5000 元，然则今年‘超人’的董事袍金已一次耗尽!”

春节是中国人的第一大传统佳节，此时最容易沟通感情。李嘉诚深谙人们的心理，抓住这个大好时机，利用贺岁活动拉近人们的距离，也顺便推介了嘉湖山庄。

平时给记者派利有贿赂之嫌，过年派利则是天经地义自然大方。取悦记者，实际上也是在通过记者制作广告。

过一个春节，喜庆之中，李嘉诚还赋予了并不显得刻意却实实在在的商业意识，真不愧是商界超人。

有人说李嘉诚举手投足皆广告，这未免说得过分了，但要说他善于取得随心所欲的广告效应，应当是符合实际情况的。这说明，李嘉诚的广告意识已经深入到了他的日常言行之中，也体现出一般人与李嘉诚的差距之所在。

李嘉诚取得了别人没有达到的成就，这得益于他善于创意，做到了别人还未想过的事。

凡事能谋于未动，察于未形，处处比别人先想一着，先走一步，想不成功都难。

站在全球角度给自己定位

李嘉诚语录：十年前将只细船撑出去，证明中国人在外地发展业务，在异地做生意亦可同样出色。

在经商中，有许多路数可以遵循，但有一条是不能犯的，那就是不能只用褊狭的眼光看到脚下和面前的利益，而要放开眼光，去看到更远的商机。

李嘉诚在这一点上极其睿智，他知道不能放开眼界，必然就会钻入“牛角尖”中，在小打小闹方面做点小文章。因此他主张“经商不能在‘窝里’钻来钻去，而是要敢于打出投资的‘外国牌’”。李嘉诚毫无疑问是一个世界级大商人，他在加拿大的投资就是明证。

上个世纪80年代中后期，加拿大经济面临诸多挑战。但加拿大最大的收获，是找到了世界华人首富李嘉诚，仅他一人，就为经济面临衰退的加拿大带来了100多亿港元的巨资。香港众多华商唯李嘉诚马首是瞻，郑裕彤、李兆基、何鸿燊等竞相进军加拿大。

加拿大记者杜蒙特与范劳尔赴港专程采访，发现加拿大商务官员和商人为了便于与李嘉诚接触，都把办公室都搬进了华人行。在决策阶段，李嘉诚几乎每天都要接待加方“猎手”，并与助手们研究加方提供的投资项目。

据报道，一位加拿大商务官对李嘉诚简直是着了迷。他将一幅杂志封面上的李氏的肖像，挂在办事处内，一提到李嘉诚便赞不绝口，说道："那是我的英雄人物!"

这位商务官非常想让李嘉诚投资魁北克省，哪怕是买下皇家山的一座房子、一间纸厂还是一些餐厅连锁店，都十分欢迎。如果李嘉诚肯投资，魁北克便可列入李嘉诚的商业帝国版图。

马世民充当了李嘉诚的"西域"大使。他是力主海外扩张调门唱得最高者。李嘉诚早就萌生缔造跨国大集团的宏志，当和黄、港灯相继到手之后，现金储备充裕，自然就想大显身手。

李嘉诚、马世民以及长江副主席麦理思，长期穿梭于太平洋上空。1986 年，在加拿大帝国商业银行的撮合下，李嘉诚投资 32 亿港元，购入加拿大赫斯基石油公司 52% 股权。时值世界石油价格低潮，石油股票低迷，李嘉诚看好石油工业，作了一笔很合算的交易。

这是当时最大一笔流入加拿大的港资，不但轰动了加拿大，亦引起了香港工商界的骚动。

后来，李嘉诚不断增购赫斯基石油股权，到 1991 年为止，股权已增至 95%。其中李嘉诚个人拥有 46%，和黄与嘉宏一共拥有 49%，总投资为 80 亿港元。

李嘉诚的两个儿子也都加入了加拿大国籍。他本人于 1987 年应邀加入香港加拿大会所，成为会员。每当李嘉诚出现在加拿大会所，驻港的加国官员及商人便将他如众星捧月般围住。

李嘉诚投资英国几乎与投资加拿大同步进行。1986 年，他斥资 6 亿港元购入英国皮尔逊公司近 5% 股权。该公司有世界著名的《金融时报》等产业，在伦敦、巴黎、纽约的拉扎德投资银行拥有权益。该公司股东担心李嘉诚进一步控制皮尔逊，不甘让华人做他们的管理者，组织反收购。李嘉诚随机退却，半年后抛出股票，盈利 1. 2 亿港元。

1987 年，李嘉诚与马世民协商后，以闪电般的速度投资 3. 72 亿美元，买进英国电报无线电公司 5% 股权。李嘉诚成为这家公众公司的大股东，却进不了董事局。原因是掌握大权的管理层提防这位在香港打败英国巨富世家凯瑟克家族的华人大亨。1990 年，李嘉诚趁高抛股，净赚近 1 亿美元。

1989 年，李嘉诚、马世民成功收购了英国 Quad rant 集团的蜂窝式流动电话业务，使其成为和黄通讯拓展欧美市场的据点。

李嘉诚进军美国的一次浩大行动是 1990 年，他试图购买“哥伦比亚储蓄与贷款银行”的 30 亿美元有价证券的 50%，涉及资金近 100 亿港元。因为这家银行是加州遇到麻烦的问题银行，卷入了一系列复杂的法律程序中，结果，李嘉诚的投资计划只得搁浅。

李嘉诚在美国最有合算的一笔交易，是他与北美地产大王李察明建立了深刻友谊。李察明当时陷入财务危机，急需一位富有的大亨为他解危，并结为长期合作伙伴。为表诚意，李察明将纽约曼哈顿一座大厦的 49% 股权以 4 亿多港元的“缩水”价拱手让给李嘉诚。

在新加坡方面，万邦航运主席曹文锦邀请香港巨富李嘉诚、邵逸夫、李兆基、周文轩等赴新加坡发展地产，成立新达城市公司，李嘉诚占 10% 股权。

1992 年 3 月，李嘉诚、郭鹤年两位香港商界巨头，通过香港八佰伴超市集团主席和田一夫，携 60 亿港元巨资，赴日本札幌发展地产。李嘉诚的举动，引起了亚洲经济巨龙——日本商界的一次小小震动，李嘉诚回答记者提问时说：

“正像日本商人觉得本国太小，需要为资金寻找新出路一样，香港的商人也有这种感觉。一句大家都明白的道理，根据投资的法则，不要把所有的鸡蛋放在一只篮子里。”

国际化经营战略，是企业总体经营战略中十分重要的组成部分。在激烈的国际市场竞争中，许多企业比较重视运用产品、技术及价格等“刚性”手段，去争取优势，赢得胜利。然而，国际经济竞争已打破了地域、时空等局限，向全方位经营与竞争扩展，仅仅运用“刚性”竞争策略已远远不能适应。因此，经营者必须在企业的各个方面，包括人员管理上有新的选择与举措。

企业要想在国际市场上竞争获胜，必须要有适合国际氛围的人才。掌握最现代化的经营手段，熟悉他国的文化、风土人情，掌握多门外语等，都是对国际新型经营人才的要求。李嘉诚可谓深谋远虑，他似乎早已预料到国际化趋势的来临，因此，在 20 世纪 70 年代初便开始重用熟悉他国文化、语言以及社交手段的“洋人”，从而为其全球化事业奠定了深刻基础。

李嘉诚总是能站在全球的角度去给自己定位、去选择经营方式，给世人带来震惊。这种强烈的震撼力，源于他的这样一个经商观念——真正的世界级大商人必定是以全球化经营战略为方案的。毫无疑问，这种全球化经营战略，体现了李嘉诚一贯主张的经商必须止偏的观点。

善于作长线投资

李嘉诚语录：*最大的财富一定是时间最久的投资。*

经商可分为短线投资和长线投资。当然，最大利润的回报源于后者！李嘉诚非常注重自己的投资策略，提出了在必要时刻“舍短取长”的观点，其最大的特点是：宁要大商人式的长线投资而不要小商人式的短线投资。这倒不是因为李嘉诚看不起小商人，而是因为他摸透了投资回报的利润法则——“最大的财富一定是时间最久的投资”。因此他主张“放长线钓大鱼”式的经营战术。

Orange 是和黄最为成功的投资典范之一。20 世纪 80 年代后期，和黄注资 5 亿美元收购 Orange 发展电讯事业，后来 Orange 成为英国第三大电讯公司，同时为以色列、香港及澳大利亚提供电讯服务。90 年代后期，和黄通过出售部分 Orange 股权取回全部投资成本，故此次的千亿港元交易全为投资利润。

当时有关收购消息传出后，长实系股价闻风而动。和黄当日收市报港币 76.5 元，升幅总达 9%，连带其控股公司长江实业也获益匪浅，股价自 3 日前的 58 元升至当日收市的 67.5 元，飙升达 1 成以上。

和黄本是一家老牌英资企业，20 世纪 80 年代初被李嘉诚的长江实业收购，组成长和系。在李嘉诚领导之下，和黄致力于业务多元化及国际化，迄今已发展成为一个包括港口、电讯、地产、零售及制造、能源及基建等五大核心业务在内的综合型跨国企业。

亚洲金融危机之后，和黄奉行“继续扎根香港，但同时也不排除在海外寻求投资机会”的经营策略，企业国际化进程加快。

1989年，和黄通过收购一家英国电讯公司而涉足英国电讯市场，但却出师不利，处于长期亏损状态。当时和黄在英国推出的CT2电讯服务，名为RAABBIT（兔子），由于只能打出而不能接入，较同期其他技术逊色，因此不能吸引更多的客户，其产品模拟式电话价格迅速下跌，这项技术服务只好宣布死亡，和黄也深受损失，为此撤账14.2亿港元。

后来，和黄又于1994年投资84亿元成立Orange，推出个人通讯网络。它起初也不被业界看好，不料后来却渐渐被消费者接受，手提电话的销售成绩很不错。1996年，Orange在英国上市，随即成为金融时报指数100的成分股，同时也为和黄带来41亿港元的特殊盈利，并已收回全部投资。该股份虽未有盈利，但股价却比上市时提高了6成多，其市值也由当时的200多亿港元增至2000多亿港元。到1997年为止，Orange的英国客户突破了100万，成为英国第三大流动电话商。1998年2月，和黄出售4.3%的Orange股份，套现53亿港元；加上并购交易所得的220亿港元现金、220亿港元票据，以及650亿港元的德国电讯公司股票，和黄在投资Orange上的回报已超过10倍以上。

卖Orange的成功，是和黄历史上最重要的一项交易，引起了海内外市场的轰动，也引来了无数人的羡慕，大家都想知道和黄集团主席李嘉诚经商的“秘诀”。在记者会上，李嘉诚这样说：“电讯业务是未来集团的发展重点，他已知道5年后和黄要做什么。”可以说，着眼于未来、善于把握趋势是和黄成功的主要原因之一。

这种前瞻未来的作风，使李嘉诚的事业在竞争激烈的商场上屡次取得了引人注目的成功。

20世纪60年代靠经营塑料花起家的李嘉诚，在此行业仍如日中天时，毅然出售其业务，改为投资地产业，奠定了他成为巨富的基础。到了20世纪90年代中期，李嘉诚又是香港大地产商中最早认识到地产业暴利时代已经过去的人，他在不停地出售手上即将落成的住宅物业的同时，积极向海外电讯业发展。后来，李嘉诚的和黄集团全力发展全球电讯市场，除投资英国外，和黄集团还向美国等国家的电讯市场进军。如1997年，和黄斥资24亿多港元，入股美国电讯公司WWC；1999年，和黄又宣布分拆以色列电讯在英美上市。

对于一个聪明的有战略意识的商人而言，投资眼光直接决定着成败。在这个问题上，许多人都曾遭遇过失败，并且屡屡走不出困境。那些敢于投资的人则是在“远”字上下工夫，施展大手笔。李嘉诚善于作长线投资，且屡见成效。

幸运成就不了常胜将军，真正的胜者总是那些会做长线投资的。只看重眼前利益，热衷于短期投资的人永远只能做个朝不保夕的投机者。

第四章

李嘉诚的坚忍不拔之力

艰难困苦，玉汝于成。人生之路并非坦途，而是充满了各种挑战和困难，因此成大业者必须自强不息，要有战胜一切的雄心，只有敢于向一切艰难挑战，并做到永不言弃，方能开创出一片属于自己的天地。李嘉诚具有一种坚忍不拔之力，这使得他总是自强不息，勤奋做事，面对困难敢于迎难而上，并永不放弃，最终成就了他的伟业。

幸运掌控在自己手上

李嘉诚语录：*对成功的看法，一般中国人多会自谦那是幸运，绝少有人说那是由勤奋及有计划地工作得来。我觉得成功有三个阶段。第一个阶段完全是靠勤奋工作，不断奋斗取得成果；第二个阶段，虽然有少许幸运存在，但也不会很多；现在呢？当然也要靠运气，但如果没有个人条件，运气来了也会跑去的。*

对于超人李嘉诚，人们总是羡慕他的幸运，认为他拥有别人无法具有的好运，但李嘉诚先生自己却不这样认为。他认为幸运掌控在自己的手上，人生须靠自己去把握。

李嘉诚并不是一个天生的幸运儿，他所经历的忧患与磨难，是我们所难以想象的。李嘉诚异于常人的地方，不是他所受到的苦难，而是他在苦难之中仍坚持顽强奋斗，这才是他成功的根本原因。

早在1981年，他在谈到自己走向成功的因素时说：

"在20岁前，事业上的成果百分之百靠双手勤劳换来；20至30岁之间，事业已有些小基础，那10年的成功，10%靠运气好，90%仍是由勤奋得来；之后，机会的比例也渐渐提高；到现在，运气已差不多要占三至四成了。"

一位曾研究李嘉诚为何成功的学者分析道：

"李先生认为早期的勤奋，正是他储蓄资本的阶段，这也就是西方人士称为'第一桶金'的观念。"

"不过，在香港每天工作超过10小时、每星期工作7天的人大概也有10万人，为什么他们勤奋地工作了数十年还没有出人头地呢?"

"由此可见，李先生认为勤奋是成功的基础仍是自谦之词，幸运也只是一般人的错觉。从李氏成功的过程看，他有眼光判别机会，然后持之以恒，而他看到机会就是一般人认为的幸运。许多人只有平淡的一生，可能就是不能判别机会，或看到机会而畏缩不前，或当机会来临时缺少了‘第一桶金’。也有人在机会来临时，因为斤斤计较目前少许得失，把好事变成坏事，坐失良机。”

清末大学者王国维在《人间词话》中说：“古今之成大事业、大学问者，必须经过三种境界：‘昨夜西风凋碧树。独上高楼，望尽天涯路；’此第一境也。‘衣带渐宽终不悔，为伊消得人憔悴’此第二境也。‘众里寻他千百度，蓦然回首，那人却在灯火阑珊处。’此第三境也。”

王国维的这段话，正是李嘉诚由勤奋获得成功的写照。

人生须自强不息

李嘉诚语录：没有命中注定的大富大贵，成功要靠自己去创造。

李嘉诚是位传奇式的人物，他的名字享誉海内外。他是香港最大的土地拥有者，他的地产、金融、酒店、电力、石油等业务遍布世界各地。《华盛顿邮报》称之为“最富的华人”。清贫的家境、苦难的童年、一贫如洗的“打工仔”、“拥有亿元资产的巨富”构成了李嘉诚成长、发展的轨迹。他是如何实现这奇迹般的飞跃的呢?

李嘉诚曾说：“我在创业初期，几乎百分之百不靠运气，而是靠工作、靠辛苦、靠工作能力赚钱。你必须对你的工作、事业有兴趣，要全身心地投入工作。”李嘉诚是一个立下决心要打造自己的事业王国的人，他不希望自己的人生计划落空。面对人生坎坷，他相信自己的能力，相信靠自己的打拼，定会成为一个强者。在他看来，成大业者必须自强不息，要有战胜一切的雄心，只有敢于向一切艰难挑战，才可能开创出一片属于自己的天地。

李嘉诚，1928年7月29日出生于广东潮安县府城（现潮州市湘桥区）北门街面线巷的一个书香世家，父亲李云经是当地一位德高望重的教师，曾任校长。1937年，抗日战争爆发。汕头沦陷后，年仅10岁的李嘉诚随父母背井离乡过了两年的流浪生活。1941年，李嘉诚一家辗转来到香港，投奔李嘉诚在香港开钟表店的舅舅庄静庵。

到达香港后，为了入乡随俗，尽快适应香港的生活，同时也为日后发展做准备，李云经要求李嘉诚首先“学做香港人”，要尽快攻克广州话和英语这两个语言关。

李嘉诚遵秉父旨，勤学苦练。即使后来因父亲早逝，李嘉诚辍学到茶楼、到钟表公司当学徒，每天辛苦劳作10多个小时，他也从不间断坚持业余学习广州话和英语。功夫不负有心人，几年后，李嘉诚熟练地掌握了这两门语言，为他后来的成功奠定了坚实的基础。

李嘉诚一家到香港不久，香港也被日本占领了，生活的艰苦可想而知。更不幸的是，李嘉诚14岁那年，他的父亲因病去世。

怀着对父亲的承诺和对家庭的责任，身为长子的李嘉诚谢绝了舅父继续供他读书的好意，毅然决然地辍学求职。此时，这个14岁的少年心中只有一个信念，就是要养活母亲和弟妹，他必须挣钱挣好多好多的钱。从此，李嘉诚稚嫩的双肩挑起了生活的重担，走上了一条需要不断挣扎、奋斗的人生道路。

为了一家人的生活，李嘉诚到一家茶楼去当跑堂，他每天天不亮就要到茶楼去烧水。白天不停地招呼客人，晚上11点多才能回家，这样的工作对一个十几岁的孩子来说，实在是太累了。但是，为了生存他只能默默承受。即便这样辛苦，李嘉诚一天的收入也只能勉强糊口。当时，正值战乱，物资奇缺，物价飞涨，李嘉诚一家人的生活异常艰难。

两年多的茶楼生活，磨炼了李嘉诚吃苦耐劳的品质，同时也使他认识到，要改变自己的贫困命运，就必须去努力奋斗，去闯天下，他立志要出人头地。于是，他辞去了茶楼的工作，来到一家五金厂当上了推销员。他不辞辛苦，四处奔波，观察市场，捕捉信息。李嘉诚凭着自己机敏的头脑、得体的语言，一次又一次地赢得了客户的信赖，使产品的销量大增。为了弥补自己知识水平的不足，每天深夜李嘉诚都刻苦读书。

由于李嘉诚工作勤奋、好学上进，深得五金厂老板的赏识，年仅20岁，他即被提升为经理。但是，李嘉诚有着更远大的理想，他要成为一个实业家，他要出人头地。于是，李嘉诚不顾老板的再三挽留，毅然辞去了待遇优厚的经理职务，又开始了他的奋斗生涯。

1948年底，李嘉诚租了几间破房子，雇了几个工人，创立了“长江塑胶厂”，主要生产玩具和家庭用品。建厂初期，由于资金少，人才缺，采购、设计、施工、推销都要靠自己。虽然李嘉诚苦心经营，但几年下来，塑胶厂仍面临着很大的困难，李嘉诚没有灰心，他仍然勤奋地工作着，执著地追求着。

20世纪50年代后期，通过观察市场，李嘉诚发现，塑料花在香港市场上特别走俏，而且随着物质生活水平的不断提高，人们对塑料花的需求还会不断增加；在产品外销中，李嘉诚又发现美洲和欧洲也出现了塑料花热，几乎每个家庭、办公室都要用塑料花来点缀。可见塑料花具有很强的市场潜力。于是，李嘉诚决定转而主要生产塑料花。

1957年，“长江”的塑料花出厂，投入市场后一炮打响，李嘉诚在香港名声大振。随后，“长江”塑料花又销往欧美市场，也获得了很高的声誉，长江塑胶厂财源滚滚，一跃成为世界上最大的塑料花厂。这样，一幢新型楼房代替了昔日的几间破厂房，长江塑胶厂变成了“长江实业有限公司”。

当塑料花给李嘉诚带来巨额利润时，他并没有因自己由一个“打工仔”变成“塑料花大王”而陶醉。他冷静地分析市场趋势，一方面不断扩大塑料花的销路，一方面又把目光瞄向了新的目标——房地产。

李嘉诚认为，香港是个弹丸之地，20世纪50年代后，随着经济的不断发展，人口不断膨胀，居民的住宅日趋紧张，因此，地产业的前景不可限量。于是，李嘉诚经过长时间的冷静思考，以其超人的胆识，果断地做出了他一生中关键性的选择。1957年，李嘉诚在自己工厂附近买下一块工业用地，靠贷款建造了几幢住房和一幢12层的办公大楼，然后出售，收回的钱再用来购地、建房……就这样，李嘉诚的地产业“滚雪球”式地发展着。李嘉诚知道，香港人多地少，地皮永远珍贵，因此他经营房地产不是急于求利，而是按部就班地发展着。这样，到1972年，李嘉诚的长江实业有限公司已拥有100多万平方米的楼宇面积。

20世纪70年代，由于石油危机引起了世界经济的衰退，香港地价下跌幅度很大。李嘉诚高瞻远瞩，认为用不了多久香港的地价就会回升，而且很可能出现暴涨。于是，他看准这一机会，以最快的速度用低价购进大量的土地，并十分冒险地用自己6800万港元的私款买下了长江实业公司的股票，以此来提高长江实业公司的购买力。

不出李嘉诚所料，1979年，香港地价开始回升，这给长江实业有限公司带来了成倍的利润。到1981年，李嘉诚已拥有2900万平方英尺的地盘面积（建筑楼宇的土地面积），成为除香港政府之外的最大的土地拥有者。

李嘉诚以其超人的智慧和胆识，果断行动，孤注一掷，又一次获得了成功。然而，锲而不舍、不断进取的精神，使李嘉诚又向更高的目标迈进了。

从1977年开始，长江实业公司的业务范围就已超出地产生意，开始向多元化和综合化发展。但是，李嘉诚已经不满足于在华资圈子中打转，他的目标瞄向了具有传统势力且暂无华人敢碰的英资集团。

周密分析，敢于冒险，雷厉风行，这是李嘉诚的做事风格。

1977年，香港地铁要在中区闹市的遮打站和金钟站上搞兴建招标，许多财团奋起争标。李嘉诚机智地提出了兴建优质商业大厦以高价出售，并将商业大厦和地铁工程同步，以便使地铁迅速收回巨额资金的计划，从而使“长实”奇迹般地战胜了英资财团控制的“置地”产业公司，一举夺标。这个开华资战胜英资的先河之举，使李嘉诚名利双收，由此，李嘉诚得到了汇丰银行等英资集团的信任。

1978年，李嘉诚又购买了老牌英资公司“青洲水泥”40%的股票，使他成了该公司的董事局主席。紧接着，他又把自己持有的“九龙仓”1000万股的股权转让给包玉刚，为自己收购和记黄埔打下基础。

1979年9月25日，是李嘉诚事业发展中最重要的日子，也是香港经济史上划时代的一天，这一天，李嘉诚郑重宣布：长江集团从汇丰银行手中购得英资“和记黄埔公司”22.4%的股权。这样，长实集团就成为了香港历史上第一家控制英资财团的华资集团。

李嘉诚控制“和黄”开创了华资企业控制英资企业的先例，写下了香港经济史上的重要一页，李嘉诚也成为了香港历史上第一位出任英资洋行总裁的华人，让世人感到震惊。

在李嘉诚领导下的“和黄”连续作战，屡战屡胜。经过12年的苦心经营，到1990年3月，“和黄”已成为香港最大的跨国综合企业公司，主要经营地产、电讯、集装箱码头、能源和零售五大核心业务。其市值高达301.37亿港元，居所有上市公司之首，论其实力，仅次于印刷钞票的汇丰银行。

到如今，李嘉诚已连续多年被评为世界华人首富，连续多年雄居港商首席，以逾600亿港元的身价成为亚洲首富。

成功者之路虽不尽相同，但成功的奥秘无非来自两方面，即客观条件和主观条件。如果个人不努力，机会来了也会跑掉。许多名人在成功路上都尝遍了人生的酸甜苦辣，但他们没有消沉，反而更勇敢地面对一切，把苦难化作动力，把坎坷当作是上苍赐予自己机遇前的考验，在经历了各种各样的艰苦磨炼之后，终于取得了一个又一个的成功。

所以当我们遇到艰难困苦时，也应该以“天将降大任于斯人也”的豪气来面对，相信是上苍正在考验自己对生命的忠诚，相信成功是属于自己的权利，这样，我们的人生就一定会一步步走向辉煌。

成大业者永不言败

李嘉诚语录：*人生自有其沉浮，每个人都应该学会忍受生活中属于自己的一份悲伤，学会在挫折中抬头，学会在逆境中磨炼自己。*

成大业者永不言败，少年时期的李嘉诚就认识到了这一点，也做到了这一点。

李嘉诚一家逃避战乱辗转来港，万没料到，仅一年时间，战火就燃及香港。日军统治下的香港百业萧条，李嘉诚的父亲李云经挣的薪水越来越少，为了养家糊口，他只好拼命地工作。可祸不单行，李云经在家庭最困难的时候病倒了。

身为长子的李嘉诚一边照顾父亲，一边拼命读书温习功课。他无法在经济上帮助家里，只希望通过自己的努力学习，取得好成绩，来让生病的父亲获得一种精神上的慰藉。确实，懂事、好学上进的李嘉诚是父亲李云经最大的精神寄托，他满心期待着儿子能够学有所成、出人头地。

为了给李云经治病，李嘉诚一家的生活相当清贫。两顿稀粥，再加上母亲去集贸市场收集来的菜叶子，便是全家一天的“美食”。全家所有的希望都寄托在李云经身上，希望他尽快把病治好，让全家渡过这道难关。

然而，命运无情。李云经病逝。他没有给李嘉诚留下一文钱，相反，还给李嘉诚留下了一付家庭的重担。这一年，李嘉诚14岁，刚刚读完初中二年级。

临终前，李云经哽咽着对儿子说：“阿诚，这个家从此就只有依靠你了，你要把它维持下去！”

李云经辞世后，子女尚幼，为了生存，李嘉诚的母亲设法批发一些塑料花去卖，每天只能赚到几角钱，根本无法养活一家五口。时局的动荡，世态的炎凉，促使了李嘉诚的早熟。

李嘉诚是家中的长子，对母亲非常孝顺，他觉得自己应该放弃学业，帮助母亲承担起家庭生活的重负。14岁的孩子，正是充满梦幻、需要父母呵护疼爱的年纪。辍学谋生，对于李嘉诚来说，实在是难以接受的现实。尽管舅父庄静庵表示愿意资助李嘉诚完成中学学业，接济李嘉诚一家，但李嘉诚仍打算中止学业，遵循父亲的遗愿，谋生赚钱，支撑起这个家庭。舅父未表示异议，他说，他也是读完私塾，10岁出头就远离父母家乡，去广州闯荡天下的。原本，外甥李嘉诚进舅父的公司顺理成章但庄静庵未开这个口。舅父的意思李嘉诚心知肚明，他今后必须靠自己，独立谋生。

庄静庵似乎显得太不近人情、太无情无义了。商业社会的冷酷无情对一个少年来说，是一种灾难，但它也是一种磨炼，对日后的一代巨商李嘉诚来说又未尝不是一种福音。商业社会是现实而又理智的，也许正因为这样，才迫使少年李嘉诚丢掉幻想，把自己逼上了独立谋生的道路，从此开始奋斗拼搏，由一个地位低下的打工仔一步一个脚印地走向了成熟、成功和辉煌。

生活中，每个人都会遇到生活的重压，有些人由于承受不了而失败，有些人则敢于挑战，赢得成功。由李嘉诚的经历，我们可以得到一些启迪：应该正视并且利用人生的挫折和不幸，甚至应该自加压力，强迫自己发挥出巨大的潜能。

早期的挫折使李嘉诚从小就感受到了生活的冷酷，但也同样使他练就了坚忍的性格。

1943 年冬，是香港少有的寒冬。日军统治时期，街市本来就萧条，再加上寒风彻骨，街上更是行人稀少，一片萧瑟景象。

在这样一个缺衣少食、人人自危的日子里，没有人会关注踯躅奔走于大街上的李嘉诚母子。母亲正带着李嘉诚沿街挨门挨铺地寻找工作，他们已出来整整一天了，但他们的脸上依然是一片茫然和沮丧的表情。

酒楼饭铺中不断地飘出阵阵诱人的香味，李嘉诚母子已饿了整整一天，此时在饭香的刺激下，空空的胃腹一阵阵痉挛。“阿诚，饿了吗?阿妈给你买糯米鸡。”母亲看着儿子，心疼地说。其实，她身上也只有仅存的几角零钱罢了。

“阿妈，不要，我不饿。”李嘉诚毅然地拒绝了母亲。他明白，如果再找不到工作，莫说糯米鸡，一家人连一日两顿稀粥都没得喝了。母亲看着儿子消瘦的面庞，心里一酸，泪水扑簌簌往下淌，忙侧过脸去。看来，今天是没指望了。

母子俩步履蹒跚回到家，李嘉诚再也没有力气了。他默默地躺在床上不愿动，母亲则沉默地把在路上捡来的菜叶洗净，准备生火煮粥。正在这时，舅父庄静庵进来了，带来了一小袋米，并顺便询问了一下一家人的起居饮食，然后转身走了。他早已看出母子俩的疲惫和沮丧，但他什么也没说。

第二天，天刚亮，李嘉诚就起床了。他打算一个人出门找工作，因为他实在不忍心让可怜的母亲再陪自己忍受奔波之苦。

临出门前，母亲说："你去找潮州的亲戚和同乡，潮州人总是帮衬潮州人的。"母亲说了一串人名地址，他们都曾与李嘉诚的先父有交往。李嘉诚本不愿求人帮忙，但他走遍了大街小巷，问过了一家又一家铺子，都毫无结果，还受尽了白眼冷遇，这深深地挫伤了他的自尊。万般无奈之下，他才决定去找一个同乡长辈帮忙，不料，他找到地方一看却是一家已倒闭了的空店。

李嘉诚曾听舅父与先父谈过商界的事情：日军当道，市景肃杀，生意难续，生意人倒闭的多于开张的。李嘉诚突然冒出一个想法：去银行找工作，扫地、抹灰、泡茶、跑腿，干什么都行。他想，银行是做钱生意的，银行不会没钱，当然不会倒闭。然而，银行怎么会要他这样一个小小少年呢？等待李嘉诚的，仍然是闭门羹。

夜幕降临，李嘉诚拖着疲惫的双腿回到家，找工作的结果一览无遗地写在他失意的脸上。母亲却露出了难得的笑颜，告诉他："舅舅叫你上他的公司做工。"

李嘉诚一时愣住了，泪水在眼眶里打转。这两天，尽管他已备尝艰辛，但他仍觉得好事来得太快了。母亲替李嘉诚擦干泪水，自己的泪水却夺眶而出，她含泪叮嘱说："进了舅舅的公司，天天跟钟表打交道，这是一门好技术，日后准能发达。阿诚，你可要好好做，听舅舅的话。"

谆谆教诲间，母亲瞒住了一个事实。其实，庄静庵并不忍心让外甥小小年纪就独自闯荡谋生，他原本就有意让李嘉诚进他的公司。但他担心李嘉诚就这样找到工作太容易，害怕他由此不思自强自立。所以，他有意先让李嘉诚尝尝找工作的苦头，因为这样才会珍惜来之不易的工作。

然而，出人意料的是，李嘉诚竟拒绝了舅舅的好意。"我不进舅舅的公司，我要自己找工作。"李嘉诚想起父亲的遗言和平日的要强行为，迅速地做出了这样的决定。他不想受他人太多的荫庇和恩惠，哪怕是亲戚。

母亲大感意外，直愣愣望着儿子，以为听错了。李嘉诚又果断地重复了一遍。母亲不再吱声，她发现儿子在清高这一点上，太像他的父亲了，并且比他父亲还要倔强。但同时，她又觉得儿子长大了。

连日来遭受的种种挫折，并没有把李嘉诚击垮，反而使他产生了一个顽强的信念：我一定要自己找到工作！这充分显示了他独立、自信、倔强的气质。正是这种永不言败，越挫越勇的气概，促使他一步步攀上了商界的巅峰。

母亲深为儿子的懂事感到高兴，但在心底确实又不忍心再让儿子因为工作的事而饱受艰辛与磨难。她同意李嘉诚自己去找工作，但事先声明："事不过三，第三天还找不到，就一心一意进舅父的公司做工。"

有心人，天不负。次日正午，李嘉诚就在西营盘的"春茗"茶楼找到了他的第一份工作，从此开始了他拼搏奋进的人生。

在人生的航程中，每个人都不可能永远平平安安，每个人都会有遇到急流险滩、暗礁风暴的时候。当困难来临时，我们不应退缩，而应坚强地接受，勇敢地面对。只有在一次次的苦难中磨炼自己，提高自己，才能拥有更加强健的体魄，才能更好地掌握航向。要坚信，风雨过后，迎接我们的将是一片更加明净的天空。

敢于从零开始

李嘉诚语录：*今天的放弃是为了明天更大的收获。懂得放弃才能保持雄心，实现梦想。*

李嘉诚认为，一个人若想要出人头地，就不能安于现状，不能因为做出了一点小小的成绩就自我满足。

李嘉诚在五金厂主要是负责推销镀锌铁桶。自从李嘉诚加盟五金厂后，五金厂的业务蒸蒸日上。老板喜不自胜，在员工面前称阿诚是第一功臣。

然而，备受老板器重的李嘉诚，刚刚打开局面就要跳槽。老板心急火燎，提出给李嘉诚晋升加薪，但李嘉诚主意已定，不所为动。

李嘉诚去了塑胶裤带制造公司。在现代人的眼里，这是一间小小的山寨式工厂，位于偏离闹市区的西环坚尼地城爹士街，临靠香港外港海域。

那么，这间山寨工厂的魅力到底在哪儿呢？

李嘉诚此举，一是受新兴产业的诱惑，二是受塑胶公司老板的怂恿。

20 世纪 40 年代中期，塑胶工业在欧美发达国家兴起。香港作为全方位开放的世界自由贸易港，市面上很快就出现了从欧美输入的塑料制品。塑料制品易成型，质量轻，色彩丰富，美观适用，能够替代众多的木质或金属制品。塑胶同时也有易老化、含毒性等缺点，但这些缺点，却被人们趋赶时髦的风气湮没了。

李嘉诚在推销五金制品之时，就敏锐地感受到了塑胶制品的巨大威胁。最初，塑胶制品是一种奢侈品，价格昂贵，消费者皆是富人阶层。但塑胶制品的价格一直呈下降趋势，舶来品愈来愈多，尤其是港产塑胶制品一面市，更是造成价格大跌。李嘉诚清晰地意识到，要不了多久，塑胶制品将会成为价廉的大众消费品。

香港是接受新事物最快的地方，香港没有传统工业，但它与世界有广泛的联系，能够迅速地引进适宜在香港发展的产业。香港最初的塑胶厂屈指可数，很快就呈现出了雨后春笋般的发展趋势。

塑胶裤带公司的老板是一个具有现代意识的经营者。他靠经营塑胶裤带起家，短短的一年，就开发出了十多个产品。香港的塑胶厂愈来愈多，竞争也将愈来愈激烈。老板四处招聘推销员，前后有二十多人做过推销，但真正能胜任者却寥寥无几。

老板自己也常常出马推销。他到酒店推销塑胶桶时，与推销白铁桶的李嘉诚曾经不期而遇。李嘉诚成了他手下的败将，因为酒店更青睐塑胶桶，而不惜废掉进白铁桶的口头协议。

不打不相识。李嘉诚虽败在塑胶公司老板的手下，他的推销才能却深得老板赏识。老板认为李嘉诚虽然没有推销出白铁桶，但问题不是他的推销术火候欠佳，而是在于白铁桶本身不具备塑胶桶的优势。老板有意与李嘉诚交朋友，于是约他去喝晚茶，诚心竭力拉李嘉诚加盟。言谈中，李嘉诚表现出对新行业的浓厚兴趣。但他说："老大（老板）还算蛮器重我，我去他厂做事没多久就走恐不太好。"

"晚走不如早走，你总不会一辈子埋在小小的五金厂吧？看这形势，五金难得有大前途。"老板劝说道。

这正是李嘉诚所不愿的。他离开舅父的公司出来找工，只是作为人生的磨炼，而不是作为终身的追求。

虽然李嘉诚满怀歉疚，但他最终还是跳出了五金厂。从五金厂进入塑胶公司，李嘉诚已经多次变换工作。每次变换，李嘉诚都是从一个困境跳进另一个困境，但每一次同时又是通向成功的一次跳跃，每克服一个困境，都是在为独立创业积累经验、铺路搭桥。

进入塑胶裤带公司后，李嘉诚还是干推销员的老本行。

当推销员的日子，李嘉诚每天工作 16 至 20 小时，他并没有因香港战乱而放弃拼搏。早上 9 时上班前，他到其他地区发掘新客户；人家喝下午茶时，他继续工作；晚上，他又跑到工厂视察"跟单"。由于工作尽责勤奋，他开始有了自己的熟客。

加盟塑胶公司一年后，老板以营业额计算，派发年终花红，李嘉诚排在第一位，花红高出第二位 7 倍，连他自己都大吃一惊。

李嘉诚说："我表面谦虚，其实很骄傲，别人天天保持现状，而自己就老想着一直爬上。所以当我做生意时，就提醒自己，如果继续有骄傲的心，迟早一定碰壁。"

塑胶公司老板十分赏识李嘉诚的杰出才华，因此，李嘉诚 18 岁就被提拔为业务经理，统管产品销售。两年后，又晋升为总经理，全盘负责日常事务。

李嘉诚以自己的勤奋和聪颖，很快掌握了生产的各个环节。工厂生产势头良好，销售网络也日臻完善，许多大额生意他都是通过电话完成的，具体的事再由手下的推销员完成。

李嘉诚成为了塑胶公司的台柱，成为了高收入的打工仔，是同龄人中的杰出者。他才 20 岁出头，就攀到了打工族的最高位置，做出了令人羡慕的业绩。

李嘉诚好像应该心满意足了，然而，在他的人生字典中没有“满足”两字。他不满足于永远做一个优秀的打工仔。他毅然辞职，老板自然舍不得李嘉诚离去，再三挽留，然而他去意已决。在李嘉诚谦虚沉稳的外表下，蕴含的是勃勃雄心，他要以自己的聪明才智开始新的人生搏击。

正是由于这种敢于放弃，敢于从零的开始的精神使李嘉诚一步步迈向新的起点，走向一个又一个的事业巅峰。

勤奋是成功的保证

李嘉诚语录：*在逆境的时候，你要自己问自己，是否有足够的条件去越过它。如果你够勤奋，有毅力，那么你就成功了一大半。*

李嘉诚奉行的人生准则是“勤能补拙”。当一个人身处逆境时，“勤”更是决定输赢的那颗砝码。

1950年夏天，李嘉诚准备创立长江塑胶厂。由于当时数十万大陆人涌入香港，香港闹房荒，所以厂房是租借的。李嘉诚资金紧张，只能租廉价的厂房。从港岛到九龙，李嘉诚跑了前后一个多月，最后才在港岛东北角的筲箕湾找到一间勉强合意的厂房。筲箕湾是港岛的偏僻地，厂址就更偏僻了，邻靠山谷的小溪。正因为偏僻，所以租金较低，经过讨价还价，再加上实在找不到更合适的厂房，李嘉诚就按房主要的价租下了厂房。

厂房实在是破旧得不能再破旧了，窗户找不出一扇完整无缺的，不是玻璃破碎，就是风钩脱落，房顶透下束束天光。香港春夏多雨，雨水哗哗漏泻，经常弄得厂房到处是水，李嘉诚不得不又花一笔钱进行修缮。

厂房里的压塑机也是破旧不堪，是欧美淘汰的第一代塑胶设备。香港增加了许多塑胶厂，业主多是小本经营，于是就有人专做旧机器买卖。李嘉诚从他人处买下了这些机器。由于设备已经老化，经常需要停产进行检修，这也让李嘉诚发愁苦闷。

如果说那时长江塑胶厂能透出一线新景象的话，就是挂在门口的那块崭新的“长江塑胶厂”的厂牌，业主李嘉诚正踌躇满志在开创他崭新的事业。

谁当时都不会相信，此时李嘉诚日后竟会成为香港塑胶业的泰斗？这正如仅仅看到长江源头的人，无法想象长江的万里奔腾之势一样。李嘉诚为他的厂子取“长江”之名，已经显示出了万里长江的远大抱负。

草创阶段，李嘉诚依旧是初做销员时的老作风。

每天一大清早，李嘉诚就外出推销或采购。赶到办事的地方，别人正好上班。他从不打的，距离远就乘公共巴士，路途近就双脚行走。在香港，李嘉诚也许是走路步伐最快的人，时至今日，年过 70 的李嘉诚依然健步如飞，很多年轻人都赶不上他。而他的手表，亦永远比别人调前了 15 分钟，李嘉诚能有现在的成就，绝非偶然。

中午，李嘉诚急如星火赶回工厂，先检查工人上午的工作，然后跟工人一道吃简单的工作餐。没有餐桌，李嘉诚就和大家一起蹲在地上吃。

李嘉诚身为老板，同时又是操作工、技师、设计师、推销员、采购员、会计师、出纳员，什么事都是他一手操持。

长江塑胶厂第一批招聘的工人全是门外汉，过半还是从田间洗脚上岸的农民。唯一的塑胶师傅就是老板李嘉诚。机器安装、调试，直到出产品，都是由李嘉诚手把手带领工人一道完成的。

晚上，李嘉诚仍有做不完的事，他需要做账；要记录推销的情况，规划产品市场区域；还要设计新产品的模型图，安排第二天的生产。

此外，李嘉诚还从不间断业余自学。塑胶业的发展日新月异，新原料、新设备、新制品、新款式源源不断地被开发出来。李嘉诚犹如海绵吸水，总觉得时间不够用。

李嘉诚事必躬亲，节省了许多不必要的开支，同时他对全厂每一个环节的情况都了如指掌，以便于管理。此外，身为老板这般拼命，也给全厂员工起到了率先垂范的榜样作用。

这是非常时期的十分有效的方式，对一个初创的企业起到了不可估量的作用。

李嘉诚住在厂里，一星期才回家一次，看望母亲和弟妹。在厂房规模稍扩大后，他在新蒲岗租了一幢破旧的小阁楼，既是长江厂的写字间，又是成品仓库，还是他的栖身之处。那时的李嘉诚，把自己"埋"进了长江厂。他每天工作十四五个小时，还要坚持晚上到夜校读书。

李嘉诚每一天的工作，总是比别人提前开始；而休息，却永远要比别人晚。

那么李嘉诚这么旺盛的精力是从哪儿而来呢？他靠远大的抱负和顽强的意志支撑着，正如一篇文章所说："李嘉诚发迹的经过，其实是一个典型青年奋斗成功的励志故事。一个年轻小伙子，赤手空拳，凭着一股干劲勤俭好学，吃苦耐劳，创立出自己的事业王国。他常言：追求理想是驱使人不断努力的最主要因素。"

"勤能补拙"，不论一个人的天分有多高，只有勤奋才是成功的保证。从古至今，大凡成大器者莫不信奉"勤奋"二字。在当今社会，一个人事业上的成功，有百分之九十仍然要靠双手勤劳换来，投机取巧最多只能得到一时的痛快。要问幸福在哪里，幸福就在辛勤的汗水里。

敢于迎难而上

李嘉诚语录：*不必再有丝毫犹豫，竞争即搏命，更是斗智斗勇。倘若连这点勇气都没有，还谈何在商场中立足？*

长江公司的塑料花牢牢占领欧洲市场后，营业额及利润成倍增长。1958年，长江公司的营业额达1000多万港元，纯利100多万港元。李嘉诚因此赢得了"塑料花大王"的称号。

李嘉诚也正是在这一年里开始涉足房地产。他非常看好香港地产业的前景，但也并没有因为要涉足地产业就放弃了塑胶业。相反，在塑胶业，他还要大力发展，他给公司定的下一个目标就是进军北美。

美国和加拿大都是发达的资本主义国家。尤其美国，幅员辽阔，人口众多，消费水平极高，占世界消费总额的1/4强。李嘉诚陆续承接过香港洋行销往北美的塑料花订单，但这些都是小额定单，远远达不到他的期望。

在竞争激烈的商业社会中，“守株待兔”是纯粹的机会主义，最终只能使工厂走向没落；“酒香不怕巷子深”是陈旧过时的经营理念，也根本不符合发展快速的信息时代。

李嘉诚决定要主动出击。他设计印刷了精美的产品广告画册，并通过港府有关机构和商会了解到北美各贸易公司的地址，然后分别寄了出去，静候佳音。

没过多久，果然就有了反馈。北美一家大贸易公司，在收到李嘉诚寄去的画册之后，对长江公司的塑料花彩照样品及其报价都特别满意，于是决定一周之后派购货部经理亲自来香港一趟进行考察。

李嘉诚接到来函之后，立即通过人工转接的越洋电话，与美方取得了联系，并对其来香港进行考察表示欢迎。交谈之中，对方简单询问了香港塑胶业的大厂家情况，并提出：如果时间允许的话，想请李先生陪同他们的人走访一下其余的几户大厂家。

这家公司是北美最大的生活用品贸易公司，销售网遍布美国、加拿大各地。这种机会对于李嘉诚来说千载难逢，但机会却非长江一家所属。对方意思很明显，他们将会同时考察香港整个塑胶行业，从中选一家作为合作伙伴，或同时与几家合作。

这次李嘉诚面临的又是一场激烈的竞争，不但要比信誉、比质量、比规模，而且需要斗智斗力，方能确定鹿死谁手。而李嘉诚的目标是使长江成为北美公司在港的独家供应商。他虽自信长江的产品质量是全港一流的，但论资金实力、生产规模，却不敢在香港同业中称老大。

当时全香港有十家实力雄厚的大型塑胶公司，先不用说别的，只看工厂的外貌，就足以让人肃然起敬了。长江公司的工厂格局，却还未摆脱山寨式的巢穴，更不用说生产规模了。就这点给来自先进工业国的外商们看了，最起码的第一印象就不够好，而第一印象往往又是很重要的。

给予李嘉诚的时间只有短暂的一周。他马上召开公司高层会议，宣布了一项令人惊愕而振奋的计划：必须在一周之内，将塑料花生产规模扩大。

此时李嘉诚正在北角筹建一座工业大厦。原计划是等建成之后，留下两套标准厂房自己用。而现在，他只能另外租别人的厂房应急了。为了争取时间，李嘉诚委托房产经纪商代租下一套房子，一部分资金是他自己的，除此之外，其他所用的资金绝大部分是银行的大额贷款，他以筹建工业大厦的地产做了抵押。

做事一向沉稳的李嘉诚这次是怎么了？商人还没有来，生意还没开始谈，就已经把自己辛辛苦苦建立的工业大厦抵押进去了，如果生意谈不成，那不就鸡飞蛋打两头空了吗？这个险冒得也未免有点太大了吧？可是话又说回来，只有这样做，才存在着一线希望，否则，就只有放弃了。而这毕竟是一次难得的机会，具有远见的李嘉诚又怎能轻易放弃呢？

但是这一系列的工作又是那样的复杂而繁多：旧厂房的退租，可用设备的搬迁，购置新的机器设备，新厂房的承租改建，设备的安装调试，还有新聘工人的培训及上岗，工厂又要入新的轨道并保证正常运作……这么巨大的工程，要在一周内完成，在一般人看来简直就是天方夜谭，是不可能的事。更何况，只要在任何一个环节上出现了问题，都极有可能导致整个工作计划的失败。那样不仅前功尽弃，而且这其间的耗费又岂是哪一个人能承担得起的？

李嘉诚和全体员工一起，奋斗了整整七昼夜，每天只有三四个小时的睡眠。李嘉诚紧张而不慌乱，哪组人该干什么，哪些工作由安装公司做，以及每一天的工作进度，全在日程安排表中标示得清清楚楚。就这一点可见李嘉诚的冒险是建立在周密计划上的冒险，并非草率行事。

考察的那天终于到了。当北美贸易公司的负责人到来时，全部的准备工作也正好结束。李嘉诚把安排全员上岗生产的事情交付给副手去负责，自己亲自驾汽车去启德机场迎接远道而来的客人。

港岛与九龙，隔着一道维多利亚海峡。那时还没有海底隧道，港岛九龙的汽车一般不流通。李嘉诚为了表示诚意，几经周转来到启德机场接机。

在这位大客商到来之前，李嘉诚早已为他在港岛希尔顿酒店里预定了房间。等到客人上了车，李嘉诚就问他："先生，您是先住下休息一下，还是先去工厂里参观呢？"那位外商不假思索地说道："当然是先去工厂里看一下了。"

李嘉诚不得不立即调转车头，朝北角来时的路驶去。说实在的，这时他的心里也忐忑不安，他在担心：新的员工上岗生产，会不会出什么问题呢？当汽车驶进工业大厦后，李嘉诚停了车并亲自为美商打开车门，听到了那再熟悉不过而又觉得异常亲切的机器声响，同时也闻到了塑胶的气味。到这时，他的一颗悬挂的心才放了下来。

外商在李嘉诚的带领下，在参观了产品的全部生产过程和样品陈列室后，发出由衷称赞道：

"李先生，我在动身前认真看了你的宣传画册，知道你一定有不小的厂房和较先进的设备，但没想到规模这么大，这么现代化，生产管理是这么井井有条。我不是恭维你，你的厂，完全可以与欧美的同类厂媲美！"

李嘉诚欣慰地说道："感谢您对本工厂的赞誉。我可以向您保证我们的产品质量和交货期限。您已经看过我们的报价单，如购货批量大，价格还可以商量。总之，信誉问题，请你们绝对放心。"

"好，我们现在就可以签合同。"外商爽快地说。

外商办完了自己应办的事情之后要回去了，李嘉诚又亲自驾车送他去希尔顿酒店。当李嘉诚要告辞离开时，又诚恳地对美商说："明天我再来接您，带您去参观一下别的塑胶公司，你说怎么样？"

外商笑着说："不必去了，我倒想请你做我的向导，去参观中国寺庙。我知道你的内心，其实并不希望我参观其他厂，这样你好做我们的独家供应商。"

"不，不。"李嘉诚连忙说道："我有这个自信。"

这家北美公司从那天起就成了长江工业公司的大客户，每年与香港长江工业公司的成交额都以百万美元来计算。更值得一提的是，通过这家大公司，李嘉诚获得了加拿大帝国商业银行的信任，并且发展成为合作好伙伴的关系，进而为李嘉诚进军海外架起了一道桥梁，为李嘉诚成立跨国公司打下了基础。

由于李嘉诚对市场趋势了如指掌，塑料花的销售行情愈来愈好。他建立了香港乃至世界上最大的塑料花工厂。到1958年，他的资产已经突破了港币100万元，开始进入“百万富翁”的行列。

有胆有识，敢于拼搏是成功的法宝。一个人若想要成功，就必须敢字当头，以积极的心态去面对一切，迎难而上，勇往直前。就算你在人生路上身处逆境，遭遇挫折，只要你有卧薪尝胆、破釜沉舟的拼搏精神，就一定能够把握时机，扭转乾坤。

艰苦进行创业

李嘉诚语录：*长江浩荡万里，具有宽阔的胸怀，一个有志于实业的人，理当扬帆万里，破浪前进，去创建宏图伟业。*

人们经常持有一个最大的谬见，就是以为自己永远会从别人不断的帮助中获益。力量是每一个志存高远者追求的目标，而依靠他人只会导致懦弱。坐在健身房里让别人替我们练习，我们是无法增强自己肌肉的力量的。没有什么比依赖他人更能破坏独立自主的能力的了。如果你依靠他人，你将永远坚强不起来，也不会有独创力。所以说，要想成就大事，就应首先抛开身边的“拐杖”独立自主。如果做不到这一点，那就最好埋葬你的雄心壮志，一辈子老老实实做个普通人。

在当今这个商业社会里，有谁不想建立自己的商业帝国，成为一个叱咤风云的富豪?

可是常听到人们这样感叹：如今只有有钱人才能赚钱，没钱的人就像没有士卒的将军，只有徒唤奈何。言外之意是：白手起家成大事，天底下可没有那么简单的事!

这是人们普遍存在的一种心理，对那些属于工薪阶层、已经下岗或面临下岗的人来说，这种心理尤其根深蒂固。

那么这种心理对不对呢？当然有其道理。在现实生活中，因为没有资金而眼看着大好投资时机擦肩而过的例子实在太多了。我们无意否认用做投资的“第一桶金”的重要性，问题仅仅在于，如果上天没有给我们准备好“第一桶金”，那么我们怎样才能得到这“第一桶金”？

从一个打工仔到独立创业，是李嘉诚人生中的一次重大转折，他从此迈上了充满艰辛与希望的创业之路。

当初李嘉诚选择塑胶业作为发展方向，主要是基于两种考虑。首先，他在塑胶公司已积累了充足的全盘经营塑胶厂的经验，这完全可以作为他创业的最大本钱。

李嘉诚后来在回忆供职塑胶公司的经历时，感慨地说：“这段生活，是我人生的最好锻炼，尤其是做推销员，使我学会了不少东西；明白了不少事理。所有这些，是今天用10亿也买不到的。”

其次，塑胶业在当时尚属新兴产业，发展前景非常广阔。塑胶制品加工容易，投资少、见效快，非常适宜小业主经营。塑胶原料从欧美日等国进口，产品既可在本地市场消化，又可扩展到海外销售，销售渠道比较广。这确实是一项很有潜力的行业。

李嘉诚为什么能做出如此明智的选择呢？因为他在工作之余，时刻不忘关注时局的变化，对各种行业前景在新形势下面临的机会和挑战，都有一定了解，并形成了一套自己的看法，能在关键时刻做出正确的判断。

创业之初，他首先面临的就是资金问题。

当时李嘉诚打工的时间没有几年，而且薪水也不是很高。他每每赚一笔钱后，除了日常开销外，全部交给母亲，以维持全家人的生活，因此并没有太多的积蓄。

他好不容易才凑足了5万港元创业资金，其中较大的一笔来自于他几年来推销产品的提成，另外还有一部分是向亲友借来的。李嘉诚在工作中以及在日常交往中，都给别人留下了良好的形象，大家都感觉到他诚实稳重，将来定会大有前途，所以都乐意资助他进行创业。因此，李嘉诚没费多大劲就借到了钱。

当时的李嘉诚雄心勃勃，对自己的未来抱有极大希望，于是很想给自己的塑胶厂起一个响亮的名字。他先后取了几十个厂名，都觉得不满意，有一天他突然想到了中华民族的骄傲——长江。于是，他就把厂名定为“长江”。

由此，我们不难看出李嘉诚的开阔胸襟和远大抱负。

当然，李嘉诚是个实干家，他要以行动来实现他的宏愿大志，而不愿意挂在嘴上。很长一段时间后，别人问他“长江”的厂名之意，他只是淡淡地说：“长江的厂名响亮，我便借了过来。”

李嘉诚后来的辉煌成就，可以说是以高远的理想为基础。当然，在创业之初，他也经历了不少艰辛。

命运对谁都是公平的

李嘉诚语录：*深信事在人为，人生之路在于不断探索，而不是乞灵于迷信。*

人情是一种复杂的关系，人的心理很难用法则来规范，但是人心总是有着某些共通的，因此追求成功也有大致的法则可以遵循，能够体会出这些法则的人，便是能洞悉人情世故的奥妙的人。

人的眼睛的作用在于发现、洞察世事人性，从中找到可以为己所用的知识、机会，以便让自己在更高的起点上、宝贵的经验上起步。古人说，“世事洞明皆学问，人情练达即文章”。一个人要做好任何事情，都离不开“世事洞明”和“人情练达”这八个字，对于有志于经商的人来说尤其是这样。

早年的李嘉诚由于家庭生活所迫，不仅走向社会很早，而且十分早熟，在还只有14岁时，他就已经开始有意识地体察世事人情了。这可以说是他远远聪明于一般后生之处，也是他一生能有大作为的重要准备。

香港的茶楼是个浓缩了的小社会，里边什么人都有。李嘉诚对于茶楼里的人和事，有一股特别的新鲜感和亲切感。

才开始，李嘉诚喜欢听茶客谈古论今，以及他们散布的小道消息。他从这里了解了社会上的方方面面。这些事情大部分都是以前在家中、课堂上闻所未闻的；许多说法，都与先父和老师灌输的那一套大相径庭。世界在李嘉诚面前展现出了错综复杂、异彩纷呈的一面。

慢慢地，他发现到茶楼来的客人各具特色且各有喜好。有此人看起来儒雅风流，有些人显得粗俗不堪，有些人则默默无语。

于是，在干好自己工作的同时，李嘉诚暗暗观察起每个客人来。

首先，他根据各位茶客的特征来揣测他们的籍贯、年龄、职业、财富、性格等等，然后找机会进行验证。接着，他又揣摩顾客的消费心理，看他们喜欢喝什么茶，喜欢什么茶点，以及他们什么时候需要等。

才开始时，他一点也猜不透茶客的情况。但他没有气馁，而是继续观察，不断总结规律。慢慢地他发现自己能猜个八九不离十了。他意识到，观察人是一个很有意思并且很富有挑战性的事情。

后来，李嘉诚对一些常来的客人的消费需要和消费习惯了如指掌。如谁爱吃虾饺、谁爱吃干蒸烧卖、谁爱吃肠粉加辣椒、谁爱喝红茶、谁爱喝绿茶、什么时候上什么茶点，李嘉诚心中都有一本账很清楚。甚至一个陌生人第一次来到店里，李嘉诚也能把他的身份、地位、喜好和性情猜出来。

李嘉诚懂得顾客的心理，又能真诚待人，顾客感到特别受尊重，高兴之余，也就乐得掏腰包。

能赢得大量顾客并能让顾客乖乖多掏钱，自然也能获得老板的赏识。于是，李嘉诚更加自觉地训练起了察言观色、见机行事的本领，他因此很快成了一个十分出色的堂倌，并迅速了解了各种人情世故。

茶楼也是一个传播生意信息的场所，李嘉诚从茶客的谈话中还学到了许多做生意的诀窍。

就当时而言，李嘉诚训练察言观色、见机行事的本领，主要是为了干好这份得来不易的工作，但后来，他这种本领却派上了大用场，成为了他了解客户的真实需要，驾驭客户心理的绝招。可以毫不夸张地说，若无这项绝活，他就绝不可能有后来的辉煌。

大道为公。命运对谁都是公平的，关键是你如何在平时培养自己的核心竞争力，在机会来临之时抓住机遇，成就自己的事业。因此，不管我们平时身处什么样的环境，我们都不要放弃，而要努力学习和实践，时刻为自己的美好未来而拼搏奋斗。

第五章

李嘉诚的合作互惠之慧

合作双赢为永恒之道。利益对人的行为有着最为持续和强烈的激励作用，要想使合作行为持久地维持下去，就必须兼顾好各方的利益，让大家都有利可图。李嘉诚是一位使用合作互惠策略的高手，他始终讲究一个“和”字，处处从他人的利益出发，坚持“利益共沾”的原则，主张让利于人和不占他人便宜，这使得他与别人能够长久地合作下去，在别人得利的同时自己也得到了应有的利益，实现了自身事业的长足发展。

始终讲究一个“和”字

李嘉诚语录：我一直奉行互惠精神。当然，大家在一方天空下发展，竞争兼并，不可避免。即使这样，也不能抛掉以和为贵的态度。

李嘉诚从商多年，他在生意场上始终讲求一个“和”字，遵循“以和为贵”的原则。李嘉诚是开明之人，处处以和为贵，寻找共同点，非一般人所能及。收购“和黄”大获成功之后，在一片喝彩声中，李嘉诚并未沾沾自喜，而是显得异常平静。他明白，“前车之覆，后车之鉴”，和黄前大班祈德尊的错误不能再犯。

李嘉诚初入和黄出任执行董事时，在与董事局主席韦理及众董事交谈中，分明感到他们的话中含有这层意思：“我们不行，难道你就行吗?”

李嘉诚是一个能够听反话的人，他特别关注那喝彩声中的“嘘声”，因为当时香港的英商华商中，有不少人持这种观点：“李嘉诚是靠汇丰的宠爱，才轻而易举购得和黄的，但他未必就有管理好如此庞大老牌洋行的本事。”

当时香港英文《南华早报》和《虎报》的外籍记者，曾盯住沈弼穷追不舍：“为什么要选择李嘉诚接管和黄?”

沈弼从容不迫地答道：“长江实业近年来成绩颇佳，声誉又好，而和黄的业务自摆脱1975年的困境步入正轨后，现在已有一定的成就。汇丰在此时出售和黄股份是理所当然的。”他还说：“汇丰银行出售其在和黄的股份，将非常有利于和黄股东长远的利益。我坚信长江实业会为和黄未来的发展做出极其宝贵的贡献。”

这时的李嘉诚无疑面临着极其沉重的压力。他深感肩上担子的沉重，生怕有负汇丰大班对自己的厚望。

俗话说："新官上任三把火。"但李嘉诚似乎还一把火也没烧起来。尽管被诸多不信任的眼光包围着，他却毫无表现欲，只希望用实绩来证明自己。

初入和黄的李嘉诚只是一名执行董事。按常规来说，大股东完全可以凌驾于支薪性质的董事局主席之上。但李嘉诚从未在韦理面前流露出"实质性老板"的意思。实际上李嘉诚作为控股权最大的股东，完全可以行使自己所控的股权，争取董事局主席之位。但他并没有这样做，他的谦让使众董事与管理层对他产生了敬重之情。

李嘉诚入主和黄后实绩怎样，以下数据最能说明问题。

在李嘉诚入主前的1978年财政年度，和黄集团年综合纯利为2.31亿港元；其入主后的1979年升为3.32亿港元；4年后的1983年，纯利润已达11.67亿港元，是其刚入主时的五倍多；1989年，和黄经常性盈利为30.3亿港元，非经济性盈利则达31.5亿港元，光纯利就是10年前的十多倍。盈利如此之丰厚，股东与员工自然皆大欢喜。

现在，再不会有人怀疑沈弼"走眼"，李嘉诚"无能"了。

也正因为如此，李嘉诚很快便获得了和黄众董事和管理层的好感和信任。在决策会议上，李嘉诚总是以商量建议的口气发言，实际上，他的建议就是决策——众人都会自然而然地信服他、倾向他。因此，在后来的股东大会上，众股东一致推选李嘉诚为董事局主席。

按惯例，董事局应为他支付优厚的董事袍金，但李嘉诚坚辞不受。他为和黄公差考察、待客应酬，都是自掏腰包，从不在和黄财务上报账。能做到这一点的人可谓少之又少。

李嘉诚不在和黄领取董事袍金，并非一时兴起，仅为博取众人好感，而是一贯如此。但是付出就有回报。李嘉诚每年放弃数千万袍金，却赢得了公司众股东的一致好感。爱屋及乌，他们自然也会信任"长实"系股票，成为李嘉诚作出经营决策时的支持者。作为大股东和大户，股票升值，得大利的当然是李嘉诚。有公众股东的帮衬，"长实"系股票自然会被抬高，"长实"系市值必然大增，股民得到好处，李嘉诚欲办大事，就很容易得到股东大会的通过，这种做法使双向均受益。

在香港这个拜金盛行、物欲横流的商业社会里，李嘉诚不为眼前的利益所动，处处照顾股东和公司的利益，实在是难能可贵，值得从商者借鉴。

生意场上以和为贵，互惠互利，是一件双赢的好事。大家合力就能办更大的事，能为彼此带来更大的利益。许多人为争一时之气与人失和乃至势不两立，处处与之为难，这样做从长远考虑来说是得不偿失的。因为你在不给对方机会的同时也断送了自己的机会。以和求发展，双方均受益才是最高的境界。

坚持“利益共沾”的法则

李嘉诚语录：利人才能利己，使双方均能受益。

在李嘉诚的一生中，他始终坚持“利益共沾”原则，这使得他做事总能赢得众人的支持，给自己事业的发展增添源源不断的动力。

从1984年起，李嘉诚先后进行过三次私有化。具体说来就是改变原有上市公司的公众性质，使之成为私有公司。

1985年10月，李嘉诚宣布将国际城市有限公司私有化，出价较市价高出一成，小股东大喜过望，纷纷接受收购。

李嘉诚放弃了在股市熊市时的低价收购，以求对小股东公平。对此，李嘉诚解释说：“我们不是没想过，但趁淡市以太低的价钱收购，对小股东来说‘抵数’。”

李嘉诚在股市中的形象一向极佳，原因是他时刻不忘照顾小股东的利益。由于得到股东拥戴，李嘉诚在股市中时常可以要风得风，要雨得雨，纵横股海，如鱼得水。

李嘉诚第二次私有化，是收购青洲水泥。同收购国际城市一样，这次的收购也非常顺利。

1988年10月，长江实业宣布将青洲水泥私有化。长江控有它的

44.6%股权，以20港元一股的价格进行全面收购，收购价比市价高出13%，涉及金额11.23亿港元。到当年12月30日收购截止期，长实已购得九成股权，可以完成强行收购，完全私有化。全资控股后的青洲水泥成为该系全资附属上市公司，申请摘牌后就变成了长实旗下的私有公司。

李嘉诚对长实旗下公司进行私有化后，避免了业务重叠，使机构更为精简。私有化之后，李嘉诚不必再使长实系所有公司的经营和实绩都暴露在公众面前。这样就可以使他在许多商业活动中，拥有更多的主动权。

而李嘉诚的第三次私有化，却不如前两次那么顺利。

嘉宏是长实系四大上市公司之一，于1987年将港灯集团非电力业务分拆另组嘉宏国际集团有限公司而上市。上市时，嘉宏综合资产净值为44.57亿港元。和黄控有嘉宏53.8%的股权，嘉宏则控有港灯23%的股权。到1992年6月底全面完成收购时，市值达到155.09亿港元。

1991年2月，控股母公司和黄宣布私有化嘉宏的建议，以每股4.1港元价格将嘉宏收归私有，涉及资金118亿港元，被称为香港有史以来最大的一次私有化计划。收购价比市价溢价7.2%，和黄当时拥有嘉宏65.28%的股权，实际只需动用资金41亿港元便可完成收购。

李嘉诚解释，这次收购主要原因是嘉宏盈利能力有限及业务与长实、和黄重叠。并声称不会提高收购价格，如有人每股肯出5港元的价格收购，他会考虑出售。

嘉宏资产估值在每股5至6港元的水平，但和黄开价4.1港元，这种做法显然是肥了大股东，而损害了小股东。

李嘉诚解释嘉宏盈利前景有限，应该是事实。但在1991年4月10日嘉宏股东会议上，股东质询李嘉诚：嘉宏1990年财政年度业绩在（1991年）3月8日公布时，盈利状况甚佳，13.16亿港元的年盈利比上一年增幅达29%。另外，嘉宏所控的港灯市值连月上升，也会造成嘉宏资产值增高，这都有益于嘉宏的发展。

小股东纷纷质疑，并表示反对，嘉宏私有化建议最终以不足1/4的支持率宣布流产。

当时证券界普遍认为，嘉宏私有化流产的原因是收购价偏低，以及收购方对嘉宏的评估与实际业绩的差异。和黄出价太低，远不及1987年上市时供股价4.3元的水平。李嘉诚素来关注小股东的利益，而和黄的收购建议对小股东照顾不够，有失长实系的一贯作风，从而失去了小股东的支持，导致功亏一篑。

另外，小股东反对私有化，除认为和黄条件“苛刻”外，看好嘉宏的前景，舍不得“忍痛割爱”，则是嘉宏私有化失败的另一大原因。

按规定，私有化失败，一年之内不得再提（私有化）建议，于是经历了一次失败的嘉宏未来的走向吸引了世人的眼球。

1992年5月27日，和黄重提嘉宏私有化。收购价每股5.5港元，较停牌前收盘价高出32%，涉及金额58.38亿元。

李嘉诚表示，私有化的目的在于简化机构。对和黄是否供股集资来筹措资金，李嘉诚不做表态。

在当年7月10日的嘉宏股东大会上，私有化建议以96.7%的赞成票权通过。

这次的收购价，比上一次的出价4.1港元提高了36.62%。但比资产净值每股6.4~6.5港元的水平仍有折让。

这次收购能够成功的原因就在于，大股东在保全自身利益的同时又顾及了小股东的利益，在利己的同时兼顾利人，利益均沾，大家受益。

社会学中有一条“互利法则”，即你给人一份利，别人就会给你一份利。“利益共沾”，是聪明商人遵循的法则。李嘉诚深谙“利益共沾”的道理，他始终坚持：不独利己，更要利人，不能总把自己的利益摆在别人的之上，而是要学会利人法则。生活中也是如此。顾及对方的利益非常重要。一个人不能把目光仅仅局限于自己的利上。自己舍得让利，让对方得利，最终还是会给自己带来较大的利益。

通过优势互补来谋取双赢局面

李嘉诚语录：*抓住机遇，强强联合，优势互补，就能带来双赢的良好局面。*

1998年，在成功抵御亚洲金融风暴的冲击之后，香港特区政府宣布将重点推动高科技和高增值产业的发展，以带领香港走出经济困局。而把香港打造成为“国际中医药中心”（“中药港”）就是其中的一个重要目标。为此香港特区政府制订出了一项庞大的10年发展计划。

1999年7月，香港立法会通过《中医药条例》。该法规定，香港所有中医师必须注册，而批发及零售中药材也需要领有牌照。随后，香港特区政府根据《中医药条例》成立了中医药管理委员会，并制定附属条例，使中医注册工作可以顺利展开。

2001年5月，在香港政府的推动下，香港中药研究院正式成立。研究院计划分阶段支持中药的标准化和认证、产品研发、安全评估和药品成效临床科学研究，确保产品的品质和成效，提高中药在国际上的认可性。

李嘉诚看好这个机会。他雄心勃勃，决定与香港新世界发展有限公司主席郑裕彤联手投资50亿美元打造香港“中药港”。

2003年11月25日，中国大陆同仁堂集团旗下子公司“同仁堂国际”及其合资公司北京同仁堂泉昌有限公司正式在香港成立。当天，同仁堂集团副总经理丁永玲明确表示：“同仁堂将继续积极寻求实力雄厚的战略伙伴，采取更灵活的合资方式和经营模式，实施多元化的经营战略，使同仁堂的业务更加国际化。”丁永玲这番话并非空穴来风，时隔不久，业内就传出了“百年老店同仁堂将与香港首富李嘉诚旗下的和记黄埔成立合资公司”的消息。

2003年12月13日，和记黄埔旗下全资子公司和记中药投资有限公司与同仁堂正式签约，双方合资成立“北京同仁堂和记医药投资有限公司”。该合资公司总投资额约为2.39亿美元，同仁堂与和记各占49%股权，另由同仁堂选定的小企业出资占有余下2%的股权。在此项合作中，和记黄埔投入了10亿元人民币。

其实，李嘉诚与同仁堂的合作并不是刚刚开始。早在2000年，同仁堂科技在香港上市时，李嘉诚就以战略投资者的身份成为其第二大股东。同仁堂良好的销售业绩促进了李嘉诚之后与同仁堂集团的再次合作。

签约的成功，意味着李嘉诚为自己打造“中药港”建立了储备丰富的“原料仓库”。

与内地和台湾相比，香港在中医药方面的基础较为薄弱，起步也比较晚。而且，李嘉诚打造“中药港”，在制造业方面香港并无现有资源可以利用，急需在内地寻找可以合作的中药企业，使之与香港作为国际大都市和国际金融中心，以及丰富的国际市场销售经验的优势相结合。

签约的成功，意味着同仁堂正式迈出了海外投资发展战略的步伐。内地的中医药发展虽然十分成熟，却主要局限于国内市场。而香港背靠内地，可以借助内地丰富的人才、科研、经验、原材料、产品等资源，成为引领内地中医药走向世界舞台的跳板。

有着300年历史的同仁堂集团，拥有总资产几十亿元，每年生产中成药1万多吨。到2003年为止，同仁堂已取得生产批准文号的中成药品种近千个，常年生产的品种四百多个，并能生产24种剂型产品。同时经营各种中药材、中药饮片三千余种，还拥有药用动物养殖场，每年向生产企业提供纯种乌鸡和优质鹿茸。在同仁堂的产品中，安宫牛黄丸、牛黄清心丸、乌鸡白凤丸、大活络丹、国公酒等产品占据着同类市场的大半江山，每年在国内市场的销售额高达上亿元。

当时，同仁堂已经在马来西亚、印尼、澳大利亚、英国、泰国、澳门、加拿大、美国等地开办了合资公司和连锁药店。在“走出去”的过程中，同仁堂利用“金字招牌”的优势，以品牌作为无形资产入股。在同仁堂与英国和香港的合作中，同仁堂仅以品牌参股，就占了25%的股份。而在国内国际开办的这些药店挂在集团名下。

不过，虽然定位于国际市场，同仁堂的产品主要还是销往内地，外销能力差强人意。2003 年前三个季度，同仁堂科技的药品在中国销售了6.76亿港元，在海外则仅仅销售了2900万港元。

这样一来，李嘉诚与同仁堂进行合作，双方就能够达到优势互补，取得双赢。

同仁堂背靠李嘉诚这棵有着丰富的国际市场销售经验及雄厚实力的大树，加快向海外扩张的步伐，以香港为跳板，引领中国的中医药走向国际舞台。而李嘉诚则可获得同仁堂的产品，技术及人才等优势，为自己顺利进入中医药产业这块大市场而奠定基础，以便尽快实现打造香港“中药港”这一战略规划。

任何人都有其优势和擅长的一面，同时也不可避免地存在着不足的一面。当别人的长处恰好能弥补你的不足，而你的长处又恰恰是对方所不具备或不擅长的时候，你们就有了形成优势互补合作的机会。可以想见，当双方将自己的优点尽量发挥出来的时候，将会给合作带来怎样积极有利的影响。这样有效的合作无疑能够使双方共谋发展，形成双赢。

舍小利方可取大利

李嘉诚语录：经商应该讲利，但要对利有一个正确的估算，绝不能把天下所有利全盘皆收，而是要‘舍小利取大利’让大家都有蛋糕可吃。

商人对“利”字的感觉是异常敏锐的，并时常把自己的一言一行都与“利”字相连。本来，这是无可厚非的，但有些商人往往因此而钻到钱眼里，贪婪之心越来越膨胀。李嘉诚则主张“经商应该讲利，但要对利有一个正确的估算，绝不能把天下所有利全盘皆收，而是要‘舍小利取大利’的让利与得利的哲学。

李嘉诚拥有香港最大的综合性财团，多年荣膺香港首富乃至世界华人首富。他同时又是个道德至上者。他的一言一行总是力图符合道德规范，他既是这般说的，亦是这般去追求的，谨慎小心，唯恐有什么闪失。

在讲究“金钱至上”的香港，李嘉诚能够将致富与遵守道德较好地结合起来实为难得。对这样的一个“完人”，谁不愿意与他做生意呢？由此可见，既守道德，又生财有术者，实在是商家之上乘者。相应的，企业富有凝聚力，员工精诚团结，为老板出力，这个企业必定大有前途。

李嘉诚在董事袍金上的做法，就是他这一人生哲学的最好体现。李嘉诚出任10余家公司的董事长或董事，但他把所有的袍金都归入长实公司账上，自己全年只拿象征性的5000港元。

这一习惯李嘉诚20多年维持不变，年年只拿5000港元。按现在的水平，李嘉诚连万分之一都没拿到。但李嘉诚的经商天才在这里表露无遗。

李嘉诚其实是小利不取，大利不放。甚至可以说是以小利为饵，钓大利之大鱼。

对李嘉诚这样的超级富豪来说，袍金算不得大数，大数是他所持股份所得的股息及价值。他虽然每年放弃数千万的袍金，但却获得公司股东的好感。爱屋及乌，他们自然也就信任长实系的股票。甚至当李嘉诚购入其他公司股票的，他们也会跟随购入。李嘉诚是大股东和大户，股价上涨，得大利的自然是李嘉诚。

俗话说，舍不得孩子套不了狼。一些人的目光只停留在眼前利益，做生意不舍一分一厘，只求自己独吞利益，恰好是一时赚得小利，而失去了长远之大利，可谓是捡了芝麻丢了西瓜。

李嘉诚正相反，他舍弃了小利，而赢得了大利。小利不舍，大利不来，这是定则。

李嘉诚曾对他的儿子说过：“如果一单生意只有自己赚，而对方一点不赚，这样的生意绝对不能干。”

李嘉诚的意思是，生意人应该利益均沾，只有这样才能保持久远的合作关系。相反，光顾一己之利益，而无视对方的权益，只能是一锤子买卖，自己将生意做断做绝。

李嘉诚对儿子的劝诫，实在是商界之道，是经商制胜的法宝。

经商求利，但不能只为逐利而采取令人厌恶的手段。小商人总会在各方面挖利润，但大商人则是舍小利、求大利。这不是简单的互换原则，而是对获利之道的聪明之举。李嘉诚认为，一个只图小利的人，终究成不了大商人。这个道理放之四海而皆准。有些人相信贪利，才能暴富，但这些人只能叫暴发户，而不叫大商人；真正的大商人都是舍小取大的财富巨子，他们敢舍敢收，心态开阔，从而打造出了自己的财富天下。

善于义利结合

李嘉诚语录：不只是商人，一个国家亦是无信不立。

成大事者总是善于做到义利结合，李嘉诚在入主和黄的过程中，就充分做到了这一点。

和记黄埔，是当时香港第二大英资洋行，资产价值60多亿港元。而当时长实只是一家资产不到7亿的中小型公司。李嘉诚不但控得和黄，还做到兵不血刃，他由此而被誉为“超人”。和黄一役，李超人究竟有何高招呢？

李嘉诚自退出九龙仓角逐后，将目标瞄准了另一家英资洋行——和记黄埔。

和黄集团由两大部分组成，一是和记洋行，二是黄埔船坞。和黄是当时香港第二大洋行，也是香港十大财阀所控制的最大上市公司。

和记洋行成立于1860年，主要从事印度棉花、英产棉毛织品、中国茶叶等进出口贸易和香港零售业。初时规模名气不大，远不可与怡和、置地、邓普、太古等洋行相比。到二战前，和记有下属公司20家，初具规模。

黄埔船坞有限公司的历史，则可追溯到1843年，林蒙船长在铜锣湾怡和码头造木船；船坞几经迁址，不断充资合并易手，成为一家公众公司。到20世纪初，黄埔船坞与大古船坞、海军船坞并称为香港三大船坞。

第二次世界大战之后，几经改组的和记洋行落入祈德尊家族之手。该家族与怡和凯瑟克家族、太古施怀雅家族、会德丰马登家族，并列为香港英资四大家族。20世纪60年代后期，祈德尊雄心勃发，一心想成为怡和第二，他趁1969年至1973年股市牛气冲天之际，展开了一连串令人眼花缭乱的收购，把黄埔船坞、均益仓、屈臣氏大公司和许多未上市小公司收归旗下，风头之劲，一时无二。

祈德尊掐准了香港人多地少、地产必旺的产业大趋势，关闭九龙半岛东侧的码头船坞，将修船业务与太古船坞合并，迁往青衣岛，并将其他仓场码头，统统转移到葵涌去发展，腾出的地皮，用来发展黄埔新村、大同新村、均益大厦等。祈德尊满地开花大兴土木获利颇丰，因此地产成为和记集团的支柱产业。

祈德尊一味地吞并企业，鼎盛期所控公司高达360家，其中有84家在海外。祈德尊虽长有“钢牙锐齿”，怎奈“肠胃功能”却太差，“腹泻不止”——不少公司状况不良，效益负增长，使他背上了沉重的债务负担，幸得股市大旺，祈德尊大量从事股票投机生意，以获取利益回来弥补财政黑洞。

1973年香港股市大灾，接着是世界性石油危机，接着又是香港地产大滑坡。投资过速、战线过长、包袱过沉的和记集团掉入了财政泥潭，接连两个财政年度亏损近2亿港元。

1975年8月，汇丰银行注资1.5亿港元解救和记集团，条件是和记出让33.65%的股权。汇丰成为和记集团的最大股东，黄埔公司也由此而脱离和记集团。

汇丰控得和记洋行，标志着祈德尊时代的结束，和记成了一家非家族性集团公司，由韦理主政。后来，和记再次与黄埔合并，改组为“和记黄埔（集团）有限公司”。韦理有“公司医生”之称，但他一贯是做智囊高参辅政，而从未在一家巨型企业主政。又因为祈德尊主政时，集团亏空太大，即使“公司医生”韦理上任，也未能妙手回春——和黄的起色不如人们预想的好。

乘虚而入，是战场上常见并且有效的战术。李嘉诚在觊觎九龙仓的同时，也垂青和记黄埔。他既已放弃九龙仓，必然要把矛头对准和黄。

收购沦为公众公司的和记黄埔，至少不会像收购九龙仓那样出现来自家族势力的顽抗反击。身为香港第二大洋行的和黄集团，各公司归顺的历史不长，控股结构也一时还未理顺，各股东间利益意见不合，他们正企盼着出现“明主”，力挽颓势，使和黄彻底摆脱危机。只要能照顾并为股东带来利益，股东就不会反感华人大班入主和黄洋行。避实击虚，去瘦留肥，这便是李嘉诚舍弃九龙仓而收购和黄的出发点。

和黄拥有大批地皮物业，还有收益稳定的连销零售业，是一家极有潜质的集团公司。香港的华商洋商垂涎这块大肥肉者大有人在，只因为和黄在香港首席财主汇丰的控制下，均暂且按兵不动。

李嘉诚很清楚，汇丰控制和黄不会太久。根据公司法和银行法，银行不能从事非金融性业务。债权银行可接管丧失偿债能力的工商企业，但一旦该企业经营走上正常，银行就得将其出售给原产权所有人或其他企业，而不是长期控有该企业。

在李嘉诚吸纳九龙仓股之时，他就获悉汇丰大班沈弼暗放风声：待和记黄埔财政好转之后，汇丰银行会选择适当的时机、适当的对象，将所控的和黄股份的大部分转让出去。这对李嘉诚来说，无疑是个福音。

李嘉诚权衡实力，长江实业的资产才6.93亿港元，而和黄集团市值高达62亿港元。长实财力不足，蛇吞大象，难以下咽。若借助汇丰之力，收购就算成功了一半。

李嘉诚梦寐以求成为汇丰转让和黄股份的合适人选，他停止收购九龙仓股的行动，获取汇丰的好感就是为了得到汇丰回报。但这份回报是不是和黄股票，李嘉诚尚无把握。

为了使成功的希望更大，李嘉诚拉上包玉刚，以出让1000多万的九龙仓股为条件，换取包氏促成汇丰转让9000万和黄股的回报。李嘉诚一石三鸟，既获利5900万港元，又把自己不便收购的九龙仓让给包氏去收购，还获得了包氏的感恩相报。

在与汇丰的关系上，李嘉诚深知不如包玉刚深厚。包氏的船王称号，一半靠自己努力，一半靠汇丰的支持。包氏与汇丰的交往史长达20余年，且身任汇丰银行董事（1980年还任汇丰银行副主席），与汇丰的两任大班桑达士、沈弼私交甚密。

李嘉诚频频与沈弼接触，他吃准了汇丰的意图：不是售股套利，而是指望放手后的和黄经营良好。另一方面，包氏出马敲边鼓，自然马到成功。

于是，1979年9月25日夜，在华人行21楼长江总部会议室，长江实业（集团）有限公司董事局主席李嘉诚举行了长实上市以来最振奋人心的记者招待会，一贯沉稳的李嘉诚以激动的语气宣布：

“在不影响长江实业原有业务基础上，本公司已经有了更大的突破——长江实业以每股7.1元的价格，购买汇丰银行手中持占22.4%的9000万普通股的老牌英资财团和记黄埔有限公司股权。”

在场的大部分记者禁不住鼓起掌来。有记者发问：“为什么长江实业只购入汇丰银行所持有的普通股，而不再购入其优先股?”

李嘉诚答道：“以资产的角度看，和黄的确是一家极具发展潜力的公司，其地产部分和本公司的业务完全一致。我们认为和黄的远景非常好，由于优先股只享有利息，而公司盈亏与其无关，又没有投票权，因此我们没有考虑。”

李嘉诚被和记黄埔董事局吸收为执行董事，主席兼总经理仍是享有“公司医生”之称的韦理。

记者招待会后的一天，和黄股票一时成为大热门。小市带动大市，当日恒指急升25.69点，成交额4亿多港元，由此可见股民对李嘉诚的信任。李嘉诚继续在市场吸纳，到1980年11月，长江实业及李嘉诚个人共拥的和黄股权增加到39.6%，控股权已十分牢固。其间，未遇到和黄大班韦理组织的反收购。

1981年1月1日，李嘉诚被选为和记黄埔有限公司董事局主席，成为香港第一位入主英资洋行的华人大班，和黄集团也正式成为长实集团旗下的子公司。

李嘉诚以小搏大，以弱制强。长江实业实际资产仅6.93亿港元，却成功地控制了市价62亿港元的巨型集团和记黄埔。按照常理，既不可能，更难以令人相信，难怪和黄前大班韦理会以一种无可奈何，又颇不服气的语气对记者说："李嘉诚此举等于用2400万美金做订金，购得价值10多亿美元的资产。"

和黄一役，与九龙仓一役有很大不同，李嘉诚靠"以和为贵"、"以退为进"、"以让为盈"的策略，赢得了这场香港开埠以来特大战役的胜利。

此役使李嘉诚博得了"超人"雅号，但他并不以为他有什么超人的智慧。他避而不谈他的谋略，而对汇丰的厚情念念不忘："没有汇丰银行的支持，不可能成功收购和记黄埔。"

事实确如李嘉诚所说的那样，但也可以看出他为人的厚道。

沈弼是汇丰发展史上最杰出的大班，他的杰出之处，就是以银行的切身利益为重，而不在乎对方是英人还是华人。道理如沈弼自己所说："银行不是慈善团体，不是政治机构，也不是英人俱乐部，银行就是银行，银行的宗旨就是盈利。"

沈弼在决定此事时，完全没有给其他人以角逐的机会而是一锤定音。

消息传出，香港传媒大为轰动，争相报道这一香港商界的大事。

1979年9月26日，《工商晚报》称长江实业收购和记黄埔，"有如投下炸弹"，"股市今晨狂升"。

《信报》在评论中指出："长江实业以如此低价（暂时只付20%即1.28亿港元）便可控制如此庞大的公司，拥有如此庞大的资产，这次交易可算是李嘉诚先生的一次重大胜利……"

"购得这9000万股和记黄埔股票是长江实业上市后最成功的一次收购，较当年收购九龙仓计划更出色（动用较少的金钱，控制更多的资产）。李嘉诚先生不但是地产界强人，亦为股市炙手可热的人物。"

李嘉诚、包玉刚双双入主英资大企业，还引起了国际传媒界的关注。

美国《新闻周刊》在一篇新闻述评中说："上星期，亿万身家的地产发展商李嘉诚成为和记黄埔主席，这是华人出任香港一家大贸易行的第一位，正如香港的投资者所说，他不会是唯一的一个。”

英国《泰晤士报》分析道：“近一年来，以航运业巨子包玉刚和地产巨子李嘉诚为代表的华人财团，在香港商界重大兼并改组中，连连得分，使得香港的英资公司感到紧张。”

“众所周知，香港是英国的殖民地，然而，占香港人口绝大多数的仍是华人，掌握香港政权和经济命脉的英国人却是少数民族。第二次世界大战以来，尤其是六七十年代后，华人的经济实力增长很快。”

“有强大的中国做靠山，这些华商新贵们，如虎添翼，他们才敢公然在商场与英商较量，以获取原属英商的更大的经济利益，这使得香港的英商分外不安。连世界闻名的怡和财团的大班大股东，都有一种踏进雷区的感觉。英商莫不感叹世道的变化，同时，也不能不承认包玉刚、李嘉诚等华商，能与英国商界的优秀分子相提并论。”

这篇文章，试图以时代背景来探讨华商得势的原因。文章的某些提法偏颇，并含有“大英帝国”的口气，但总的来说对李氏、包氏的评价也还算中肯。

从商战谋略方面说，李嘉诚在入主和黄的过程中引人注目的是：

第一，李嘉诚在实际收购和黄之前，早已做好了人事方面的铺垫，其收购九龙仓就是收购和黄的序曲，而收购和黄不过是在此基础上的“树上开花”而已。

第二，李嘉诚梦寐以求成为汇丰转让和黄股份的合适人选，他停止收购九龙仓股的行动，获得汇丰的好感就是为了得到汇丰在和黄一役中给予回报。

第三，由于事先做好了人事方面的铺垫，整个收购过程没有剑拔弩张，没有重锤出击，没有硝烟弥漫，而是和风细雨，兵不血刃。故有人道：“李氏收购术，堪称商战一绝。”

成大事者善于义利结合，义、利是成大事的两个支点，义支撑着做人的公平，利为做大事业提供驱动。谋利取义无论失去哪一点，都成不了大事。

处处为他人着想

李嘉诚先生语录：*对自己要节俭，不可以乱花钱，但对朋友则一定不可以吝啬，一定要多花钱于朋友身上。*

李嘉诚先生的立身处世哲学，其中一点就是为他人着想，顾及他人的利益。眼光短浅的人只会见到自己的利益而不会考虑其他人的立场；眼光远大的人才知道互惠互利是人在社会上的共存之道。不单是互惠互利，如果每一个人能够考虑其他人的利益，这个社会一定会是一个更加融和、温暖、理想的社会。

在李嘉诚先生所统领的大小企业内，员工的流失率极低，而且从来没有发生过工潮，员工们都以在李嘉诚先生属下的机构工作为荣。这是为什么呢？原因是李嘉诚先生关心他属下企业员工们的利益。他所统领的企业，员工都肯与公司共同进退，大家有一致的利益。公司好，即是员工好。员工们都了解到这一点。

李嘉诚先生认为，对自己要节俭，不可以乱花钱，但对朋友则一定不可以吝啬，一定要多花钱于朋友身上。这又是为了什么呢？在商场上应该多交朋友，所以花钱于朋友身上，建立交情是应当的。但除此之外，李嘉诚先生所谓应该花钱于朋友身上，不单为建立交情，还包括有机会就应该帮助朋友，而且不要和朋友过于计较，应当以他们的利益作为大家交往的出发点，不可以处处以自利为先。在商场里面，或是在人际交往中，我们如果能够做到处处为朋友着想，就一定会找到真正的朋友。找到真正的朋友，我们就有机会互相鼓励，互相扶持，有困难之时，也有朋友为我们分忧。遇到生意上的问题需要决策时，也可以多一个智囊。只要你肯为他人着想，其他人也是会感受到的。

李嘉诚先生热心公益事业，捐款兴建汕头大学就是一个很好的例子。李嘉诚先生所捐的款项，难以统计，因为李嘉诚先生捐款时不肯张扬。这都是因为他能够为生活较不理想或是遭逢不幸的人着想，而不计较个人的利益。

除了为股东们、为员工们、为朋友们、为公益事业外，李嘉诚先生为他人着想的人生哲学更扩展到爱国爱民族的层面上。李先生说过："我个人对生活无所求，吃住都十分简单。上天给我恩赐，我并没有多要财产的奢求。如果此生能够多做点对人类、民族、国家长治久安有利的事，我是乐此不疲的。"李嘉诚先生处处为人着想的处世哲学，到最后发展成为一种伟大的情怀，是他值得我们尊敬的地方。

李嘉诚先生处处为他人着想的人生处世哲学，能从他说过的一番话中领略得到："一生中做很多事，的确是付出金钱、时间和心血。对别人作出贡献令我引以为荣和自傲。"如果我们都可以做到这一点，社会的治安一定会更好，人与人之间的关系一定会更融洽，朋友亲人之间的感情一定会更深厚，商场上的相互信任一定会增加，遭遇不幸的人一定会得到更多的温暖，这个世界也一定会有更多的温情。

顾及他人利益是一种处世哲学，但未必人人都做得到。李嘉诚先生成功的经历让我们知道：为他人着想，我们也会因此而得益。既如此，我们为何一定要执著于自己的利益呢？推己及人，岂不是更好？

第六章

李嘉诚的长袖善舞之要

资本只有进行运作才能创造财富的神话。资本运作是一项复杂的智慧活动，不是一般意义上的加减乘除，而是需要高超的运作能力，去巧妙进行运筹，以一搏十，让自己的投资得以增值。李嘉诚对于资本运作可谓是长袖善舞，他能准确抓住市场的脉搏，巧妙进行投资以及融资，做到有利则进，无利则退，并以大手笔赢得大收益，这是他打造财富神话的不二法门。

巧妙进行上市融资

李嘉诚语录：我深刻感受到：资金，它是企业的血液，是企业生命之泉。

经商需要巧策，即需要巧妙的资本运作。说到资本运作，不能不首先谈到融资；说到资本运营能力，也不能不首先谈到融资能力。因为有了钱才谈得到投资，也才谈得到资本运作。

现代资本运营理论认为，评价一位现代企业家的能力，不仅要看他拥有多少财富，还要看他能调动多少财富作为资本。因为在资金回报率同等的情况下，一个企业家能够调动的财富越多，他所得到的资金回报也就越多。

融资问题无论对于叱咤商场的大企业家，还是对于刚刚起步的小企业主，都是非常重要的，在白手起家和扩大企业规模的过程中，这一点体现得尤其明显。李嘉诚无法忘记他在创业之初，其塑胶厂资金紧张几乎倒闭的经历；也同样无法忘记事业发达之后在融资方面帮了他大忙的银行和股民。可以说，善于筹集足够的资金，是李嘉诚作为一个超级企业家的重要秘诀。

早在为适应北美市场需要，扩大塑料花生产规模的时候，李嘉诚就为缺少必要的资金而深感苦恼。他说："我深刻感受到：资金，它是企业的血液，是企业生命之泉。"尽管李嘉诚通过到亲友中集资招股，解决了租赁厂房、添置设备的燃眉之急，但是从这时开始，他就为筹集企业发展所需资金而寻找突破口。

他赴意大利考察塑料花时，深深体会到了西方企业管理的先进经验，更对欧洲的企业组织结构和管理方式产生了浓厚的兴趣。

他觉得股份制具有很大的优越性。这种企业组织方式不仅不用承担无限责任，而且能较快地筹集到大批资本。对于想扩大规模，而又缺少资金的企业而言更为有利。

于是，李嘉诚看准蓬勃发展的地产高潮后，一方面在现有的地盘上大兴土木，楼宇未等建成就有用户上门求租，获得租金后，又继续投入兴建楼宇；另一方面根据企业的发展规模申请上市，成为公众性的股份有限公司，以期利用股市大规模筹集社会闲散资金。

李嘉诚是个对新事物抱有浓厚兴趣，渴望从事具有挑战性的事业的人。他已经树立了赶超置地的目标，将其作为竞争对手。置地是一家上市公司，长江也非得跻身股市不可。除此，长江要想拓展别无他径。

李嘉诚的决策既是公司自身发展形势所迫，又为香港股市发生的巨大变化所诱。

关于香港股市在当时的发展状况，李锴先生在其著作中曾介绍说：“香港正式的股票市场活动早在1891年就已经开始。但股票市场成为企业筹资的重要渠道，则是1969年前后的事。股票市场真正形成规模更是在70年代以后……”

香港股市，对众多欲上市融资的华资企业来说，可谓可望而不可即。香港上市条件之苛刻，使不少条件具备的华资大企业长期被拒之门外。

证券经纪是股市与股民间的桥梁。香港证券交易所（俗称香港会）只使用英语，把不谙英语的华人经纪排斥在外，这样，无形中又把占香港人口大多数的华人投资者排斥在外。投资者难入市，股市自然萧条；股市萧条，投资者越发望而却步。

好在由李福兆为首的华人财经人士组成的“远东交易所”于1969年12月17日开始营业，打破了香港证券交易所一手垄断的地位。远东交易所会放宽了公司上市条件，交易允许使用广东话，由此开辟了香港证券业的新纪元。

当时，正值香港经济经历大动荡后恢复并开始起飞，亟待筹资的企业纷纷触发上市的需求。1970年，远东会的成交额高达29亿元，占当时香港股市总成交额的49%。

不久，金银证券交易所（金银会）、九龙证券交易所（九龙会）相继成立。加上原有的香港会、远东会，形成了香港股市“四会”并存的格局。

四会并存的局面，使公司上市变得相对容易，并为上市公司集资提供了更多的场所，大大刺激了投资者对股票的兴趣。股市成交活跃，恒生指数攀升到1971年底收市的341点。致使低迷多年的香港股市大牛出世，一派兴旺。

李嘉诚正是在这种大背景下，将长江实业上市改造成为公众公司。

1972年7月，李嘉诚将长江地产改为长江实业（集团）有限公司（简称长实）。随即，委托财务顾问拟定上市申请书，准备公司章程、招股章程、公司实绩、各项账目等附件。

同年10月，长实向香港会、远东会、金银会申请股票上市。11月1日获准挂牌，法定股本为2亿港元，实收资本为8400万港元，分为4200万股，面额每股2元，溢价1元。包销商是宝源财务公司和获多利财务公司，分别在香港、远东、金银等三家交易所向公众发售。

长实骑牛上市，备受投资者青睐。上市后24小时不到，股票就升值了一倍多。由于“僧多粥少”，认购额竟超过发行额的65.4倍，包销商不得不采取抽签的办法，来决定谁是长实的（公众）股东。

长实的股票升值一倍多，意味着公司市值增幅一倍多。消息传来，长实职员惊喜若狂，买来香槟庆贺。但长实董事局主席李嘉诚却并未显出特别的欣喜。

李嘉诚认为股票升值，并不表明投资者独钟长实，而是大市的兴旺所致，其他上市股票均有升值，有的比长实股升值更惊人。要使投资者真正信任并宠爱长实股，最终得看长实的未来实绩，以及股东所得实惠。李嘉诚还意识到：股票升水如此神速，那么缩水也就会是瞬间之事。证券市场变幻急速且无常，风险会远远大于其他市场。

自从1950年创业，长实经历了独资、合股的漫长岁月，终于跻身上市公司之列，在较大程度上缓解了资金不足、筹措无门的问题。

长实在港上市的同时，李嘉诚还积极谋求海外上市。

1973年初，由新鸿基证券投资公司代表与英国股票公司牵线搭桥，达成了协议，长实股票开始在伦敦挂牌。挂牌后，买者纷至沓来，长实股票受到了英国投资者的热烈欢迎。

1974年5月，长实又与加拿大帝国商业银行合作成立了“加拿大怡东财务有限公司”，实收资本为港币5000万元，双方各付出现金资本2500万元，即各占50%的权益，积极在港拓展业务。这一联营公司的建立，对长实有着重大意义，从此它可以引来大量加拿大外资，因而实力大增。

同年6月，在加拿大帝国商业银行的力促下，加拿大政府批准长江实业在加拿大温哥华证券交易所挂牌上市。

此举开香港股票在加拿大上市的先例，标志着长实在加入国际金融市场的征途上又跨进了一大步。

长实之所以能如此顺利地与加拿大银行界建立伙伴关系，得益于当初李嘉诚从事塑料花产销时，与北美贸易公司建立起来的良好信誉。加拿大帝国银行正是这家公司的主要关系银行。

李嘉诚全方位在香港和海外股市集资，为长江的拓展提供了厚实的资金基础，为长实发展成为庞大的集团公司拓开了一条宽广之路，同时这也是他跨入超级富豪行列的关键一步。

后来，李嘉诚在股市中来回搏击，斩获甚丰，显得比他办实业更具天赋。他从此找到了发挥专长的最佳舞台。

借用别人的钱来赚钱

李嘉诚语录：借他人之力来以发力，能使自己更有力。

能用别人的钱来赚钱的商人，绝对是行家里手，因为他可以解决资金的短缺问题。如果说资金是企业的血脉，那么银行就是企业发展和经营活动的重要来源。传统的经营观念把向银行贷款视为不光彩的事，而按照现代经营理念，如果一个企业没有银行贷款，不但不能证明这个企业有活力，反而证明这个企业停滞不前。

李嘉诚是一个具有现代经营理念的人，而且雄心很大，能力很强，为了获得更多的资金，除招股集资之外，他还努力争取了银行的支持。他的格言是：尽量用别人的钱赚钱。

为了用别人的钱赚钱，李嘉诚想办法攀结汇丰银行。

香港经济界的人士常说："谁攀上了汇丰银行，谁就攀上了财神爷；谁攀上了汇丰大班，谁就攀上了汇丰银行。"

说起汇丰，港人没有谁会不知道，香港所用的港币几乎全是汇丰银行发行的。汇丰的中文全称是"香港上海汇丰银行"，创设于1864年，由英、美、德、丹麦和犹太人的洋行出资组成，次年正式开业，后因各股东意见不合，相继退出，成为一家英资银行。汇丰现为一家公众持股的在港注册的上市公司，1988年股东为19万人，约占香港人口的3%，是香港所有权最分散的上市公司。汇丰一直奉行所有权与管理权分离的原则，管理权一直操纵在英籍董事长手中。

当时汇丰集团董事局常务副主席为沈弼，李嘉诚寻求与汇丰合作发展华人行大厦，正是与沈弼接洽的，两人还由此建立了友谊。

一个多世纪来，经汇丰扶植而成殷商巨富的人不计其数。20世纪60年代起，刚入航运界不久的包玉刚，靠汇丰银行提供的无限额贷款，一跃成为著称于世的一代船王。现在，李嘉诚取得汇丰银行的信任，建立了合作关系，未来极有可能在汇丰的鼎力资助下，成为香港地王。

这样一个财神爷现在成了李嘉诚的合作伙伴。1978年，李嘉诚的事业再攀高峰，与汇丰银行联手合作，重建了位于中区黄金地段的华人行。

李嘉诚与汇丰合作发展旧华人行地盘，业界莫不惊奇李嘉诚"高超的外交手腕"。其实，熟悉李嘉诚的人都知道，言行较为拘谨的李嘉诚，绝不像一位谈锋犀利、能言善道的外交家，亦不像那种巧舌如簧、精明善变的商场老手，他更像一位从书斋里走出来的中年学者。

李嘉诚凭的是一贯奉行的诚实，以及多年建立起来的信誉，尤其是地铁车站上盖发展权一役，使他名声大振，信誉猛增。所有这些，便成为了他与汇丰合作的基础。

地铁车站上盖发展权一役，虽然没有给李嘉诚带来多少利润，但他在这场战斗中显示出来的大智大勇，以及由此带来的声名和信誉，令汇丰现任大班沈弼对这位地产“新人”格外关注，欣赏有加，并产生了合作意向。

原来，早在1974年，汇丰银行就已购得华人行产权。华人行位于高楼林立的中环银行区，原来的华人行已年久失修，显得十分破旧矮小，与该地段的摩天大楼极不相称。1976年，汇丰开始拆卸旧华人行，决定清出地基，发展新的出租物业。

由于此时正处于香港地产业的高潮时期，该物业又处于黄金地段，因此地产商们闻讯后莫不跃跃欲试，除了想在这一物业中分一杯羹，更想借此搭上与汇丰银行的关系。

在地铁上盖竞投中一举中标、声名鹊起的李嘉诚自然也是其中之一。他原以为会经过一番激烈竞争后才能取胜，没想到竟然十分顺利地如愿以偿。沈弼在接到李嘉诚的合作意向材料后，当即拍板确定长实为合作伙伴。

除了商场才干令沈弼赏识外，李嘉诚曾经卖给沈弼一个不小的面子，也是李嘉诚攀上汇丰的原因之一。

李嘉诚暗中收购九龙仓，逼得九龙仓向汇丰银行求救，于是汇丰大班沈弼亲自出马斡旋，奉劝李嘉诚放弃收购九龙仓。李嘉诚考虑到不但日后长江的发展还期望获得汇丰的支持，而且即便不从长计谋，如果驳了汇丰的面子，汇丰势必贷款支持怡和，收购九龙仓也将会是一枕黄粱，于是李嘉诚趁机卖了一个人情给汇丰银行大班，他答应沈弼，鸣金收兵，不再收购。

可见有了以上两条，才有了汇丰与李嘉诚的合作。

长实与汇丰合组华豪有限公司，以最快的速度重建华人行综合商业大厦，大厦面积24万平方英尺，楼高22层。外墙用不锈钢和随天气变换深浅颜色的玻璃构成；室内气温、湿度、灯光，以及防火设施等，全由电脑控制；内装修豪华典雅，集民族风格与现代气息于一体。整个工程耗资2.5亿港元，写字楼与商业铺位全部租了出去。

1978年4月25日，华豪公司举行隆重的华人行正式启用典礼，汇丰银行大班沈弼出席典礼，剪彩并发表讲话：

“旧华人行拆卸后仅两年多一点时间便兴建新的华人行大厦。这样的建筑速度及效率不仅在香港，在世界也堪称典范。”

"本人参与汇丰银行正好30年，深感本港居民以从事工商业而闻名于世，不管是海外公司还是本港公司，均以快捷的工作效率、诚实的商业信用而受人称赞。我可以这样说：新华人行大厦不愧为代表本港水平的出色典范。"

长实与汇丰，都是本工程的开发商，故而沈弼不便"自我吹嘘"，但他对港民和新华人行的赞誉，也就是对李嘉诚的赞誉。

先于正式启用的3月23日，长江集团总部迁入皇后大道中29号新华人行大厦。长江正式立足大银行、大公司林立的中环，地位更上一层楼。

新华人行从此被人们视为长江的招牌大厦。

李嘉诚与汇丰合作的良好开端发展为了未来的"蜜月"——汇丰力助长实收购英资洋行，并于1985年邀请李嘉诚担任汇丰的非执行董事。

应该说，李嘉诚能有后来的辉煌，汇丰银行功不可没。

从这件事上，我们可以领略到李嘉诚进行商场征战的一个要诀，那就是攀高结贵，努力借助他人特别是银行的力量来发展自己。

大手笔才能赢得大收益

李嘉诚语录：做生意必须要有大手笔、大投资，才能赢得大收益。

最成功的商人都有自己的"大手笔"，他们靠"大手笔"指点江山，把该集的资金集在手中，从而为下一个"大手笔"做好铺垫工作。李嘉诚从股市上集资的例子，最精彩的要属1987年那次"百亿大集资"。这是香港历史上规模最大的一次股市集资活动，至今仍为人们所称道。

1987年3月，香港电灯宣布该集团进行重组，一分为二，原来集团的电力业务仍归香港电灯集团持有，而其余非电力的集团业务则分拆交给一家新成立的上市公司"嘉宏国际集团有限公司"持有。嘉宏国际将于当年6月独立上市，市值达港币100亿元。消息传来，市场轰动。

根据重组协议，嘉宏未来的总发行股数约为24.61亿余股，嘉宏将以每10股港灯股份换2股嘉宏股份的方式向和黄购入其持港灯的23.5%股权。而和黄在完成这次分拆建议后共持嘉宏约13亿余股，相当于嘉宏53.8%股权。连同其以一股换一股方式获配的嘉宏股份，和黄未来将控制嘉宏股权52.9%至53.8%之间。余下嘉宏的46.2%股权则由原来港灯股东（不包括和黄在内）持有。分拆后，和黄将从原来直接控制港灯53.5%股权改变为不再直接控制港灯，而只是通过持嘉宏控制性股权持港灯同等股数。嘉宏则变为港灯集团的最大股东。

这次港灯集团趁股市大旺时机进行分拆，是一个扩展业务、增强公司新的活力的好办法。一方面给予投资者选择不同业务投资的机会，港灯股东如果不愿投资地产风险的便可出售嘉宏的股票，保留或转向港灯的投资；另一方面将业务分拆后各自进行独立经营，组织更为科学，管理更为有效，发展也更具弹性。

这样，无论是原来的港灯还是新成立的嘉宏都将给股民以新的形象，分拆出的业务更具专业性，便于集资，可获注入新资金，新活力，提高集团股票的市值，增强社会吸引力。正如该集团主席马世民在记者会上宣布该项建议时指出的：由于电力及非电力业务各自所涉风险不同，将其业务分由两家上市公司经营，将可使股东按各自需要改变对公用事业及投资业务的投资组合，而分拆后亦令股东更易评估两类业务的优点。

较早前当港灯宣布与和黄合资27亿投资加拿大赫斯基石油公司时，曾引起立法局议员许贤发在立法局公共事务小组上的质疑。许氏认为港灯不应参与海外有巨大风险的投资计划，以免因一旦投资失败而影响港灯集团的专利发电业务。李嘉诚亦强调，整个重组建议是由港灯主动提出，并于不久前通知港府并取得了支持，因此这次港灯分拆绝非受港府压力所致。他还说："分拆以后，港灯的业务盈利将受到利润管制计划所保障，而拥有非电力业务的嘉宏国际在将来之盈利潜力得以无尽发挥，可收一举两得之效。"

1987年7月，李嘉诚赴英国伦敦参加"奥斯特利中国节"纪念活动。他在回答记者关于是否和黄有意向英国斥巨资的提问时表示："除了香港之外，若我们见到别的国家有好的投资机会，只要能够赚到合理利润，对公司前景好，我们都会考虑。”

有人问他“此行来英是否就是为了寻求投资的好机会”，李嘉诚坦然地说：“是，根本就是。我们正在对一些投资项目进行接洽。但我一向认为我们的根基在香港。例如，去年我们对加拿大赫斯基石油公司的投资，到今天，几乎99%的人，都可以说该项投资是成功的，可见这是很简单的一回事。”

当年9月14日，李嘉诚在记者招待会上宣布其控制下的四家公司（长实及其名下三家公司和黄、嘉宏、港灯）集资100亿港元，其中29亿用于收购英国大东电报局4.9%股权。这是香港有史以来最庞大的集资行动，对市场影响极大，引起全港轰动。李嘉诚亲自向各记者及证券界解释这次供股计划，回答记者提出的问题，谈笑风生，妙语连珠，会场不时爆发出一阵阵笑声。

李氏起先一律以粤语作答，然后才由公关作即时翻译。当谈到“100亿”时，翻译因数目过于庞大，以为听错而犹豫了一下，李嘉诚迫不及待地用英文讲出，反映其得意的心情，对事业充满了信心。

这次庞大的集资计划，长实承担金额约为一半，余下由包销商及股东负责。其办法是按当日市价二成折让，具体分配是：长实以十供一，以每股供价10.4元的形式集资20.78亿元；和黄以八供一，以每股供价11.2元的形式集资37.53亿元；嘉宏以五供一，以每股供价4.3元的形式集资27.78亿元；以港灯以五供一，每股供价8元的形式集资24.18亿元。四家公司的集资总额达103.27亿元。这次供股计划的特点，是采用“连锁包销”形式，即大股东或控股公司除了按所持股权接纳供股外，还会再包销多一部分新股，使得他们承担了其中一半的包销责任。

至于其余一半的新股，则由万国宝通国际、获多利、新鸿基、加拿大伯东融资及百利达亚洲负责包销。如所有股东接纳供股，长实系公司在市场所吸纳的资金为65.06亿元，但当时市况逆转，长实系除需按所持股权承担本身供股责任外，再需履行其包销承诺金额，约为14亿元，其他包销商所负担的供股金额为51.06亿元。

这个数字对于香港这五家包销商来说，理应不会构成什么困难。但由于适逢全球性股市大灾难，香港股市由牛转熊，每家公司所拟定的供股价都较市价高出三成以上，出现了大幅度不足额认购，四家公司接获股东认购只占总股数0.1%～0.4%，接近五成的股份均由五大包销商承担，供股总值达50余亿元。

值此市况不景气之时，各信托基金的经营已十分艰苦，若要他们承担太多的供股额，只会迫使他们按其股份抛售套现，如此一来，对市场所构成的压力不可谓不大。因此，许多人认为长实系应该取消供股计划，以缓和甚至消除市场压力。为此，获多利曾与多家金融机构游说李嘉诚放弃集资计划，但没有成功。这是可以理解的。只要站在长实系的立场上就知道，取消供股划是不可能的事。因为无论是长实、和黄、嘉宏还是港灯，这四大公司都是香港举足轻重的财团，向来信誉卓著。一旦将集资计划取消，将会予人以话柄，认为长实系终于要受到市况逆转的冲击而低头。

再说，李嘉诚在公布供股计划前已对未来的发展大计做了部署，如果集资计划失败，数项大的发展计划就将会胎死腹中，对于一向具有进取心的长实系集团来说，这也并非是其所愿见的。

另外，几家包销商都是香港鼎鼎有名的大银行和财务公司，宁愿艰苦地挨过这次难关，也不愿意贸然开罪长期与之密切合作的老主顾——长实系集团。况且，除了公司与包销商签有协约之外，该等公司彼此之间也做了不可撤销的承诺，承购其所控公司供股权的50%。五大包销商又与一百多个分包销商签订合同，彼此都受明文规定的条款所制约，取消集资难乎其难矣。

李嘉诚的特点是说到做到，一旦承诺就要兑现。他在回答记者关于“这次股市大跌、（百亿）集资计划是否会有改变或暂时取消”的提问时指出：“这次集资，其中50%是由我认购包销的，和其余包销商的正式合同尚未签署，如果要暂时取消在法律上是可以的。但我不想给人批评为不守信用，因为股价跌落就取消包销，以避免损失，所以我个人承担的责任一定照数兑现……我希望维持长实系的合理股价，老实说，原因之一，也是在求巩固长实系各公司的信誉。”

事实上，李嘉诚本人按协议规定包销长实一半的新股，共99888920股，现金10.3851亿元。仅是包销长实新股数，李嘉诚的账面损失就达

3.5亿元。他负责包销有关股票，也无收取分文包销佣金。

在李嘉诚的努力下，长实系四家公司百亿计划终于大功告成。除长实系的大股东或控股公司承担其供股责任之一半的50亿元外，其余的由上述五家包销商及数百个分包销商承担。由于这次集资行动大大巩固了这些公司的财政基础，从而保证了李氏家族在香港十大财团中仍然处于遥遥领先的地位。

1987年度长江实业除税后的综合纯利为港币15.89亿元，较之1986年之12.829亿增加了23%。因此，李嘉诚在1988年元旦聚餐会上自豪地说："在过去两个月来，香港的经济和金融市场，经历了一次有史以来最大的波动，但我们公司和联营公司，整个集团都做得很好，以智慧和辛勤争取得来的业绩，比去年更为有利，更为稳定。1987年的纯利，有一个良好的数字，而集团的一切，前途都是非常美好的。"

分散投资可以分散风险

李嘉诚语录：*分散投资，就是分散风险。*

"不把所有的鸡蛋放在一个篮子里"，这是最成功的保险法则。经商需要冒险，但是更需要保险。李嘉诚是一个坚持"不能把所有鸡蛋放在一个篮子里"的精明人。在一般人的心目中，特别是20世纪80年代，国界是一个重要的界限，事业的发展，一般还是以本土较为稳妥，远渡重洋把资金投到国外，尤其是大规模投资，即使不是一件"期期以为不可"的事，也须"一看二慢三通过"。况且投资与开拓海外市场不同，后者只是把产品销售到国外罢了，生产乃至整个事业的根基还在国内，还牢牢地控制在手中，而前者的风险就大得多了。

但是李嘉诚不这样想。这除了他生活在香港这个全面开放的港口城市之外，还由于他充分看到了世界经济一体化的大趋势。在他看来，由于科学技术特别是信息技术的发展，地球已经越变越小，成了所谓的“地球村”，一个有志干大事业的投资家，要有包容天地，并吞八荒的气魄，而不应该为国界所限制。

于是，在收购了香港一些企业特别是英资企业之后，李嘉诚开始了大规模的跨国投资。

1987 年 5 月美国《财富》杂志这样写道：

“在太平洋上空的一班航机上，坐在阁下旁边那位风尘仆仆的华人绅士可能正赶赴纽约或伦敦收购你的公司。由香港到雅加达，这些精明的华籍企业家近年赚得盘满钵满，东南亚已再不能容纳这些并非池中之物了。在有家族联系的中国，他们已成为最大的海外投资者。时至今日，这些名列世界首富榜的亿万富豪为了分散风险而投资在西方国家。”

“58 岁的李嘉诚先生是最具野心的收购者。在 50 年代初期，他以制造塑料花开始他的事业。现今，他准备了 20 亿美元（约折港元 120 亿）收购他认为是超值的西方公司。”

李嘉诚正是在 20 世纪 80 年代中期，大举进军海外的。在大规模行动前，李嘉诚已在海外投资中小试牛刀。1977 年，他首次在加拿大温哥华购置物业；1981 年，李嘉诚在美国休斯敦，斥资 2 亿多港元收购商业大厦；同年，他再次斥资 6 亿多港元，收购加拿大多伦多希尔顿酒店。在短短数年中，李嘉诚个人或公司，在北美拥有的物业已有 28 幢之多。

不把所有的鸡蛋放在一只篮子里，的确是一条重要的投资法则，其作用主要是防止不利的情况。

世界经济史证明，一家公司发展到相当规模，就会突破原有的日益显得狭小的区域，向外界寻求发展。一个国家和地区的经济发展到相当的水平，自然会为剩余资本寻找出路。

第二次世界大战以后，最具扩张性的资本是美国本土美元，其后是欧洲共同体美元、中东石油美元、日本美元。它们各领风骚，相继在国际经济舞台上大出风头。从 20 世纪 80 年代中期起，世界华人资本崛起，日益引起世界经济的瞩目，且大有压倒日本资本的势头。据美国著名财经杂志《福布斯》1994 年报道：

“国际基金会、世界银行、《美国学人》杂志、《日本经济新闻》、

《纽约时报》等权威机构和学者评论，当前全球华人是世界经济最大活力之一。迄今，海外华人约5500万，每年总产值超过5000亿美元，拥有总资产2万亿美元，接近日本（人口1.23亿）总资产的2/3，是世界最富的群体。华人中富豪的人数，超过发达资本主义国家英国、法国和加拿大（三国总人口1.41亿）富豪的总和。”

美国著名经济学家葛得坚认为：

“华人现时是世界上最具流动性的投资集团，已取代日本成为主要投资者。”

可见，作为世界华人首富的李嘉诚，以及他所控的全球最大华资财团，走跨国化道路参与国际竞争，不可避免而且名正言顺。如果固守弹丸之地香港，不进行境外投资，反而令人奇怪。

不过，从资本运营的角度看，更能引起人们兴趣的与其说是李嘉诚跨国投资这件事本身，不如说是他向国外投资的宏大气魄，而这一点，正是“不把所有的鸡蛋放在一个篮子里”的投资法则的具体体现，是一切商家都应该着重学习的。

有利则进，无利则退

李嘉诚语录：进取中不忘稳健，稳健中不忘进取，这是我投资的宗旨。

买进卖出的关系，看起来很简单，如一手交钱一手交货，实则并非如此，它需要商家去核算一进一出的成本，然后再采取相应的投资措施。李嘉诚是怎样看待买进卖出的关系的呢？和黄集团的行政总裁马世民在会见《财富》记者时说：“李嘉诚是一位最纯粹的投资家，是一位买进东西最终是要把它卖出去的投资家。”

马世民的话，提示了投资者的本质特征：买是为了卖，不卖就不会买。是的，一个买了东西是为了自己使用的人，是不能叫做买卖人的。

马世民的话也揭示了李嘉诚在商场上的角色优势——这种优势，或许很多人都明白，但在急功近利心理的驱使下，许多人都不愿做这种角色，而宁可做投机家。

一个纯粹的投资家，很重要的一个方面是不过分地执著于某一项业务，不要被一项业务套牢，不管这个业务前景多么诱人。

李嘉诚在生意场中，有时坚持不懈，穷追不舍，甚至不惜“十年磨一剑”；有时却一见不利，就及时撤退。无论他继续进取还是退避三舍，都是从该项业务是否有前途的角度考虑的，有利则进，无利则退。

事实上，李嘉诚从不偏爱任何一项业务，他说：“不要与业务‘谈恋爱’，也就是不要沉迷于任何一项业务。”

这是一种有着丰富商业经历之后超然于商业的心灵感悟。对于一个真正的商人来说，在他的眼中，应该是只有赢利的业务，而没有永远的业务。任何一项业务，当它走过自己的成熟阶段之后，必将走向衰落，而这个时候，如果不进行自我调整，还抱着它不放，经营者必将随这项业务的衰落而走向失败。

李嘉诚一个个大进大出的手笔，都是以“腌股”为后盾的，一待良机出现，便急速抛出。

一个典型的例子是，1987 年，李嘉诚在半小时内就下定决心投资 3.72 亿美元，购买英国电报无线电公司 5% 的股份。

这是一支值得长期保留的明星股。

3 年后，英国电报无线电公司股价涨高，李嘉诚又以同样快的速度，将股票抛出套现，净赚近 1 亿美元（合近 7 亿港元），此例让我们看到：李嘉诚在股市中稳扎稳打，善抓机会，是他立于不败之地的根本原因。

李嘉诚凡事都要深思熟虑，有充分的心理准备之后才去做。

众所周知，购买债券是一种极保守的投资，持有人只能享受比定期存款较高的利息，而不能参与分享公司红利。

李嘉诚所购买的债券，大部分都是可转换债券。这种债券有 1 ~ 3 年的期限，若持有人认定该公司业务能稳定增长，可以用债券换成该公司股票，从而获取更大收益。即使不成，也可将债券保留至期满，最终收回本金及利息，所以这种债券既和普通债券一样，具有风险小的优势，又比普通债券灵活，能转换为股票。可以说是将债券和股票的优势合二为一，是一种较为稳健的投资方式。

1990 年，李嘉诚购买了约 5 亿港元的合和债券。另又购买了爱美高、熊谷组、加怡等 13 家公司的可转换债券共计 25 亿港元。

在此后的发展中，胡应湘的合和表现最为出色，先后拿下了广东虎门沙角电厂 C 厂、广深珠高速公路、广州市环城高速公路及泰国架空铁路等大型工程兴建合同，一时名声大噪，众豪争扯他的衫尾。

见此情势，李嘉诚马上把合和债券兑换成股票，这样一来，当初价值 5 亿的股票，到 3 年后升值为近 9 亿，账面溢利达 3 亿多港元。同样，李嘉诚购入的其他可转换债券，也大都有不俗的表现。

李嘉诚投资债券，既符合他一贯的“稳健中寻求发展，发展中不忘稳健”的发展方针，同时也符合分散风险的投资原理，属于两条腿走路，游刃余地更大。

不过，最能体现李嘉诚投资风格的事例，也许是与华资财团欲再次联手合作，吞并垂暮狮子置地一事。

当时，各种收购的传闻纷纷扰扰，众多财大气粗的华商大豪，均被认为可能染指置地：长江实业的李嘉诚，环球集团的包玉刚，新世界发展的郑裕彤，新鸿基地产的郭得胜，恒基兆业的李兆基，信和置业的黄廷芳，香格里拉的郭鹤年等等，皆在此列。另外，股市狙击手刘銮雄，亦可能乘虚而入，狙击置地这个庞然大物。

据说刘銮雄登门拜访置地大班西门·凯瑟克，提出要以每股 16 港元的价格，收购怡和所控 25% 的置地股权。西门·凯瑟克愤然拒绝，一来嫌刘氏太过贪心，出价如此之低；二则刘氏在股市名声欠佳，怡和不愿意把多年苦心经营的置地交付于此等人手中。

头脑甚为精明的刘氏只得告退。其后又有多位大老板纷纷前往拜访西门·凯瑟克。西门既不彻底断绝众猎手的念头，又高悬香饵，惹得众人欲罢难休，欲得不能。

据说，李嘉诚也曾拜访西门·凯瑟克，表示愿意以每股 17 港元的价格收购25%置地股权，这比置地10港元多的市价，溢价6元多。西门·凯瑟克对这个出价仍不满意，但他也未把门彻底堵死。他说："谈判的大门永远向诚心收购者敞开——关键是双方都可接受的价格。"

于是李嘉诚等人与凯瑟克继续谈判，但双方一直很难达成一致。

李嘉诚在谈判中不想表现得太积极，同收购港灯时一样，他有足够的耐心等待有利的时机。此时，香港股市一派兴旺，很快便攀上了历史最高峰，并非低价吸纳的最好时机。

然而天有不测风云，扶摇直上的香港恒指，受华尔街大股灾的影响，突然狂泻。1987年10月19日，恒指暴跌420多点，被迫停市后于26日重新开市，再泻1120多点。股市愁云笼罩，令投资者捶胸顿足，痛苦不堪。

香港商界惊恐万状，大家自身尚且难保，再也没有余勇卷入收购大战了。此时自救乃当务之急。置地股票跌幅约四成，也令凯瑟克寝食难安。

李嘉诚的"百亿救市"，成为当时黑色熊市的一块亮色。证券界揣测，其资金用途，将首先用做置地收购战的银弹。

正如一场暴风雨一样，这次股灾来得猛，去得也快。等到1988年3月底，沉入谷底的恒指开始回攀。银行调低贷款利率，地产市况渐旺，股市也逐渐开始转旺。

农历大年刚过，收购置地的传言再次盛行，华南虎再度出山。

事后，报章披露，1988年2、3月间，李嘉诚等华商大亨，曾多次会晤西门·凯瑟克及其高参包伟士。

一直善于等待时机、捕捉机会的李嘉诚，这次为什么没有借大股灾中怡置系扑火自救、焦头烂额之际趁火打劫呢？须知股灾中置地股价跌到6.65港元的最低点，即使以双倍的价格收购，也不过13港元多，仍远低于李嘉诚在股灾前提出的17港元的开价。

原来，收购及合并条例中有规定，收购方重提收购价时，不能低于收购方在6个月内购入被收购方公司股票的价值。10月份的股灾前，华资大户所吸纳的置地股票，部分是超过10港元的。这就是说，假设以往的平均收购价是10港元，现在重提的收购价，就不得低于10港元的水平，而6个月后，将不再受这一限制。

4月中旬，股灾发生后已过了整6个月。此时，置地股从最低点回升后，在8港元的水平上徘徊，仍低于股灾前的水平，依然对收购方有利。

最后，由于置地强力进行反收购，使李嘉诚的收购成为不合算行为，于是李嘉诚毅然放弃了已经花费了大量心血、且做好了充分准备的收购。

这次收购虽然最终没能成功，但是李嘉诚的做法却值得称道。因为投资不可以意气用事，打得赢就打，打不赢就走。在两败俱伤中夺取微弱的胜利，在一般情况下不是真正的投资家的应有做法。在这个意义上，甚至可以说李嘉诚退出收购反而是一个胜利。

世界上任何角色都很难做得纯粹，做生意，尤其是像李嘉诚那样做大生意就更难。因为他的投资是一种动辄千百万元的事，一旦失利，就会造成重大损失。然而李嘉诚却做到了这一点。也许，这是他在商场征伐中屡战屡胜、被誉为“超人”的根本原因。

冒险需以精确分析判断为前提

李嘉诚语录： *好的时候不要看得太好，坏的时候不要看得太坏。*

李嘉诚频频成为股市和地产大灾难中的大赢家，有什么秘诀呢？

有人说李嘉诚是赌场豪客，孤注一掷，侥幸取胜。或许只有李嘉诚自己心里清楚，他的惊人之举中含有多少赌博成分。

客观地说，李嘉诚的行为是带着冒险性的，说是赌博也未尝不可。但是，李嘉诚的赌博是建立在对形势的密切关注和精确的分析之上的，而绝非盲目冒险。

那么，他的判断依据是什么呢？

李嘉诚认为，任何一个产业，都有它自己的高潮与低谷。在低谷的时候，相当大的一部分企业都会选择放弃，有的是由于目光短浅而放弃，有的则是由于资金不足等各种各样的原因而不得不放弃。这个时候就应该静下心来认真分析一下，是不是这个产业已经到了穷途末路，是不是还会有高潮来临的那一天。

如果这个产业仍处在向前发展的阶段，只是由于其他一些原因才暂时处于低潮，就应选择在这个“别人放弃的时候出手”了。这时候出手可以少走很多弯路，从而以比较低的成本获得较高的收益。

俗话说：无风险不成生意。因此，做任何生意都不可能十拿十稳，多少有一点冒险成分。风险有多大，利益有多大？这就需要根据各种情况进行分析。一些胆子大的商人，只要有五成胜算就敢冒险；胆子小的，没有八成以上胜算便不敢采取行动。一般来说，风险与利益成正比，前者敢于冒险，很容易失败，也很容易暴发；后者比较稳妥，却难求快速成长。

但有一种情况例外：当别人算到不足五成胜算，而自己却算到有六七成甚至更高把握时，便意味着发大财的机会来了。李嘉诚正是靠着这种机会快速发展的。当然，这必须取决于自己的分析判断能力。

处处具有危机意识

李嘉诚语录：一向以来，我做生意处理事情都是如此。例如天文台说天气很好，但我常常会问自己，如果5分钟后宣布十号台风警报，我会怎样。在香港做生意，也要保持这种心理准备。

什么是台风警报？对于李嘉诚来说，他具有一种警报意识，就是自己要提醒自己，时刻避免被台风刮走。当然这是经商的危机意识。李嘉诚初入股市，便尝到了甜头，但他清醒地意识到，股市“升水”如此神速，那么“缩水”也可能是瞬间之事。股票市场变幻万端，难以捉摸，风险远远大过其他市场。

由于股市一片利好之势，自20世纪60年代末至70年代初，香港各界产生了一股“要股票，不要钞票”的投资狂潮，掀起了一阵比一阵更为高涨的“上市热潮”。

在这股强劲的“炒风”之中，人们像疯了一样。普通市民纷纷卖掉自己好不容易攒下的金银首饰，业主也卖掉了自己的工厂、土地、房屋，甚至有的商人还卖掉自己的地产公司，将楼宇建造所筹集而来的贷款，全都投到了股票市场，大“炒”而特“炒”，梦想着牟取暴利。

炒风愈刮愈烈，各行业公司纷纷介入股市，趁热上市，借风炒股；职业炒手更是兴风作浪，哄抬股价，造市抛股。

香港股市处于空前的疯狂状态之中，1973 年 3 月，恒生指数突升至历史高峰，一年间升幅竟达 5.3 倍。

这更使许多人眉开眼笑，得意忘形，完全忽视了巨大风险的存在。

然而，李嘉诚在这个“炒风刮得港人醉”的疯狂时期，丝毫不为炒股暴利所动，依然在稳健地走他早已认准了的正途——房地产业。

一向沉稳持重的李嘉诚，在塑料花、房地产经营方面相继显示了他的独创才能之后，又在股票经营中表现出了他的远见卓识，以及他对事物发展的非凡领悟力和高人一筹的心理素质。

由于对地产业前景的看好，李嘉诚把从股市上吸纳的资金，投放于大量物业的低价收购上。就这样，在人们用低价卖出物业所得的钱去购买股票时，李嘉诚却统率着他的长江实业一边发行着股票，一边将发行股票筹集到的资金成批地去收购那些低价出卖的物业。

股市的好景并没有维持多久，“熊市”随之而来，世界经济再次袒露了它变幻莫测的一面。

1973 年中期，世界石油危机爆发，香港经济受到了巨大影响，出口市场萎缩，股票市场因此大受冲击。

另外，一些不法之徒趁股市混乱伪造股票，混入股市，结果东窗事发，造成股东恐慌，纷纷大幅抛售，使得股市一泻千里。恒生指数迅即由1973年3月9日的1774.96点跌至816.39点的水平，至1974年12月10日，跌破1970年以来的新低150.11点。

股市大灾突如其来，除极少数投资者抽身较快得以脱逃外，绝大部分投资者均铩羽而归，有的还倾家荡产。香港股市瞬间便呈现出一片愁云惨雾，哀声动地。整个香港经济，尤其是占主导地位的金融业和地产业更是阴风惨惨，人心惶惶。

由于坚持稳重之策，李嘉诚成为了这次大股灾的“幸运儿”。长实的损失，仅仅是市值随大市暴跌而已，实际资产并没有受到什么损失。相反，李嘉诚利用股市，甚至取得了比预期更好的实绩。

上市之时，李嘉诚预计第一个财政年度盈利1250万港元。结果，长实的年纯利竟达到了4370万港元，为预计的3倍以上。

1973年3月，长实宣布首期中期派息，为每股1角6分，每5股送红股1股。公司与股东皆大欢喜。

李嘉诚的稳健作风又一次使长实躲过了危机。

作为投资者，应该像李嘉诚一样，确定自己开拓发展的原则方略，并坚决按自定原则执行，而不应只顾眼前利益，为暴利所动，抱着捞一把再说的想法而偏离航向。

三心二意，也许会侥幸赚一两次，但长此以往，没有一定之规，东一榔头西一棒，终不是成大器者之所为。

诚然，也有极个别精明的投机家既牟取了暴利，又能审时度势，及时抽身撤退，所赚着实令人眼红。但是，当我们在选择风险极大的投机时，应该冷静地想一想自己是否具备那般高超的本事。同时，还应在心理上做好充分的准备，在准备暴赚大利之前，首先要想到血本无归。

李嘉诚与一般地产商不同的是，他更注重长远利益而不是短期利益。事实上，长期利益与短期利益的关系，是商家需要重点研究的问题，这两者都有长处，也有弱点。前者投资时间长，回报慢，但可在未来获得更大利益；后者的优缺点与前者正好相反，可谓捞一把就走。作为商家，应根据自己目前的实力和未来发展计划进行选择。正所谓“经营无定式，管理无定法”，应该强调的是安全第一和权宜机变。

李嘉诚绝不缺乏把握市场火候的能力的，恰恰相反，事实证明很少有人能在这一点上与他相比。那么为什么他稳扎稳打，以至被人认为保守呢？因为他深知跟风搞投机的利害，处处想到可能发生的危险。

李嘉诚的经商之法当然不是唯一可行的，但李嘉诚既然借此取得了如此巨大的成就，他的方法便完全值得我们深思和借鉴。

第七章

李嘉诚的精妙推销之术

推销无处不在。做商业是在推销自己的产品，做人就是在推销自己的实力。只有学会推销自己，才可以取信于人，获取做人的成功；只有学会推销产品，才能把自己的产品给卖出去，获得商业的成功。李嘉诚是一个精于推销的高手，他一方面精心树立自己的良好形象，打造自己的品牌，另一方面又善于精心推销产品，让产品替自己说话，并且把推销自己与推销产品完美结合为一起，借推销自己来推销产品，这也是他商业成功的一大秘诀。

敢于自己推销自己

李嘉诚语录：*人要去求生意，就比较难，让生意跑来找你，你就容易做。*

李嘉诚通过自己的实践逐步认识到，推销的实质就是推销自我，只有将自己成功地推销给别人，别人才能由人及物，乐于购买你的产品。所以一个优秀的推销员在推销产品时，首先要注意推销自己，能把自己推销给别人，推销自然就成功了一半。

李嘉诚十分注意自我包装，他认为产品需要包装，推销产品的人就更需要包装了。推销员的包装不仅包括衣着打扮，更重要的是在言谈举止中体现出来的内在修养。他为自己定下的标准是要具有绅士风度。

因此，尽管李嘉诚收入不高，家庭负担沉重，而且还怀有远大抱负，想攒钱办大事，但他仍然十分注意自己的仪表修饰。他的服装虽然并非名牌，但相当整洁。

李嘉诚对自己的行为有一个简单而又全面的衡量标准，那就是要给任何人都留下好印象。

在推销过程中，李嘉诚很注意有意识地结交朋友，他经常在拜访一个客户时，先不谈生意，而是建立友谊。他认为，只要友谊常在，生意自然不成问题。

另外，李嘉诚结交朋友，并不全以客户为选择标准。他认为，某人今天成不了客户，或许将来会是客户；某人自己做不了客户，可能会引荐其他的客户；即使促成不了生意，帮忙出出点子，叙叙友情，也是一件好事。

俗话说：“一个篱笆三个桩，一个好汉三个帮。”李嘉诚广博的学识、诚恳的态度，塑造了他那种独特的人格魅力。因此，人们十分乐意与他交朋友。无论什么时候，李嘉诚的周围总会有一帮朋友在为他出谋划策。

有了朋友的帮助，李嘉诚在推销这一行，更是如鱼得水。

对待工作，李嘉诚总是最大限度地表现自己的诚意，从而给老板、同事留下了良好的印象。这也是他推销自己的一种方法。

有一次，李嘉诚前往一家旅馆推销铁桶。

李嘉诚并没有急于去见那家旅馆的老板，而是找机会与旅馆的一个职员套近乎。没多久，他就与那位职员拉上了关系，很快便和他像老朋友一样。通过这位职员，李嘉诚得知了一些有关这家旅馆老板的情况，其中有一件事引起了李嘉诚的特别注意。

原来，这位老板中年得子，将儿子像宝贝一样看待。现在旅馆开张在即，千头万绪，而他儿子却整天缠着要去看赛马。他根本抽不出时间来满足儿子这一愿望。

这位职员本是把这件事当做趣闻来提起的。然而言者无心，听者有意。李嘉诚听到这件事，便感觉他已经找到了突破口。

于是，李嘉诚让这个职员牵线，自掏腰包带老板的儿子去快活谷马场看赛马。在跑马场上，老板的儿子兴高采烈，十分快活，回家后仍兴奋地向父母叽叽喳喳地说个不停。

李嘉诚此举令旅馆老板十分感动，他一时不知如何答谢才好。在李嘉诚的劝说下，最终同意从李嘉诚手中买下了380只铁桶。

这次行动，使李嘉诚成为了五金厂的一等“英雄”。

善动脑筋、善做变通是一个优秀推销员的必备素质。李嘉诚在这方面显示出了突出的天分。

李嘉诚的聪明之处在于，通过对客户有益的行动，表达了自己愿意与之做生意的诚意，这比纯粹用语言来表达，要有效得多。

机动灵活而始终体现一个“诚”字，这就是李嘉诚所要推销的自我。

让产品自己说话

李嘉诚语录：*你要使别人信服，就必须付出双倍使别人信服的努力。*

经商者都知道品牌的力量，有品牌，你的生意就会有潜在的利润资源。但怎样才能打出自己的品牌呢？许多推销员在进行推销的时候，总是喋喋不休地介绍他的产品，并且采取各种方法自卖自夸。李嘉诚的推销术与此有着天壤之别，因为他主要是靠产品本身说话。

单靠口头宣传，即使说得再动听，也只是一次性买卖，何况还有“会说不如会听”的问题。靠产品本身说话，即使笨嘴拙舌，也会赢得客户的信赖，何况推销员总是有一定口才的。

在塑胶厂当推销员的时候，李嘉诚推销一种新型产品——塑胶洒水器，走了几家都无人问津。这一天上班前，李嘉诚来到一家批发行，等职员上班后联系洽谈。此时，清洁工正在打扫卫生，李嘉诚灵机一动，自告奋勇拿洒水器帮清洁工洒水。李嘉诚期望遇到提前上班的职员，眼见为实，这样洽谈起来更有说服力。果真就有职员早到，还是负责日用器具的部门经理。李嘉诚很顺利地达到了目的，该经理很爽快地答应了经销塑胶洒水器。

李嘉诚的机灵，由此可见一斑。但此事同时又透露出李嘉诚的诚实。他让产品自己说话，这比一个推销员夸夸其谈产品的用途优点，要可信得多。

有趣的是，李嘉诚这一招，是从一个哑巴身上得到的启发。

有一天，李嘉诚正在街上推销，忽然看见街边上许多人在围观什么。他凑过去一看，原来人群当中坐着一个哑巴，手中拿着一把菜刀，向一堆铜钱劈去。他手起刀落，铜钱被劈成两半。

“好快的刀啊!”

人们不禁啧啧称赞，又纷纷掏出钱来向哑巴买刀。

由此，李嘉诚联想到，要证明一件产品的好坏，最有力的推销办法就是让产品自己说话。

商场如战场，你一帆风顺，别人自然眼红，会想方设法压制你、打击你，有时候还可能出现一些非正当竞争。

在李嘉诚的塑胶厂刚刚摆脱危机，元气尚未完全恢复之时，一些同行业的竞争对手企图趁机再度搞垮长江塑胶厂。

他们雇用了一些人到长江塑胶厂拍照，企图用揭短的方式使长江厂信誉扫地。果然，没过多久，他们拍摄到的照片就在报纸上刊登出来了，画面上是长江厂破旧不堪的厂房。对手的目的很明确，就是想以此彻底打消顾客对长江厂产品的信心。

李嘉诚自然再明白不过，对方是想用这种反面宣传的方式来整垮长江厂。

刚刚经历了一番阵痛的李嘉诚，逐渐变得稳健起来。他的头脑很冷静，积极筹思对策。

最后，他决定再次利用自己的坦诚做一次反宣传，以争取主动，变不利为有利。

于是，李嘉诚拿着这份报纸，背上自己的产品，走访了香港上百家代销商。

李嘉诚很坦率地对他们说：“不错，我们尚在创业阶段，厂房比较破旧。但请看看我们的产品，我相信质量可以证明一切。我欢迎你们到我们厂实地考察，满意了，再向我们订购。”

代销商们为李嘉诚这些诚恳的话语所感动，更为他的优质产品所折服，他们也十分敬重李嘉诚有如此敏锐的商业头脑，并且有如此魄力敢于将自己的弱点示人，于是纷纷到长江厂参观订货。长江厂的生意反而空前红火。那些竞争对手的如意算盘落空了。

精明的李嘉诚适时借助了这场恶意宣传带来的反作用力，为长江厂做了一次相当实惠的广告宣传，这一招颇似太极推手中的借力打力，费力少而收效大，堪称高明。

这件事同时告诉我们，在碰到不利情况时，千万不要怨天尤人。只要认真面对困境，研究困境，只要斗志不灭，雄心犹在，就一定能找到破解困境的方法，变被动为主动，甚至还可以将坏事变成好事。

更重要的是，李嘉诚两次让产品自己说话的推销策略，已经使他悟到了品牌的魔力，掌握了品牌制胜这一法宝。在以后的商业生涯中，他把这一法宝的魔力发挥到极致，使企业和个人的品牌震撼了整个大地，为自己创造了不可估量的无形资产。

谋求价格与销量的平衡

李嘉诚语录：*商机无处不在，关键在于发现。*

生意畅销的魔法何在？商人都明白，同一种产品，可以卖到不同的数量和价钱。这一方面与产品本身是否适销对路有关，另一方面也与产品的价格有关。产品在理论上既可能卖出很少而价格很低，也可能销量很大而价格很高。不过一般情况下，价格与销量成反比，而且二者之间有一个最佳关系点。如何找到这个最佳点，是企业家和推销人员都必须认真考虑的问题。

从意大利回到长江塑胶厂后，李嘉诚不动声色地把几个部门的负责人和技术骨干们召集到了他的办公室，把带来的塑料花样品一一展示给大家看，随后满怀信心地向大家宣布，长江厂今后将以塑料花为主攻方向，一定要使其成为本厂的拳头产品，使长江厂更上一层楼。

众人看了这些千姿百态、形象逼真的塑料花，无不拍案叫绝。

但是，李嘉诚并没有因为塑料花是一个新兴产品，并且被普遍看好而按原来的样子进行生产。

选定设计人员之后，李嘉诚便把样品交给他们研究，要求他们尽快开发出塑料花新产品。他强调新产品应着眼于三点：一是配方调色；二是成型组合；三是款式品种。

塑料花说白了就是植物花的复制品，不同国家、不同地区，甚至每个家庭、每个人喜爱的花卉品种都不尽相同。李嘉诚发现他带回来的样品，无论从品种，还是花色方面来看都太意大利化了，不适合香港人的口味。

因此，李嘉诚要求设计者顺应香港和国际大众消费者的口味和喜好，设计出一套全新的款式来，不必拘泥于植物花卉的原有形状和模式。

因时因地而变，这是李嘉诚的第一个高明之处。

设计师们经过精心研制，终于做出了不同色泽款式的“蜡样”。李嘉诚对设计师的作品很满意，但他依然不敢确信是否适合香港大众的口味，于是他便带着蜡花走访了不同消费层次的家庭，最后决定以其中的一批蜡花作为主打产品。此时，技术人员经过反复试验，已把配方调色确定到了最佳水准。又经过连续一个多月的昼夜奋战，终于研制出了第一批样品。

样品出来了，可以向客户推销了。不过，如何确定价格呢？

李嘉诚在香港洞烛先机，先人一步研制出了塑料花，填补了香港市场的空白，按理说，物以稀为贵，卖高价应在情理之中。但李嘉诚并不这样认为。他认为价格高昂，必然少人问津，加上塑料花工艺并不复杂，等到长江厂的塑料花一推向市场，其他塑胶厂势必会在极短时间内跟着模仿上市。

经过成本预算后，李嘉诚知道，大批量生产的塑料花，成本并不高。若将价格定得太高，其他厂商再一拥而上，长江厂的市场地位就难以稳定。只有把价格定在大众消费者可接受的适中水平上，才会掀起消费热潮。卖得快，必产得多，以销促产，比“居奇为贵”更符合商界的游戏规则，而且能尽快占领市场。

因此，最好尽快在独家推出的第一时间内，以适中的价位迅速抢占香港的所有塑料花市场，一举确定长江厂的领先地位。这样一来，当跟风者蜂拥而上时，长江厂的塑料花早已深深植入了消费者心中，市场地位将难以动摇。

就在长江塑胶厂生产的塑料花即将大规模上市的前两天，意大利塑料花已进入了香港市场，由连卡佛百货集团公司经销。

连卡佛是老牌英资洋行，走的是高档路线。意产塑料花价格不菲，只有少数洋人和华人富有家庭才买得起。

李嘉诚深知，长江厂的塑料花质量目前还无法与意产塑料花相比，如果同走高档路线，自然不是对手。因此，李嘉诚更坚定了原来定下的定价思路。

合理定价，这是他的第二个高明之处。

李嘉诚携带自产的塑料花样品，像最初做推销员那样，一一走访经销商。当李嘉诚把样品展示给他们时，这些经销商被眼前这些小巧玲珑、惟妙惟肖的塑料花弄得瞠目结舌、眼花缭乱。有些经销商是长江厂的老客户，正因为太了解长江厂了，他们才更加不敢相信自己的眼睛，心想，就凭长江厂那破旧不堪的厂房、老掉牙的设备，能生产出这么美丽的塑料花？确实令人难以置信。

“这是你们生产出来的吗？”一位客户怀疑地问道，“论质量，可以说与意大利产的不分上下。”

“你们大概怀疑我是从意大利弄来的吧？”李嘉诚早已看出了客户的怀疑，他心平气和地微笑道：“你们可以将两者比较，看看是港产的，还是意产的。”

大家围着塑料花仔细察看，这才发现李嘉诚带来的塑料花，的确与印象中的意大利产品有所不同。在样品中，有好多种中国人喜爱的特色花卉品种。

李嘉诚说：“欢迎各位去长江看看，长江虽然还是老厂房，可生产塑料花的设备却是新的，研制塑料花的都是新人，当然，现在的事业更是新的。”

李嘉诚眼看报价时机成熟，就报出了塑料花的价格，又一次使客户们目瞪口呆。他们没想到，这么好的东西，竟然这么便宜，确实太意外了。

物美价廉，当然不愁不畅销。大部分经销商，都非常爽快地按李嘉诚的报价签订了供销合约。有的为了买断权益，甚至主动提出预付

50%订金。

由于每家经销商的销售网络不尽相同，李嘉诚尽可能避免重叠。他根据消费者层次的不同，分别给予经销商不同的花色品种，以保证销售的均衡。

不久，塑料花迅速风行香港及东南亚。更精确地说，应该是在数周之间，香港大街小巷的花卉店中，几乎全都摆满了长江出品的塑料花。寻常百姓家，大小公司的写字楼里，甚至汽车驾驶室里，无不绽放着绚烂夺目的塑料花。

李嘉诚用他的塑料花掀起了香港的消费新潮，长江塑胶厂渐渐开始蜚声香港业界。

在商业诀窍中，有“一招鲜，吃遍天”这一条。李嘉诚率先推出塑料花这一新兴产品，已经可以说是“一招鲜”了，但是他并没满足于此，而是在此基础上加以改进和创新，难怪他吃遍香港无敌手。

做生意主要有三种方式，一是创新；二是改进；三是跟风。创新吃的就是“一招鲜”，虽然不易，但一旦使出来，却费力少而收获大；改进是在别人的基础上做得更好，虽不易造成轰动，后劲却很足；跟风是跟在别人后面亦步亦趋，这样做起来较容易，风险也较小，但跟吃人的残羹剩饭差不多，收获有限。要想把事业做大，最低限度应持改进的态度，不能老跟风，若有机会，也不妨创创新，来个“鲜中鲜”。

靠魄力打开市场

李嘉诚语录：*对市场的掌握一定要透彻，不可一知半解，似懂非懂，更不可雾里看花，跟花赶浪。*

打开市场不是坐在办公室中想出来的，而是要靠魄力去实现。这是企业打开市场的硬道理。

企业的发展离不开市场，市场的大小，直接决定着生产的规模。香港是个弹丸之地，产品销量有限，只有打开国际市场的大门，才能扩大产量，取得规模效益。

李嘉诚创办起自己的工厂之后，几经风霜与磨难，终于站稳了脚跟，并以塑料花这一塑胶行业的新产品风靡和享誉香港。

但是，李嘉诚没有被胜利冲昏头脑，更没有满足于已有的成就。他知道，长江厂只是先行一步，等待他的，将是与同业的公平而无情的竞争，因为追风跟潮，是香港产业界的看家本领。

果然，很快，本港就冒出了数家塑料花专业厂。正像人们不知李嘉诚如何获取塑料花生产技术一样，李嘉诚也不清楚同业是如何掌握塑料花“秘诀”的。

大家都在抢占市场，而长江厂的现有规模，无法保证在同业中的龙头地位。

1957年岁尾，长江塑胶改名为长江工业有限公司。公司总部由新蒲岗搬到北角，李嘉诚任董事长兼总经理。厂房分为两处，一处仍生产塑胶玩具，另一处则生产塑料花。李嘉诚把塑料花作为重点产品。

李嘉诚的事业又上了一个台阶，但他仍不满足。他开始考虑打开海外销路，以此带动生产，进一步扩大规模。

香港的对外贸易基本上为洋行垄断，而华人商行的优势，是在中国内地与东南亚的华人社会。20世纪50年代，西方国家对华实行禁运，香港华人商行的出口途径，基本上限于东南亚。

世界上最大的消费市场在欧美，欧洲北美占世界消费量的一半以上。李嘉诚无时无刻不渴望将产品打入欧美市场，他通过《塑胶》杂志，得知香港塑料花正风靡欧美市场。

当时，要进入欧美市场，只有通过香港的洋行，他们在欧美设有分支机构，拥有稳固的客户，双方建有多年的信用。香港的塑料花正是这样进入欧美市场的，李嘉诚也接受过不少本地洋行的订单。但他不甚满意这种交易方式，因为一切都缺乏透明度——塑料花具体销往何国何地，代理商是谁，到岸价、批发价、零售价是多少，销路如何，消费者有何反馈，都不清楚。

有一次，一家洋行提出包销长江公司的塑料花。若是别的厂家，或许会认为这是福音，从此产品可不愁销路。但李嘉诚却谢绝了对方的“好意”，他清楚地意识到，如果接受了对方的包销条件，就得被对方牵着鼻子走，价格、产量，得由对方说了算。他决心甩掉中间环节，改变销售途径，直接向境外批发商销售塑料花。

其实，境外的批发商，也希望绕过香港洋行这个中间环节，直接与香港的厂家做生意，这对双方都大有好处。于是，在为开拓海外市场伤透脑筋之时，李嘉诚终于赢得了一个与境外批发商见面的机会。

有位欧洲的批发商来到香港，李嘉诚把他带到位于北角的长江公司。看过样品后，批发商对长江公司的塑料花赞不绝口：

“比意大利产的还好。我在香港跑了几家，就算你们的款式齐全、质优美观!”

他要求参观长江公司的工厂，他对能在这样简陋的工厂生产出这么漂亮的塑料花，非常吃惊。这位批发商快人快语：

“其实我们早就看好香港的塑料花，品质品种都处于世界先进水平，而价格却不到欧洲产品的一半。我是打定主意来订购香港的塑料花，并且是大量订购。你们现在的规模，满足不了我的数量。李先生，我知道你的资金发生问题，我可以先做生意，条件是你必须有实力雄厚的公司或个人担保。”

可是，找谁担保呢？担保人不必借钱给被担保人，但必须承担一切风险。被担保人一旦无法履行合同，或者丧失偿还债务能力，风险就落到了担保人头上。不过，根据塑料花的市场前景，以及李嘉诚的信用和能力来说，风险微乎其微。

次日，李嘉诚来到批发商下榻的酒店。俩人坐在酒店的咖啡室，咖啡室十分幽静。李嘉诚拿出 9 款样品，默默地放在批发商面前。李嘉诚没说什么，只是认真地观察批发商的表情。

其实李嘉诚的内心，是太想做成这笔交易了。该批发商的销售网遍及西欧、北欧，那是欧洲最主要的市场。李嘉诚未能找到担保人，还能说什么呢？他和设计师通宵达旦，连夜赶出 9 款样品，期望能以样品打动批发商。批发商产生浓厚的兴趣，看看能否宽容一点，双方寻找变通方法；若不成，就送给他做留念，争取下一次合作。

机遇既然出现，李嘉诚是无论如何也不会轻易放弃的。

9款样品，每3款一组：一组花朵，一组水果，一组草木。批发商全神贯注，足足看了10多分钟，尤其对那串紫红色的葡萄塑料花爱不释手。李嘉诚绷紧的神经，稍稍放松，这证明批发商对样品颇为看好。

批发商的目光落在李嘉诚熬得通红的双眼上，他猜想这个年轻人可能通宵未眠。他太满意这些样品了，同时更欣赏这位年轻人的办事作风及效率，不到一天时间，就拿出9款别具一格的极佳样品。他记得，他当时只表露出想订购3种产品的意向，结果，李嘉诚却对每一种产品都设计了3款样品。

"李先生，这9款样品，是我所见到过的最好的一组，我简直挑不出任何毛病。李先生，接下来我们可以谈生意了。"

可是，谈生意就必须拿出担保人亲笔签字的信誉担保书。此时，李嘉诚只能直率地告诉批发商：

"承蒙您对本公司样品的厚爱，我和我的设计师花费的精力和时间总算没有白费。我想你一定知道我的内心想法，我是非常非常希望能与您做生意。可我又不得不坦诚地告诉您，我实在找不到殷实的厂商为我担保，十分抱歉。"

批发商目光炯炯地看着李嘉诚，并未表示出吃惊和失望。于是李嘉诚用自信而执著的口气说：

"请相信我的信誉和能力，我是一个白手起家的小业主，在同行和关系企业中有着较好的信誉，我是靠自己的拼搏精神和同仁朋友的帮助，才发展到现在这种规模的。先生您已考察过我的公司和工厂，大概不会怀疑本公司的生产管理及产品质量。因此，我真诚地希望我们能够建立合伙关系，并且是长期合作。尽管目前本公司的生产规模还满足不了您的要求，但我会尽最大的努力扩大生产规模。至于价格，我保证会是香港最优惠的，我的原则是做长期生意，做大生意，薄利多销，互利互惠。"

批发商被李嘉诚的诚恳执著深深打动了，他说道：

"李先生，你奉行的原则，也就是我奉行的原则。我这次来香港，就是要寻找诚实可靠的长期合作伙伴，互利互惠。只要生意做成，我绝不会利己损人，否则就是一锤子买卖。李先生，我知道你最担心的是担保人。我坦诚地告诉你，你不必为此事担心，我已经为你找好了一个担保人。”

李嘉诚愣住了，哪里有由对方找担保人的道理？批发商微笑道：

“这个担保人就是你。你的真诚和信用，就是最好的担保人。”

俩人都为这种幽默感笑了起来。谈判在轻松的气氛中进行，双方很快签了第一单购销合同。

按照协议，批发商提前交付了货款，基本解决了李嘉诚扩大再生产的资金问题。这位批发商主动提出一次付清，可见他对李嘉诚信誉及产品质量的充分信任。

从此李嘉诚甩开中间商，产品直销欧洲市场。

古人说“精诚所至，金石为开”，此言不虚。

改变产品的销售渠道，甩开中间环节直销海外，使长江公司的塑料花牢牢占领了欧洲市场，营业额及利润成倍增长。1958 年，长江公司的营业额达 1000 多万港元，纯利 100 多万港元。塑料花为李嘉诚赢得了“塑料花大王”的称号。这一年李嘉诚是 30 周岁，是一个年轻的“大王”。

不惜一切来维护信誉

李嘉诚语录：信誉、诚实也是生命，有时比自己的生命还重要。

信誉就是生命，这是人人皆知的道理，但却不是人人都能够做得到的。而李嘉诚一直是这样在做，无论他的事业发展到如何庞大，获得的盛誉有多少，他永远也忘不了从事塑料花生产的岁月。是塑料花把他引入了辉煌事业的大门，坚定他实现远大抱负的信心；塑料花使他获得磨炼，积累经验；更使他感悟到诚信才是成功做人与经商的基石。

由于李嘉诚在塑胶业内实力日渐强盛，声誉也越来越大，因而被大家一致推举为香港潮联塑胶业商会主席。

在潮商的塑胶热中，李嘉诚起到了很好的表率作用，他的成功激励了更多的潮商加入到这一行业中来。李嘉诚在发展自己事业的同时，也不忘给予潮商同行一定的帮助。

虽然此时的李嘉诚越来越热衷于经商，对担任政府或社团公职已没有兴趣。不过，他在担任潮联塑胶业商会主席期间，仍尽力而为，不负众望，为香港塑胶会做了一件大好事。

1973 年，中东战争引发全球性石油危机，香港经济受到了严重冲击，尤其对塑胶行业带来了灾难性的影响。

香港的塑胶原料全部依赖进口，石油危机引发原料价格猛涨，从年初的每磅 6 角 5 分，一路直线上升，到秋后竟高达每磅 4 至 5 港元。这时，香港塑胶制造业一片恐慌，如临末日。有原料储备的厂家日子还相对好过一些。但大多数厂家却因原料储备不足，一时“无米下锅”而被迫停产，濒临倒闭。

其实，价格暴涨的根本原因，并不在石油危机本身，因为国外塑胶原料的出口离岸价只是略有上涨。原料价格急速上涨的真正原因，主要在于香港的塑胶原料，全部被进口商垄断。香港的进口商利用生产厂家因石油危机产生的恐慌心理而垄断价格，一致提价，再加上炒家的介入，使价格节节攀升，最终到了厂家难以接受的超高价位。

面对这场关系香港塑胶业生死存亡的危机，当时身为潮联塑胶业商会主席的李嘉诚毫不犹豫地挺身而出，主动挂帅来拯救塑胶业。

其实，此时的李嘉诚已经把经营重点转移到了地产上，而且获取了相当不错的收益。因此这次塑胶原料危机，对长江的整个事业来讲，影响不会太大，而且长江公司本身就有充足的原料库存。李嘉诚之所以这样做，主要是出于他的公德心。他不能眼看着潮籍塑胶商们就这样毁于一旦，更不愿整个香港塑胶业就此走向衰落一蹶不振。在李嘉诚的倡议下，数百家塑胶厂马上入股组建了联合塑胶原料公司，甚至有不少非潮籍塑胶商也主动加入进来。

要想打破进口商的垄断，就得靠厂家自己直接从国外直接进口原料。但单个塑胶厂家由于购货量太小，国外原料商不愿意进行交易。现在由联合塑胶原料公司出面向国外原料商进货，需求量比进口商还大，因此双方很快便达成了交易，塑胶原料公司很快从国外购进了相对便宜的塑料原料。

购进原料后，再由潮联塑胶业商会出面协调，按实价分配给各股东厂家。在厂家联盟面前，进口商对原料的垄断不攻自破，不得不自动将价格降了下来。

就这样，笼罩全港塑胶业两年之久的原料危机，在李嘉诚的鼎力相助之下，终于获得了有效的解决。

李嘉诚在这次救业大行动中，还作出了一个惊人之举。他将长江公司的库存原料拿出了1243万磅，以低于市场价一半的价格救援那些停工待料的会员厂家。在直接购入国外厂商的原料后，他又把长江本身的配额20万磅，以购入价格转让给了需要量相对较大的厂家。

在这次危机之中，受李嘉诚帮助的厂家多达数百家。李嘉诚此举真可谓雨中送伞、雪中送炭。他也因此被人们称为香港塑胶业的“救世主”。

李嘉诚这种扶危济困的义举，为他树立起了崇高的商业形象，他的信誉和声望达到了顶点。而这种信誉和声望又回馈了他无穷无尽的生意和财富。

不管李嘉诚是否有更高层次的思想意识，以商论商，李嘉诚此举，无疑已是经商的上乘之作。像李嘉诚这样，救人于危难之中，不但能赢得人缘、信誉及声望，也会为日后创大业赚大钱埋下伏笔。

做人就如同经商。做人切不可为一己私利而切断他人的退路，不时还应帮人一把。

下　篇

右手王永庆

——不可不学的做事与经营绝学

第八章

王永庆的一流管理之绝

一流的管理打造一流的企业。要使企业将技术转化为资金，实现资源利用率的最大化，在激烈竞争的环境下脱颖而出并获得长足的发展，就离不开科学的管理之道。王永庆作为一个管理大师，深得现代管理之精髓，他大力推进管理制度化、管理电脑化、管理目标化、管理压力化、管理合理化，这使得他成为了一代管理大师和当代“经营之神”。

管理比技术更重要

王永庆语录：一个企业要发展，必须有健全的管理体制，有技术没有管理，技术也是空有其名而已。

很多人认为，一个企业的发展，技术才是核心，只要掌握了核心的技术，就一定会成功；而管理只不过是一件动动口的小事，没什么技术性，只要有点管理经验的人都可以做。可是，事实并非如此，小到经营一个杂货店、大到经营一个跨国集团，都需要科学的管理。

怎样才能将技术转化成资金，怎样才能让内部的资源利用率最大化，怎样才能使企业获得稳定的发展，这些都不是技术本身可以解决的问题，它们全都得靠管理来解决。对一个企业来说，拥有良好的管理体制非常重要。良好的管理体制可以让企业内部形成企业文化。

企业文化是一项软性的指标，资金回流的快慢、技术水平的高低、产品销售的兴衰都以企业文化为基础。虽说企业文化并不是企业发展的最直接因素，但却是企业持久发展的决定性因素。好的管理形成好的企业文化，好的企业文化具有自我改造、自我调控、自我完善的功能。透过企业文化的宣扬，就可以培养员工的集体归属感，让每个员工的行为和整个团队的行为相符合。一旦员工个人的思想、行为、价值观、奋斗目标、信念和整个组织统一起来之后，就会自然而然地形成一股凝聚力。这股凝聚力就能让企业得到持续性的发展。

台塑长期优质的管理在企业内部形成了“整体经营、追求极致”的企业文化。王永庆将经营的原则定义为整体性的经营策略，要做到兼顾经济性、发展性以及对社会的贡献性，三位一体的整合发展。台塑的管理非常细腻，以买材料为例，王永庆会将什么时候该下订单，什么时候交货都控制得精确无误。由于做好了精细化的管理，生产线如果出现了任何技术问题，台塑管理层会马上启动应变机制，在半小时之内调查事故原因并处理好现场。其处理问题的速度让人佩服。王永庆说："一个企业要发展，必须有健全的管理体制，有技术没有管理，技术也是空有其名而已。"

台塑的财务状况一直很稳健，也和王永庆创建的采购制度有密切关系。在台塑，凡是进行材料的采购都必须事先了解整个生产状况，将原料、生产以及会计三个因素联合起来考虑。所以，台塑不会像别的企业那样，出现原料一多就资金冻结，原料一少，生产就青黄不接的情况。

业务分析是管理的神经中枢

王永庆语录： *业务管理和企业的神经中枢是一样的，业务分析不完善，就好比是人的神经中枢不敏锐，不能从一个人的外貌上来判断他的能力，只有在他运用身体过程中，才能显露出他的能力来。*

对于管理而言，业务分析十分关键。因为只有在业务组织体系健全之后，企业才能正常运转。

与成本分析不同，将业务作为依据的时候，因为没有具体的数据，所以在分析上会比较困难。但是一旦着手去做了，就可以见到明显的成效。拿经营活动的运作为例，一个经营者在接到顾客订单之后就开始了业务运作，而在这个过程中，他要解决一系列的问题：生产和销售怎样才能一体化？怎样才能实现高效生产、在规定时间交货？怎样才能满足顾客的不同需求？卖不出去的产品应该怎样处理？怎样扩大业务？如此等等。只有保持高效率的经营流程，才能实现高利润的经营。

因此，王永庆规定，台塑的每个业务员都要填写"业务动向管理表"。在这张表上记录下经营中的各个流程和各项问题。例如，如果去年一整年的贸易情况都做了纪录，那么销售人员就可以经由这些数据做出正确的决策。如果贸易状况不好，从纪录情况就可以看出到底是什么地方出了问题。如果是因为产品价格太高而没有了竞争力，就可以采取合理的降价措施；如果是质量的问题就可以尽快改善质量；如果是因为目标定得过高而导致任务无法完成，就应该重新订立合适的目标。

记录“业务动向表”还需要很细部的工作。例如，如果要制定一个月的目标，就要将这一个月细化为三期，一期十天。如果本月对某个客户的销售额目标是100吨的话，那么每10天就是33吨。如果在第一期没有完成，在“业务动向表”那一栏就是空白，并在附注部分用记号标出“情况异常”的标志。那这个月的时间就只剩下了20天。

如果到第二期结束的时候，客户还没有下订单，就要引起高度重视了，相关销售人员应该立刻找出“客户数据卡”进行分析。如果“业务动向表”显示有多家客户出现问题，达不到销售目标，那么整个公司就应该实施全面整顿。透过这种适时的动态纪录、公司管理，就能对整个公司的经营状况了如指掌。

建立合理可行的管理制度

王永庆语录：我认为IBM成功的根本原因，不在于它从事电脑科技行业，而在于它一向都能脚踏实地，从基础的地方着手，并且追根究底，探求出事物的道理之后，确实加以履行。这从IBM的员工手册有近10种，而手册内容从如何开车到如何对客户提供良好服务样样都有，就可以了解他们踏实做事的精神实际是超越任何其他开发中的企业的。

IBM曾经历过数次危机，但始终能安然度过，这不能不说是一个奇迹。而最让王永庆欣赏的，就是IBM管理的制度化。

今天，企业管理的制度化早已不再是什么新鲜的话题，但在20世纪70年代，亚洲的工业尚处在起步阶段，相关的理论几乎还是一片空白，而王永庆是最早探索和实行企业管理制度化的企业家之一，并且卓有成效。

王永庆强调，企业的经营者必须参与事务工作，必须对经营中牵涉到的各种复杂事务进行深入细致的分析和检讨，只有不断积累经验，合理可行的管理制度才会逐渐建立起来。这是一个无比艰辛的过程，也是一个非常漫长的过程。

王永庆1968年就在他的企业中实施了改革，他为了教会员工正确填写表格，常常花费不少工夫，然而效果也是不错的，各种表格就在这种反复修改的过程中，渐渐变得合理起来。

不少管理先进的经营者并不需要参与建立经营制度或者根本细则的具体实践，他们只需要负责制定政策并推动决策就行了。王永庆认为，之所以形成这样一种情况，就是因为在这些管理者的企业都经过了多至数十年的努力，他们在经营中累积了非常多的经验，并具备了深厚的管理基础。可想而知，这种经验及其基础的建立，全是经历了一番极为辛苦的追求才得来的。

事实上，绝大多数人的经营过程，都是先经历失败，然后倒下，再努力，再爬起来，唯有经过这样的长期艰难奋斗，才能积累经验，从而一步一步地建立起比较合理的经营制度来。

对于台塑来说，它的制度化，是设计一套可行的经营制度，然后让所有的员工都依照所设定的这种操作规范与事务流程去做好他们的本职工作。与此同时，主管也要主动跟踪和考核员工的业绩。台塑制定管理制度的根本原则就是要让工作量可以计算，工作品质可以计算，并使之成为一种量化的标准。因为唯有这样，才能做到对人和事的公平与合理。

企业管理是一门实践性非常强的学问，如果不管实际情况如何，对别人的制度一味照搬照抄，则可能会“水土不服”，将好事变成坏事。王永庆对此早就有体会，他说，规章制度照抄别人是没有用的，因为环境不同，思想观念不同，条件不同，基础也不同，如果强行借用，就好像硬要穿别人的鞋子一样，不但很不舒适，而且还会影响走路，适得其反。

制度不能照搬照抄，因为只有从自己的实践中逐步探索出来的经验，才能发挥出实际的效果。所以，许多企业创立之初在制度建立方面都是一片空白，只有一点点去尝试。王永庆在谈到自己初期的经验时说："刚开始建立制度必然从基础开始探索，初期效率一定比较差，速度比较慢；可是如果努力奋斗，吃苦耐劳，勇于战胜困难，锲而不舍地去追求合理化，不断求改善、求进步，最终一定能够融会贯通。"

王永庆认为，良好的规章制度必须具备三个条件：

①必须可行。

②必须要有助于群体力量的有效凝聚，并能提高事务处理的效率。

③规章制度必须能够合理对待处在各个阶层的员工，使其能够在公平的基础上发挥出自己的特长，得到成长的机会。

近年来，随着台商在大陆的投资越来越多，台商细致的管理风格也受到了人们的赞叹。许多企业里连员工接电话都要形成制度，更有甚者，连办公桌面的摆放都要有一个统一的标准。有一家从事文化产业的台资公司，工作要着制服，连喝水用的杯子都是公司统一购买的，这让人感到十分新鲜。而在大陆的同行业中，文化就代表着某种"自由主义"，员工大多实行弹性工作制，而且也不像一般的公司那样要穿制服上班。虽然员工们对过多的制度多有抱怨，但公司的来访者们却对此评价颇好。不管如何，台商的管理风格，无疑有诸多值得借鉴的地方。

与着装、摆设这些多少有些表面化的制度不同的是，在制造行业里，标准化与制度化是非常必要的，它不是做给别人看的，而是直接关系着生产的效率。台塑的《品管作业规范》，就是一个十分周详、细致的例子。《品管作业规范》是一个总册，其中根据各部门工作性质的不同，分别设计了一本本的小册子。例如胶布机领班就有一本《胶布机领班品管作业规范》，印刷机领班就有《印刷机领班品管作业规范》，发泡机领班就有《发泡机领班品管作业规范》……任何在现场作业的员工，都有一本相对应的品管作业规范，可从中详细地了解到他所担任的工作的细节。台塑的这些"作业规范"，对员工有着很大的指导意义，而且配合机器的更新与要求，这些“作业规范”还会不定期地进行修改。编制这样的规范，是一项非常麻烦的工作，但管理者绝不能因为它麻烦而不去做。

有了这样的规范，现场的工作人员就能做到心中有数，而且考核员工时也有了可以依据的标准。更重要的是，一旦现场工作人员因病或因其他事情空缺时，其他员工可以立即替补，因为有了标准化的规范，工作的衔接就变得非常简单。

其实，不光是台塑的《品管作业规范》，就连《台塑下属企业全年度统一功能表》，也体现着台塑管理在制度化与标准化方面的努力。1981 年，台塑各个厂区的伙食功能表均由厨师安排，由于各个师傅的手艺与爱好不同，所以随意性相当大，也影响到了菜色的种类与营养搭配。针对这种情况，台塑请来了营养师许明珠，专门为台塑员工制定全年度的统一功能表。

许明珠总共用了两个月的时间，编制了一份《台塑下属企业全年度统一功能表》。功能表编有目录，然后便是功能表的使用准则及春、夏、秋、冬四季的功能表。而且功能表的内容详细到了一年之中的每一天的每一餐，甚至每天三餐的菜样都不会重复！此外，台塑还将每道菜都编号，进行电脑管理，如果遇到特殊情况，还会有“应变功能表”作为备用。此外这份功能表还充分考虑到了营养的均衡、成本的控制及采购方面的便利等各个因素，不能不让人惊叹。

台塑的制度化与标准化管理，绝不是一句空话，小到功能表，大到作业规范，都极其认真，一丝不苟。而对那些华而不实、只能看不能用的所谓“制度”，王永庆曾做过如下的评价：“大家都了解，如果工作方法改善，或生产机器改变了，操作规范就必须马上修改。既然有随时修改的可能，在制作操作规范时，就要考虑实用性及方便性，应该按各个工作部门印成单张，分别发给各个部门的操作人员参阅。哪一个部门的操作规范有变更，立刻就要印制新的操作规范分发给他们。可是，有的部门却将操作规范集合起来，印制成了一本，很漂亮，但不实用。”

有了管理制度之后，另一个重要的问题就是切实地贯彻与执行了。因为再完美的管理制度，倘若不能彻底去推行，也等于是零。台塑在

1973年正式成立了“总管理处总经理室”，其主要目的就是为了全面推行管理制度。

一般说来，管理制度是否能全面、持久地推行下去，企业老板的投入程度是关键因素。如果老板能够全心地投入其中，那么成功的可能性就极大。台塑在管理方面取得了成功，其中一个最为重要的原因，就是王永庆的全心投入。

实践是检验真理的唯一标准，任何制度都不是推行之后就可以高枕无忧了，还存在一个在应用的过程中不断检讨、不断改善的过程。就像我们常常看到的那样，许多公司并不是没有制度，也不是没有实行制度，而是在设定制度后，没有再评估其适用性。所以，对制度进行修订，并主动从中发现可能存在的问题，进而对其进行改善，这些都是需要相当专业的人来负责的。

制度不是给别人看的，而是要真正实用才行。对一个实业家来说，如果有了合理的制度，也只是成功了一半。

不遗余力推进电脑化管理

王永庆语录：*仅仅有一流的管理制度还不行，那只是一副漂亮的空架子，而且，还要有先进的电脑化管理。*

台塑在实现了管理制度化之后，为了追求更高的效率，为了跟上时代前进的步伐，又开始向管理电脑化执著地迈进。

电脑，作为第三次科技革命的产物，在最近几十年之内得到了突飞猛进的发展。

电脑发展到今天，不断推陈出新，日新月异地向着高级、精密、尖端发展。电脑既是现代化工业发展的产物，又对整个现代工业的发展起着日益巨大的促进和推动作用：电脑正在以它强大的优势，影响着人类越来越广泛的生产和生活领域。

企业管理要跟上时代步伐，实现现代化，就必须向实现管理电脑化努力。因为电脑管理可以大大提高工作效率，节省人力和物力；同时也可以避免许多人力难以避免的失误和偏差。

高瞻远瞩的王永庆，当然认识到了电脑的强大生命力和吸引力。

在台塑办公室里、宽敞明亮的机房里，一个个电脑操作人员，紧张地敲击着键盘，将决定着企业命运的那些指令、数据和各项规程存入电脑，需要时又可以随时调出处理。同时，通过四通八达的电脑联网，将最高指令迅速而及时地发到各个下属单位。一个大型企业就是在这样的电脑管理下，有条不紊地高速运行着，这就是台塑的现在和未来！

可以说，在台塑点点滴滴追求合理化的过程中，王永庆又多了一个值得依赖的“好帮手”。

早在1967年，台塑的电脑化过程，就在王永庆的坚决贯彻和领导之下，紧锣密鼓地展开了。这一过程可分为三个阶段：

第一个阶段，是在1967年，王永庆就看准了电脑的远大前途，开始计划使用电脑。

第二个阶段，是在两年以后，台塑开始租用电脑来处理数据和文件。

第三个阶段，在台塑租用电脑以后的五六年间，台塑实现局部电脑化。主要是账务管理方面，将人工开立的“传票”输入电脑，编制税收账簿和财务报表。这一阶段，主要是利用电脑来处理一些大量重复的程序化的工作，多用于数据管理和文件管理方面，来提高效率，还谈不上真正的管理功能。

1980年，台塑正式提出了实现企业管理电脑化的宏伟目标。

也许有人觉得，即使是在今天，电脑化管理也并没有普及，王永庆在几十年前就提出了不实行电脑化管理就无法求生存的问题，是不是有点不切合实际。

不论人们信不信，王永庆的眼光都是远大的。也许这正是王永庆与一般企业家的不同之处，他就是比别人看得远些，起步早些。王永庆认识到实行电脑化的管理是大势所趋，众心所向，也是时代的要求。不实行电脑化，总有一天会被抛弃在时代之后，在竞争中被淘汰掉，这是迟早的事情；适者生存，不适者被淘汰，这是历史的必然性。

企业在发展过程中，必须不断地谋求合理化，否则，优胜劣汰，后果将是可想而知的。所以运用电脑是必然的。电脑化管理不仅可以提高效率，而且还可以达到许多人力所无法探寻的领域，所以高度的合理化，离不开电脑的帮助。这种高度的合理化，就是高新科技的产物。

未来的竞争，将是一场更为激烈和严肃的高科技革命。要想取胜，只有走到时代的最前端去。传统的管理相对于电脑化管理来说，前者是在原地跳，而后者是在迅速向前跑。

为了在这场竞争中跑到前端去，台塑开始及早作准备。实现电脑化管理，是这个准备工作中最关键的一步。

所以王永庆坚定地说："用电脑是时代的需要，非用不可！没有电脑，就不能和别人竞争；没有电脑，更谈不上企业的发展；没有电脑，企业就无法在以后恶劣竞争的环境中生存下去。"

台塑在电脑化的使用过程中，可用八个字来概括，那就是"克服困难，勇往直前"。

电脑化管理的实现要有一定的坚实基础，即完善的管理制度。

在这方面，台塑是不成问题的。到1980年为止，在王永庆及台塑员工们的共同努力下，台塑电脑管理制度已经是极其完善的了。企业管理的各个方面都做到了有"法"可依，违"法"必究；奖惩补过，赏罚分明。

而且，实行电脑化也是客观规律的必然性。目前，台塑的营业额大大增长，已经超过了600亿元。随之而来的便是更为复杂的人、财、物等各方面的关系，为了减少不必要的麻烦，或者错误，还要提高工作效率，实施电脑化的管理已经势在必行，迫在眉睫了。

于是，王永庆开始实现整个台塑企业集团的电脑联网系统。这不仅仅是在某些局部工作上由电脑代替人脑来处理，而且要使企业运行的方方面面，诸如命令的传达、对命令实施情况的汇报、监督等等事项都由电脑来管理。不仅实现同一企业内部的电脑管理，还可以跨越空间，远距离地传递信息。这样才是真正的高效率的现代化电脑管理。

任何一种新生事物的产生都要经过漫长的酝酿与磨难，最终才能战胜困难。

像台塑这样一个庞大的企业集团，有众多的员工、各级主管和广大股东。长期以来，已经形成了一套习惯性的思维方式和工作习惯。

实行电脑化的管理，就是将已有的一切纳入电脑。这意味着在很大程度上有所改变，重新开始摸索。这无疑是艰难的，也是极其漫长的。

台塑已经建立了根据电脑要求的细致、完备的管理体系，对于有所成就感的台塑人来说，能否再接受这一技术革命的挑战呢?

最大的、最直接的阻力还是广大职工能否迅速转变观念，跟上企业前进的步伐并给以积极的配合，这直接关系到电脑化的进程能否顺利实现。

针对员工的情况，台塑设计了相应的对策：

首先，对于电脑化完全不懂的员工，要通过训练的方式给他们培养这方面的知识。

其次，对于电脑化管理半信半疑的员工，要循序渐进地说明使用电脑的基本情况，解决疑难问题、增强信心。

最后，除了说服教育之外，台塑还运用约束力量，贯彻实行管理电脑化。

实行电脑化管理的过程，也就是人们常说的办公室自动化的过程。

各种各样的表格、单据，可以说是一个大型企业实行管理的灵魂和骨架，它们既是职工执行命令的依据，又是执行命令以后的见证。为了提高办公室的工作效率，降低成本，将表格单据输入电脑化管理，是办公室走向自动化的第一步。

由于要把各项单据输入电脑管理，通过软件程序的设计，变成能够被电脑所接受的“电脑语言”，因此，许多单据就要重新审核、修改，以符合电脑化管理的程序。

为了减轻电脑化的工作负荷，台塑对于现存的表格、单据进行了一次大清查，力求做到每一张单据、每一张报表、每一个栏目、每一个字都切实有效，多一个小数点也不行。

台塑在进行这方面工作时，采取了两种方法：

①让总管理处和各事业单位的主管一起研究讨论，并了解即将输入

电脑报表的操作过程和产生的效益。

②各级主管把本部门的电脑化作业的详细情况向王永庆作出相应会报。

因此，在“午餐汇报”上，王永庆把每一个值得怀疑的考察的细节问题都问得十分仔细，唯恐有遗漏，给刚刚起步的电脑管理造成不应有的损失和危害。

这项工作完成以后，设计软件程序的过程就顺利多了。台塑从1982年正式开始设计程序工作，到1983年，就在王永庆的大力支持和严格监督下全部完成了。至此，台塑集团的生产、人事、资材、营业、工程、财务等方面的管理都已纳入电脑化。

实现了第一步以后，台塑就开始向全企业的电脑联网工作迈进。就在实现表单管理电脑化的同一年，台塑成立了电脑管理处。在台塑各个下属机关成立了电脑分支机构，来全面推行联网工作。这些分支细密的电脑管理机构，严格控制着电脑联网工作的进展。

实际上，联网工作的构想主要是由王永庆搭起来的。他是整个联网工作的总设计师，细节部分再由各个机关机构来丰富和补充。

到1985年底，台塑完成了全台湾的十家台塑关系企业50个企业网点的电脑联网工作。电脑能跨越空间地将各个企业联系起来，消息的传递，命令的传达和情况的汇报，再也用不着人力或通讯设备，只要有电脑，轻而易举就实现了。

实行全面的电脑管理之后，台塑的工作效率大大提高，节省了不必要的人力、物力，杜绝了可能被钻营的漏洞，在经营管理上的优势就更加明显了，从而也使台塑加快了前进的步伐，远远地走到了同行的最前列。

通过目标管理来提高绩效

王永庆语录：*在这个商战越来越激烈的时代，不但维持原状是落伍，就是进步慢一点也是要落伍的。*

王永庆认为，一个人或是一个企业，不论做什么事，都必须循序渐进、有计划地进行，只有脚踏实地地去做，才有可能达到目标。而目标管理的意义，就是通过设置目标，制订目标管理工作专案、工作期限、数值标准及达到目标的计划，作为各部门及工作人员业务操作的依据，并考核完成的情况，追踪达到目标的原因，发现及改善出现的问题，以此来帮助企业降低成本，提高管理绩效，健全企业品质。

一般说来，目标管理有如下要素：

①企业计划，即企业预期所实现的利润目标。同时，为了实现这个利润目标，企业的各部门还要制订计划，这样就有了达到目标所需要的具体方案，使目标化为行动。

②良好的控制与协调及人力运用，可使部门之间加强相互沟通及作业控制，加强与改善其部门责任范围内的绩效。改善工作方法，合理运用人力，使公司内部的管理更加健全合理。

③培养训练人员，目标管理均会指定经理人责任以达到目标，有助于明确人员及岗位的责任。

④有据可依的工作绩效，可作为奖励及辅导的参考标准。

目标管理作为一种计划、执行、考核的管理制度，其成功的因素包括：

①目标，首先必须详细制定专案、完成期限、数值标准及达到目标的具体计划，使目标落实。此外，无论目标是“自上而下”还是“自下而上”，都必须经过上下磋商，以免目标订得太高或太低而失去其应

用的意义与价值，只有这样，才能保证目标的可行性；目标必须具有一致性，公司有全面的目标，各部门、各阶层均有部门目标，而且各个目标必须统一，长期与短期目标也必须统一；最后，目标应该尽量由一个部门单独完成，以避免因为共同完成或需要其他部门支援才能完成时，可能出现的相互推诿的现象。

②运用目标管理，激励员工集中精力达到目标。明确划分权责，以让各主管获得充分的授权；上下各部门间应有良好的沟通及意见协调；创造良好的工作环境，包括领导风格、教育训练、薪资制度；依照目标管理的专案，来制订相应的奖励制度。

③为了实现目标管理降低成本，提高管理绩效的最终目的，必须设立一套完整的追踪考核及分析制度，以便尽早地发现问题，解决问题。

俗话说："人无远虑，必有近忧。"任何人都不能只看到目前所取得的一点成绩就开始沾沾自喜，而是要看到更长远的目标。这就像我们看到的那样，许多公认的最有希望、最健全的大企业，结果反而以倒闭破产告终；而那些可能起初并不被业界看好的小企业，却能够抓住机遇，步步为营，不但在激烈的竞争中生存下来，而且做得轰轰烈烈，有声有色。虽然台塑已经是一个超大型的企业，实力雄厚，但王永庆却一直强调"台塑人"不能骄傲，而要不畏艰难，脚踏实地，继续为企业的长远目标而努力。

对于自己想实现的目标。必须做到心中有数。目标不能不切实际，而应该是通过努力能够达到。此外，还必须明白实现目标的途径。我们若是对一个小孩子提出希望，就不宜设置过高的要求，如果他觉得自己不可能实现这个要求时，他可能干脆不会付出努力或者是处在沮丧中。其实，不仅小孩子如此，大人也有这种心理。管理者在实行目标管理时也必须考虑到这种因素。

点点滴滴追求合理化

王永庆语录：*目前台湾的管理现状，尚未达到相当的水准，基础不够坚实，经营者只顾及大原则的确立，无论如何是不够的。*

在很多人的眼里，作为大老板的王永庆根本不需要过问任何细枝末节的问题，只要听听下属的汇报，再看看财务报表，了解一下企业的损益情况就足矣。而且这也是许多管理专家们提倡的工作方式，就像比尔·盖茨那样，只消做个数字时代的思想家就够了。但王永庆却不这样看，他认为细节问题往往关系重大，如果管理者要做好工作，就一定要从细节开始着手，从工作中找出问题并设法解决，这样才能对部属提出更具体的要求。

王永庆曾说，凡事都要从细枝末节着手，点点滴滴求其合理化，做好了基本的扎根工作，那良好的绩效必定指日可待了。王永庆不仅是这样要求别人，他自己也是如此行事，而正是从这些看似并无关大局的“合理化”做起，王永庆才带领自己的企业和员工，成就了一个经营神话。

让我们从台塑对待“阀门”的态度，来看看其管理工作中对“合理化”的追求。“阀门”是机械的活门，是一个极小的零件，与整个台塑庞大的采购计划相比，只占有微不足道的比例。不过，台塑管理处总经理室对这个小东西却丝毫不敢疏忽，因为这个零件虽小，却可能会引起巨大的损失。为了让“阀门”的采购计划更合理，总经理室生产管理组花了一个多月的时间来研究当下采购中存在的问题，诸如：目前的采购程式存在什么问题？价格如何？品质如何？验收作业合理吗？在对这一系列的问题加以研究后，他们写出了一份详细的分析报告。与许多管理随意性较大、以老板的指令作为圣旨的企业相比，台塑的管理显得相当严谨。

另外一个例子是关于支票盖章。当时台塑企业与一家企业合作投资经营某公司，由合作的双方共同指派会计处长。合作公司的付款作业集中由台塑财务部办理，可是支票却由共同委派的会计处长保管，每当签发支票付款时，因为必须要由那位会计处长签章，所以出纳只好两头跑，非常不方便。

在别人看来，这件事不就是多跑几次腿而已，没什么大不了的。可是王永庆却不这么认为，当他知道这种情况后，立即做出了更正。他对那位会计处长说："以采购付款作业来讲，台塑企业从存量管制、请购、采购，一直到验收付款，都已经运用电脑管理了。存量设计以后，不但电脑会在达到购买点时自动打出请购单，列印经济采购批量，当实际耗用数量超出允差范围时，电脑也会自动显得异常，然后再追查用料异常的原因及研究对策，使之趋于合理。请购单自动列印后，采购即叫电脑再列印出该项物品的采购记录表，以期找出最近几批采购案中，供应价格较便宜的厂商，以及其供应价格，可作为采购的参考。"

"决定供应厂商、数量及价格后，采购人员即予办理。厂商交货逾期时，电脑又会自动显示异常，让采购部门催促交货。交货须经验收，当验收合格后，验收人员也要将结果办好，这些手续都完成了之后，才可以开立支票付款。此时，如果认为有必要，还可以要求出纳于付款之前查对。这时，总共要经过四道关卡，都确认无误之后才可付款，其管制功能比盖章还有效。有了这些管制，就可以确保不出差错，又何必为了支票盖章，让经办人员上上下下跑来跑去呢？"

在王永庆的一番仔细分析之后，那位会计处长立即同意把支票放在出纳那里，这就使出纳免去了许多奔波的劳累。不仅如此，台塑即使是在种菜方面也不忘要求合理化。

早在1981年规划兴建某大楼时，台塑总管处就已经在顶楼设计了菜圃，其主要作用是美化环境，还可以收到抵御夏日强烈阳光的作用。设计总面积大概有300多坪，极有可能是台北市最高而且最大的空中菜圃。修建这个菜圃大概需要新台币10000元，跟台塑的其他投资相比，这点款项简直不值一提，然而台塑总管理处的大楼管理处还是认认真真地写了计划，其一丝不苟的程度可以与别的投资计划媲美，他们前前后后的报告加起来整整有 4 个。在报告中，管理处详细说明了种植费用、种植专案、需要的人工设备、成本核算、种植面积与效益评估等，还在末尾附上了种植位置图及试种时所拍的彩色照片。同时，报告中还有各种花费的明细、适宜物种的选择，以及同样面积的地块的租金价格等。

为了解决菜圃的灌溉用水，管理处还增设了自动喷水机；为降低成本，用水采取地下水。王永庆接到报告后，仔细看了一番，立即做了批示。

菜圃的经营是成功的，能够月产蔬菜 1150 斤，这些蔬菜除以市价卖给员工餐厅和台塑招待所外，还把剩下的菜卖到了林口长庚医院以及泰山的南亚塑胶工厂。收入虽不多，却能锦上添花。虽然这个菜圃只是一个小得不能再小的计划，可是台塑做起来，仍然是认真对待，一丝不苟，它的成功经营充分体现了台塑的求本精神——点点滴滴追求合理化。

再从王永庆总是要求下属对别人给予的好意或帮助要写感谢信一事中，我们也可以看出台塑对求本的重视。长庚医院是台塑的下属企业，医院曾派人去日本东海大学医学院学习，而他们受到了该医学院的良好接待。王永庆找来了这些部门的负责人，向他们问道："我们医院院长有没有写信向他们表示感谢呢？这一点很重要，否则人家心里会想，这样太缺乏文明的水准，怎么能开设医院呢？"王永庆继续说道："我个人有很多国外来信都是自己回的，而且都是当天就要做完。前段时间，我到美国杜邦公司的发源地，回台湾以后，州长杜邦先生很快来了一封信，说我在他们那里时，他因为开会的关系，招待得不周，很抱歉。我看过信心里很不好意思，我没有及时写信向他们道谢，反而是他写信来道歉了，礼貌周到这方面我们是比人家差一点。另外，像南亚公司的日本顾问，她们来指导一段时间后，都会写信来，礼貌也好，要求、说明也好，都很周到的。对他们来讲，这些都已经是一种习惯，不必要想到才会做，大概比较进步、开化，比较文明的国家都是这样的。我们又是一个怎样的情形呢？大概写情书之类的信还会有一些本事。可是要通过书信来表达、处理正经的事情，恐怕程度就很差了，这一点我们必须深深地自我检讨。”

正是王永庆倡导的这种从大处着眼、小处着手的态度，凡事讲求改善的精神，使台塑人不断追求合理，不论再小再大的事都是认真细致、一丝不苟地去做，这才让台塑的下属创业不断突破与发展，并进而在事业上更上一层楼。

有压力才有动力

王永庆语录： *压力管理并不仅仅是管理层对下属施加压力进行管理，而是本身就要有一股压力感，只有在压力下，企业才会有长足的发展。*

艰苦的环境最能磨砺一个人的意志和能力，因为在这种环境之下，人最容易得到锻炼，也最能激发出潜能。王永庆从小生活在艰苦的环境中，正是这种独特经历，给了他许多对台塑的管理工作方面的启发。在台塑集团内部，不管是最基层的工作人员，还是高级的管理人员，王永庆总是会给他们创造一些压力，让他们明白这是一份具有挑战性的工作，从而激发出他们的潜能，使他们拥有强烈的责任感，这也是王永庆考察及选拔人才的一种方式。领导者不但要善于给自己的职工加压，在适当的时候还要推他们一把。

在台塑的管理模式中，“推”和“拉”是常常使用的方式，在这里，“推”演变成为有一定目标的逼迫式的压力管理。也就是在单位制度的管理下，在一定时间内完成既定指标。

1957 年，台塑公司一年仅仅生产 1200 吨 PVC 塑胶粉，却还因为无人购买而存放在仓库里。可是到今天，台塑的年生产规模已达到了 55 万吨的巨量，比过去增长了 500 倍，成为世界最大的 PVC 塑胶粉生产工厂。事实上，台塑拥有的客观环境对台塑的发展是极为不利的，因为台湾地区本身的天然资源极其缺乏，而本地市场又先天发育不良，如果不是在生存与淘汰的压力之下努力奋斗，不懈地进取，从困境中一步步走出来，台塑可能早就垮掉了，更不可能取得如今的辉煌成就。正是压力管理使台塑走向了繁荣和进步。对台塑艰难的发展史，王永庆非常感慨，他说："如果台湾地区不是地方如此狭窄，发展经济深受缺乏资源之苦，台塑企业不必这样辛苦地致力于谋求合理化经营，就能求得生存及发展的话，我们能否做到增加生产力呢？正因如此，所以企业要发展，就必须要让企业全体员工有压迫感。"压力能够产生紧迫感，使企业和员工不断进取，如果没有压力，一个企业必将走向衰败。因为不思进取，原地踏步，满足于现状，只会坐吃山空，而不能有所发展。世界是变化的，局势是变化的，任何人都不会因为你的停滞不前，而停下来等你，事实上，当你停滞不前的时候，别人发展了10年，就等于你倒退了20年。

因此，任何企业、任何人都要养成良好习惯，培养自己应付变局的能力。王永庆曾说："我觉得一个人太富、太安逸，便会养成懒散的习惯，所以不能放松自己。生活俭朴，吃苦耐劳，才能养成好习惯。贪图安逸，放荡无忌，最终将会堕落不堪，影响奋进的行程。"

可能很多企业家对此不以为然，他们觉得自己时刻都在努力进取，而且永远都会坚持不懈，但他们之中的一些人绝对是高估了自己对抗压力的能力。因为，创业难，守业更难，很多企业不是栽在了艰难的创业之路上，而是倒在了似乎情况还很不错的守业之时。

一般来说，企业家在创业初期，都会起早贪黑，没日没夜地工作，甚至到了废寝忘食的地步。可是一旦有了成就，他们往往就会在不知不觉中松懈下来，这时的企业就会表现出不进反退的态势。尤其是在企业的外部环境较好的情况下，更要特别提防这点，因为企业的成功如果是因为外部环境景气兴旺，那么一旦景气指数衰退，这个企业就会很快垮掉。这样的企业家也只能是一个没有学会应付变局、应付压力的失败企业家。

王永庆对压力的阐释还表现在另一方面，那就是对台塑的高级主管的压力。他认为，作为台塑的主管，必须担负沉重的工作压力，没有健康的体魄，是很难胜任这种工作的。为了提高台塑下属企业的经理、副经理、厂长、高级专员、特别助理等一级管理人员的体力与耐力，王永庆每年都要组织“台塑企业运动大会”，并亲自点名，率领主管们与外宾进行5000米的长跑比赛。事实上，这种比赛等同于对主管们进行了一次健康检查，因为没有足够健康的体魄，是不可能跑完5000米的。

为此，王永庆说了一句至理名言：“企业的发展必须依靠足够的体力与耐力。身体就是事业的本钱，身体垮了，还侈谈什么事业，简直就是一句空话。”在哈佛大学，曾经有个风传一时的故事，说是有位一向为学生爱戴的教务长，有一次问一个学生为何没把指定的作业做好。

学生回答说：“我觉得不大舒服。”

教务长说：“史密斯同学，我想。有一大你也许会发现，世界上大部分事，都是由觉得不太舒服的人做出来的。”

这个故事很短，但它却给台塑的压力管理做了一个最好的注解。因为对于企业来说，正是适当的压力造就了人才，也是适当的压力创造了效益。

建立午餐汇报制度

王永庆语录：*一个公司管理得好的话，有贡献的人，会有根据可以评判他好，他的业绩自然就好。怕的是公司对有贡献、有能力的人也无所谓，让没有能力的人坐享权力。*

午餐汇报制度是王永庆独创的管理制度，也是他的一流管理之道的具体体现。

为了追踪、考核台塑各有关事业单位，以了解命令贯彻的实际情况，并考验各单位主管与幕僚人员的能力，台塑总管理处总经理室定期安排午餐汇报，每一事业单位都有轮到的机会。

从1973年开始，通常只要是王永庆在台塑，他都会利用中午吃饭的时间，以便餐方式（便当或面食）轮流招待各事业单位的主管。这不但是追踪、考核以及能力的考验，也是行政主管与幕僚人员之间的重要沟通。

午餐汇报通常以各事业单位经营状况，或是遭遇的管理难题为主。其他诸如制度的建立、投资案或经营改善提案，也常在汇报中进行讨论。每次参加的人数约三四十人，时间约两小时。

轮到报告的单位，总管理处在一个月以前就会通知他们准备，随后拟定报告的主题和议程。报告单位事前都会经过多次演练与充分准备。

一旦用完便餐之后，即由事业单位主管提出报告。

现场气氛严肃，会中王永庆若听到有疑问之处，立刻将报表折角，待报告到一段落时，即以惯有的“追根究底”方式不断追问；若准备不充分，或对问题了解不够深入，就随时会被问倒。因此，在汇报中报告的单位无不战战兢兢，全力以赴。

面对王永庆的质问，报告者均承受着极大的压力，因为汇报表现的好坏，将直接影响他在台塑未来的发展。有人因为表现良好而平步青云；也有人因为表现不好而降职；甚至有人因表现太差，回到办公室时，发现办公桌已经不见了。

由于这种激烈的竞争与淘汰机制，有些人觉得，台塑比较没有一般中国公司的人情味。

对于这个问题，王永庆的看法是：“什么叫做人情？人情用在努力、有贡献的人身上是一种爱和鼓励。假如这个人不用功、不努力、没有贡献，你还怎么照顾他呢？淘汰就淘汰了，淘汰了他，让他有机会反省，这样才有救。中国式的人情在过去家族式的企业上表现得最明显，不管旁人能力如何，自己的亲戚总是最要紧。他们不讲理，只顾情。事实上，没有理，怎么有情？”

有人批评说，台塑中上阶层的人觉得没有安全感，而且相对的报偿也不多，甚至因为工作紧张、压力大而使很多人得了胃病。

对这项批评，王永庆回答说：“我不认为如此。台塑企业连长庚医院在内有三万多名员工，我天天能看到的又有几人？听说很多人有胃病，即使我看到的人统统得了胃病，也是极少数吧。这是夸大之词！”

“说到安全感，我想所谓没有安全感，不是我一个人的问题，也不是我的公司管理得不好，是社会风气造成的。一个公司管理得好的话，有贡献的人，会有根据可以评判他好，他的业绩自然就好。怕的是公司对有贡献、有能力的人也无所谓，让没有能力的人坐享权力。”

“现在我关心的是，‘没有安全感’的声音从哪里来？是不是有贡献的人说：‘我没有希望，我这样努力，公司都不晓得。’假如是这样，管理上就出问题了。”

“社会的风气带动不良的习惯，也有很大的影响，很多人的思想已经发生偏差。其次公司的管理要合理。一个企业人，最要紧的就是判断，评判正确就成功，评判错误就完蛋。对人要公平、合理。假如一个企业家还不晓得内部的人没有安全感，自己也就完了。”

“衡量人事管理强不强、公道不公道，要由管理上求得鼓励、评判，不能把好的抹杀掉。换句话说，‘没有安全感’若是司空见惯的声音的话，这家公司就危险了。”

南亚塑胶第四事业部树林厂前厂长吴渊泽，因职务的关系经常参加午餐汇报，对于外传有些干部因压力大、长期紧张而得胃病的事，他这样说：“参加午餐汇报是一种荣誉，将自己所管辖单位的改善成果提出报告，并接受检讨分析，也是一种自我评价与挑战。纵使有心理压力，也是短暂的。”

不管怎么说，台塑集团企业许多管理上的难题，经由这一令主管提心吊胆的午餐汇报都可迎刃而解；各种经营改善提案也点点滴滴积少成多，由小而大，成为了台塑追求合理化的主要推动力量。

第九章

王永庆的客户至上之道

客户就是上帝。没有客户就是没有市场，没有客户的市场需要就没有企业存在的价值，只有不断地了解和满足客户的需求，给客户提供合适的产品和服务，才能让企业得以长久存在和持续发展。王永庆一直奉“客户至上”为宗旨，高度重视客户管理，提出兼顾顾客利益和疏解客户困难的主张，要求业务人员千方百计满足客户的需求，达到企业和客户的双赢，这是他之所以百战不殆的杀手锏。

不掌握客户就没有市场

王永庆语录：*什么是市场？客户就是市场嘛！不掌握客户，就没有市场。*

1986年3月，管理大师彼得·洛伦奇和王永庆在台湾展开了一场经营管理的对话。

洛伦奇对王永庆说："欧美有许多公司犯了一项大错误，就是太注重所谓市场，却忽略了要先了解客户。因为了解客户的需求，才会使公司寻求出更正确的业务推进方法。"

王永庆同意道："什么是市场？客户就是市场嘛！不掌握客户，就没有市场。"

"客户至上"是王永庆的一直坚持的宗旨。商家常说"顾客是王"、"客户永远是对的"，为什么客户一定至上呢？王永庆以付钱和收钱的比喻来说明了这个道理，他指出，付钱的（指客户）一定是拿着钱在上面，收钱的（指卖者）一定是伸手在底下接，手在底下接是表示礼貌；绝对没有倒过来的，倒过来就拿不起来了。

基于"客户至上"的理念，王永庆提出了两大主张。

1. 兼顾顾客利益

王永庆指出，对于原料的供应者而言，只求一己之片面利益，而不顾及客户经营的需要，绝对无法追求到真正的最大利益。台塑企业在经营理念上一向坚信，唯有能够妥善兼顾顾客利益，自己才能从中求得最大的利益。

王永庆说："中国人的祖先说过，众人皆知'取'之谓'取'，但大多不知'与'之谓'取'。经营企业如果只做单向思考，一味要从客户方面求'取'自己的利益，实际将无法'取'得最大的利益。唯有懂得适度给'与'顾客利益，帮助他顺利发展，使彼此的业务都能持续扩充，循此途径才能真正‘取’得自己的最大利益。”

2. 解决客户困难

1986年前后，新台币大幅升值，对下游加工客户的产品外销造成严重困境，台塑企业为了疏解客户困难，在供应原料价格上主动吸收升值的汇率差。

王永庆说：“采取此一措施以后，在数年之间，我们总共减损了大约新台币100亿左右的净利。这对台塑而言，负担确实非常沉重，但是为了协助客户摆脱困境，我们毅然而为，结果对于客户的助益极大，也稳住了整体业界（包括台塑企业本身在内）的经营根基。”

由于客户能够生存发展下去，卖方企业才有发展的余地，买卖双方的关系唇齿相依。关心自己企业的发展前途，一定也要关心客户的发展前途；反过来说，关心客户的发展前途，也等于是关心自己企业的发展前途。

王永庆经常勉励业务人员要了解“客户至上”的道理。他说：“台湾有一句俗话：‘卖也要吃，买也要吃’，买卖双方都是要追求最高的利益。业务人员必须要了解‘客户至上’的大道理，他受雇于公司，本来要百分之百站在公司的立场，一心一意为公司谋求利益，现在要做公司和客户的桥梁，是否要各分百分之五十呢？不是这样，既然‘卖也要吃，买也要吃’，业务人员就应站在中间做桥梁，要为两方各追求百分之百的利益才对。”举凡民生所需的各种产品都通过业务人员，才能顺利地把产品从生产者转送到消费者手中。所以，业务人员是公司和客户之间的桥梁，一定要站在两者的中间，使买卖双方都居于平等的地位。

为了让业务人员能满足客户的需求，王永庆提出了四个必要条件，缺一不可。

1. 价钱要公道，为了配合客户的需要，甚至要压低价格

王永庆表示，在自由竞争市场，商品价格完全由市场的供需来调节。如果没有办法竞争的原因是售价偏高，业务人员一方面要向公司报告，另一方面则要设法稳住客户，促使他暂时不向别处交易。同时，吁请公司答应降价求售。而公司为求产销平衡，一方面答应降价，另一方面为了保全一定的利润，必须全面研讨降低成本的可行性。

2. 品质要符合水准，而且确保稳定

王永庆指出，价廉而物不美的产品，在市场上一定会慢慢遭到淘汰。大体说来，品质的优劣，根本上涉及科技及工业水准，业务人员可将产品的变化进步情况，随时反映给公司，使其认识时代的进步并追求改善；此外，针对现状，当客户发觉产品有异常时，业务人员应该迅速谋求合理解决。

3. 交货期要准确

王永庆认为，台塑企业大多供应加工客户，如果交货拖延，或者客户需要使用多种原辅料，而其中一种原辅料没有按时交货，就会造成客户断料停工的重大困扰和损失，因此，有责任感的业务人员一定会想办法来防止类似情况的发生。

4. 服务必须周到

王永庆指出，业务人员基于站在公司和客户之间担任桥梁的角色，必须去了解客户有多少的设备；制造什么产品；依照客户的设备产能，每个月合理的原料用量应该是多少；他的产品品质以及成本、售价情形又如何等情况。了解这些以后，公司就会知道应该在哪些方面加强对客户的服务，或者是再争取交易数量。

总之，王永庆秉持“客户至上”的经营理念，他认为必须要符合这两大主张与四个要件才能达到“客户至上”的目标。

高度重视客户管理

王永庆语录：只有我们的顾客自上而下地发展下去，我们的企业才有发展的余地。客户和我们可说是牙齿与牙床的关系。如果关心自己企业的前景，就应该也关心顾客的发展。

客户是企业的命脉，因此要让企业做到最好，首先就要对客户做到极致。很多公司都制定了许多规章制度、员工手册来确保对客户服务做到最好，但他们却往往忽略了制定规章本身的精髓——对制度的量化。

很多公司都提出了“微笑服务”的口号，但究竟怎样才算“微笑服务”却很少有人作出规定。而优秀与一般的区别就在于，想到他人没想到的，做他人还没做的。

台塑塑料的 PVC 粉，南亚的硫化橡胶、绝缘胶布，台化的尼龙、人造丝棉纱等产品，几乎全部都是向老客户供货。台塑经过 50 年的努力，建立了较为完备的销售体系没必要像农民一样，直接把丰收的蔬菜拿到市场上去卖，也不用像小商贩一样各处找买家，但是要维持这些老客户也不是一件容易的事，这就需要做到极致的管理。

台塑早在十几年前就开始制作“客户数据卡片”了。王永庆认为，凡事都应该从基础作起，应该做到精细和极致，因此他要求台塑的所有员工记录下每一位客户的详细数据。这样从资料卡中就可以很快了解客户所需的产品、设备，以及客户的生产能力。有了这些资料就可以掌握客户使用原料多少，使用时间的长短，就可以及时调整工厂的生产计划。其次，客户数据卡还包括客户的基本数据，诸如公司组成、公司位置、公司业绩，等等。

客户数据卡是客户管理的有效方法。有了数据，还可以在销售人员和销售管理人员之间形成有效的对话。例如，如果出现没有竞争优势的产品价格，销售人员就可能出现不知道该怎样应对的情况。但管理人员如果能掌握客户数据，就可以制定正确的政策；如果管理人员手上没有任何客户数据，在遇到难题的时候，就很容易做出错误的判断，并导致企业亏损。因此收集数据非常重要。

收集客户数据不仅可以及时掌握客户动态，处理紧急问题，更重要的还在于，它可以帮助企业参考整个市场状况和行业水平。收集资料对公司的全局经营至关重要。王永庆说：“只要掌握了客户的往来情况，就可以看到整个台湾有多少家企业正和我们的客户从事相同的买卖。是 20 家还是 60 家，这些数据非常重要。”只有掌握了客户的实际资料，才能让自己的经营更加长久。

此外，台塑为了加强客户管理，还实行了追踪客户的客户制度。

台塑每年的下半年，在深入调查客户的每月动态，并掌握客户的基本情况（如资金、设备）等资料后，便开始设计下一年度的经营目标。由于台塑能够确实掌握客户需求量的变化状况，因此，其所设定的经营目标均极恰当。

管理大师洛伦奇对台塑的这种做法很称赞，他说："台塑这种做法非常好，非常有效果，很少有公司能这样做。"

洛伦奇建议台塑进一步深入追踪客户的客户，以便及早知道他们的需求变化。他以美国通用汽车公司为例说："例如，卖原料给通用汽车的公司，如果能及早知道通用汽车要由生产大车转为生产小车的策略，那么可以及早跟随它政策的变化做变化。"

洛伦奇又举另一个实例说："因帆船采用聚丙烯板，所以游乐帆船产业的变化，也会影响台塑的业务，因此，帆船产业的变化也要密切注意，这就是追踪客户的客户的道理。"

王永庆欣然接受了洛伦奇的建议。于是台塑把追踪客户的客户列入了客户管理的内容。

买卖双方都应有利可图

王永庆语录：*只有客户的利益和权益得到充分的保障，才会愿意和我们公司来往。*

王永庆认为，一个企业要生存就需要产品销路的畅通。销售人员的任务就是克服激烈的竞争，向大众推销自己的产品，产品的市场越大，公司的盈利也就越多。在当今市场化的时代，竞争无处不在，可是一定不能盲目竞争，不能恶意中伤打击你的对手。就像在奥运会比赛一样，尽管比赛一定存在着竞争，会分出胜负，但每位运动员在比赛之前都要握手，然后再进行比赛。王永庆说："老实说，我在竞争中失败后，从来都没有抱怨或中伤过同行业的人。输了，再努力就是了，没什么了不起的。”好的商业伙伴难找，好的竞争对手也难寻。一个好的对手，说不定是你一生的财富。

除了卖家之间要合理竞争之外，买卖双方也要利益均沾。台湾有一句俗话：“买卖双方都应该有利可圈。”特别是针对原料供应者来说，只求一己私利而不顾及客户的经营需要，是无法达到利益最大化的。台塑坚信，只有兼顾顾客利益，才能使自己的利益最大化。经营者如果只作单向思考，只求“取”，不知“给”，过分计较一些蝇头小利，总想着自己赚少了，别人赚多了，既不想让上游厂家赚钱，又不想让下游客户得利，那么有谁愿意拱手把钱装进你的口袋呢？

台塑和下游厂商的关系一直很好，他们一直本着共同繁荣的原则互惠互利。1980 年，受到油价的困扰和地方保护主义的影响，国际经济动荡不安，PVC 的原料价格从 1 月就开始涨价。但台塑顾及到下游众多工厂的利益，维持 PVC 原料的价格不变，自动吸收涨幅，承担负荷。这样的举动让台塑一个月盈利减少了 6000 多万。但是，正因为如此，下游工厂也很仁厚地对待台塑。

1984 年，王永庆在北美华人学术会上说：“台塑能有现在的长足进步，除了全体台塑同仁齐心协力的努力之外，还有赖台塑下游的 1500 家工厂的大力支持。如果没有这些下游工厂，就没有台湾石化发展的今天……”

所以要让公司有所发展，首要就必须保证客户的利益和权益。怎样才能保证客户的利益呢？王永庆认为：

①产品价格应该合理、公道。在竞争的时候应该考虑到顾客的需要，甚至降低价格出售。

②产品的质量是根本，应该达到优质的标准，并且安全可靠。

③要遵照合约，按时交货，做好售后的服务。

以上三点是获得客户的基本条件，缺一不可。

公司和客户之间只要形成了互惠互利的关系，公司就可以得到长足的发展了。王永庆说：“其实，要达到双赢并不难，没必要把问题想得太复杂，从最简单的事情开始做就好了。只要做到极致，尽我们所能前进，就能将所有的事情做好。听起来这种说法是微不足道的，但是所有的经营者都不该忘了这个道理。如果能认真地实践这个道理，那么就可以取得大成就。”

学习小贩的生意之道

王永庆语录： *为什么那些风雨无阻、沿街叫卖的小贩不觉得客人粗鲁、不礼貌？仍然以温柔的声音做他的生意呢？因为沿街叫卖了半天，好不容易才有人来光顾，当然要高兴了。这是做生意的道理。*

为做企业的营销，王永庆曾经勉励台塑的干部们，要多多学习小贩沿街叫卖的生意之道。

他说：“半夜三更听见卖鱼丸汤、肉丸、粽子的小贩，从很远很远的地方一路叫卖过来，及至由附近经过，又跑到很远很远的地方去，仍然可以听见他嘹亮的叫卖声。很少听见有人光顾，可是这些小贩还是一样沿街叫卖过去，不辞辛苦，没有劳怨。”

“试想如果客户对我们的营销人员粗声粗气地说：‘你马上来！’我们总会觉得他太没有礼貌，而在心里觉得不高兴；可是卖粽子的小贩绝不会有这些感觉，如果有人很粗鲁地喊叫：‘烧肉粽，来！’或‘鱼丸汤，来！’他仍然会很快地回答：‘我马上来！’或说：‘来了！来了！’声音非常柔和可爱。”

“为什么那些风雨无阻、沿街叫卖的小贩不觉得客人粗鲁、不礼貌？仍然以温柔的声音做他的生意呢？因为沿街叫卖了半天，好不容易才有人来光顾，当然要高兴了。这就是做生意的道理。”

“我们的营销人员如果有这份认识，他的推销工作不知要愉快多少倍！每个人做事如果都能有这份心怀，他的工作不知会何等的成功！我们如果能够从这些小地方来比较一下自己的处境，我们就会一方面满足既有，一方面激励自己更进步。”

王永庆更以台湾与美国两地推销塑胶产品的过程，来说明在美国争取客户的困难。

台塑关系企业目前的产品，以台塑的塑胶粉、南亚的胶皮与胶布、台化的嫘萦棉与耐隆纤维来说，大部分都是要经过下游加工后外销。台塑关系企业的主要客户是加工厂，这些加工厂为了确保原料的来源，都主动向台塑接洽采购，而不是台塑的营销人员向各家工厂推销。

针对这种情形，王永庆认为台湾的业务工作就好像在天堂一样的舒服。他在美国跟营销人员去拜访客户，事先要和客户约定时间，征得对方的同意；有时候对方根本不答应，认为不可能和他们做生意，彼此不需要浪费时间；有些因为知道他们在台湾有个相当规模的企业，所以还算客气，愿意和他们谈谈。

王永庆说：“我拜访过的客户当中，大概十家有八家以上都讲得很清楚，他们长久以来都和原料供应商合作得很好，价钱公道，品质也不错，交货也顺利；而台塑、南亚来推销东西，你们的品质如何呢？如何确保交货期？现在虽然你们的价格便宜一些，可是你们总不可能继续这样优待下去啊，这些因素都不能不考虑，所以我们不想更换供应商。”

台塑在美国投资生产的塑胶产品，就是在这种推销十家、遭八家拒绝的艰难情况下，一步一步打开了市场。

让消费者承认你

王永庆语录：卖冰淇淋应该在冬天开业。冬天，顾客少，必须全心全意倾尽全力去推销；并且要严格控制成本，加强服务，使人家乐意来买；这样一点一滴建立基础，等夏天来临，发展的机会到了，力量便一下子壮大起来。

王永庆认为，天下没有容易做的生意，做生意要多开动脑筋，要想尽一切办法让消费者来承认你。

面对推销所遭遇的困难，王永庆既不气馁，也不担忧。他认为企业如果一开始就困难重重，当难关撑过去了，抵抗力因而养成了，就一定会成功的；一开始就赚钱的企业是很危险的，徒然养成老大自恃的习气，也种下了垮掉的种子。

王永庆说："天下事情，有没有实力，是最实实在在的事。怎样和人家竞争呢？就是你做的东西能不能更便宜、更好，最后是消费者承不承认你的问题。"

王永庆还举养鸡为例，教导部属做生意要多动脑筋。

台湾岛内民众饲养的鸡可分为肉鸡与土鸡。王永庆指出，由于工业化时代的来临，目前养鸡大多采用大规模生产，并以合成饲料喂养，不但成长迅速，而且成本低廉，称之为肉鸡，可是这种肉鸡味道不佳，因此卖价不高；另一种称为土鸡的，是在乡下养的，农村以各种谷类为饲料，肉味佳，肉质美，卖价为肉鸡的两倍。

他表示，肉牛在屠宰之前的一段时间，为了使其肉质、肉味变得更好，都会变换较营养的饲料，这么一来，就可卖出较高的价钱，这是肉牛的肥育。如果肉鸡也施以肥育的方法，不也可以取得同样的效果吗？

他进一步说明，雏鸡在开始饲养时，先使用合成饲料，养育三个月，大约就有六七斤。这个时候，开始采用肥育方式改喂下级糙米，实行一个半月后，公的有十斤左右，母的有六七斤。其肉质、肉味均已变得有土鸡的风味，而兼有肉鸡的细嫩，比土鸡更好吃，价钱当然也可以卖得比土鸡更高。

王永庆笑着说："这个道理就是经营。"

第十章

王永庆的精明用人之道

人才永远是事业发展的最大资本，用好人才则是事业成功的最佳保证。谁拥有人才，谁就会成为强者。谁用好了人才，谁的事业就会蒸蒸日上。王永庆是一个精明的用人高手，他善于挖掘人才，集聚人才，知人善用，人尽其才，针对不同的人，采用不同的方法，将人才的积极性充分地激发出来，为其事业的发展提供了源源不断的强大动力。

善于从内部寻找人才

王永庆语录：*寻找人才非常困难的，最主要的是，自己企业内部的管理工作，先要做好；管理上了轨道，大家懂得做事，高层管理者有了知人之明，有了伯乐，人才自然就被发掘出来了。自己企业内部的制度先行健全起来，是一条最好的选拔人才之道。*

人才关系着企业的兴衰。大多数企业都争相从企业外招揽人才，但也有部分成功的企业家另辟蹊径，首先注重从企业内部寻找人才、使用人才。

王永庆从白手创业到主持台湾规模最大的企业，从贫无立锥之地到成为台湾大富豪，与他用人的独到之处有很大关系。他认为人才往往就在你的身边，因此，求才应首先从企业内部去寻找。

如今有相当一部分企业，虽然求才若渴，可是由于企业内部基本的管理工作没做好，身边有很多人才而不自知，却在那里大叹求之难，由于管理未上轨道，根本不知道需要什么样的人才，而盲目到处寻找人才。对此，王永庆分析指出，企业家对自己企业内有无人才浑然不知，却又盲目向外找人才。纵使找到了人才又有何用？企业如果不能给予人才合适的安置，即使拥有再多人才也是枉然。身为企业家，应该知道哪一部门为何需要此种人才，例如，这个单位欠缺一个分析成本的会计人员，或是电脑的程序设计人员，究竟需要的是哪一种分析成本的会计人员？需要的是哪一类别的电脑专家？困难在哪里？从哪里寻找？如果这些都弄不清楚，如何去找人才呢？如果自己不了解，又怎么去判断何人适合哪一项工作呢？应该说，遇到这种情况，先确定工作职位的性质与条件，再决定何种类型的人来担任最合适，然后再寻求担任此职位的人才。

王永庆说："就像你苦苦地研究一样东西到了紧要阶段，参观人家的制造，就会触类旁通。如果不经过苦苦的追求研究，参观人家的制造，仍然一无所得。要自己经过分析，知道追求的目的，才知道找怎样的人才，否则空言找人才，不是找不到，就是找到了也不懂得用。还有，人才找到了，因为自己的无知，三言两语便认为不行的，也多的是；或者因为本身制度的不健全，好好的人才来了，不久就失望而去。”基于这个道理，台塑集团每当人员缺少时，并不是立即对外招聘，而是先看看本企业内部的其他部门有没有合适的人员可以调任。这种内部的甄选有两大优点：一方面可以改善人员闲置与人力不足的状况；另一方面则因内部人员熟悉环境，培训费用可以节省下来。

人们常说，培养人才成本最高，引进人才成本居中，内部寻找人才成本最低。由于内部人才活动空间稳定，不易流失，有投入成本小等自身优势，因此，把潜在人力资源转化为现实的人力资源优势，促使内部人才各显其能，不失为企业充分发挥人才作用的一道捷径。

把恰当的人放在恰当的位置

王永庆语录：*企业的成功大都由那些整日与你在一起工作的人决定，而不仅仅是企业家个人。我想，企业家的工作就是为企业挑选出正确的人，然后把他们放在正确的位置上。*

在创业的初期，挑选人才，选择好与你共同奋斗的人相当关键。因为那时创业者没有任何犯错误的机会，创业者的时间和精力都必须花在最正确的事情上。因此，不能因为人员管理的问题而增加管理者额外的负担。试想一下，当一个决策者需要花大量时间，并带着郁闷的心情去处理一些问题员工的时候，公司如何能生产出一流的产品呢？因此，一定要聘用最恰当的人，只有将最恰当的人放到了最恰当的位置上，才能减少很多不必要的麻烦，让管理者从琐碎的事务中抽出身来，好好带领整个团队。

管理者在招聘公司新人的时候，需要考虑他是否能适应公司的企业文化，是否能融入这个团队，需要了解他个人的价值观和公司的整体经营观是否一致。然后还要将他个人的能力和公司的要求进行对比，看他是否可以承担起这份责任。台塑有一套完整的人才聘用制度。台塑人力资源部专门成立了考评组，每组都会考评负责人是否都有良好的质量，质量好的员工是否得到了重用，各部门人力资源是否合理，等等。

企业的终极目标是追求利润。创造利润是和全体团队的努力密切相关的，所以在聘用人才的时候，很多公司都很注意学历和工作经验，想借此在许多应征者中寻找最优秀的人才。可是单凭学历或工作经验，既不能产生优秀的员工，更不会产生优秀的负责人。企业需要依靠业绩来评价个人能力，只有重视工作质量，合理的分配人员，用人得当，才能创造丰厚的业绩。

在东方社会中，家庭观念很重，自古就有“肥水不流外人田”的说法。因此许多企业都排挤外来人员，就连一些知名企业也不例外，除非这些外来员工加入他们的派系，才能拥有发展空间。这样的做法其实是企业发展的巨大绊脚石。如果把外来人员当做“自家人”看待，施行民主管理，让绩效说话，员工就会付出更多；而员工对企业付出越多，企业收益自然也就越大。

充分激发属下的潜能

王永庆语录：*激发全体人员的工作切身感，彼此密切配合，共同为追求更好的绩效努力。*

在一般情况下，人力、物力、财力是一个公司最重要的三项资源。但是在很多情况下，老板总是特别强调财力和物力，却忽视了人的重要性，也忽视了建立一套合理的激励机制来培养高效的可用人才的重要性。其实人才是所有因素中最重要的，因为具有优秀品质的产品都是优秀人才创造出来的。很多公司都面临着高离职率的问题，主要原因就在于公司没有建立起一套完整的激发员工潜能的机制。

王永庆说："我相信所有的员工都希望能做出好的成绩，生产出好的产品，梦想做到最好。既然这样，为什么不能发挥潜能呢？"台塑关系企业内部各单位和长庚医院的69部电梯，本来有专门的代理商负责维修。可是，由于很多代理商缺乏专业知识，维修工作的质量相当差，但台塑每年还必须缴纳20万美元的维修金。王永庆觉得这种情况非常不合理，应该加以改善。他决定自己维修69部电梯，于是他召集长庚医院里的一个7人小组负责。他将这个7人小组组成一个成本中心，每年付给他们20万美元的维修费，其中长庚医院抽取三成，因此小组一年的实际收入为14万美元，按七个人平分计算，每个人每年大概可以获得两万美元的额外收益。如果七个人完全以受雇的方式工作的话，每人一年的收入也就大概只有一万美元，而现在的收入增加了一倍，于是他们都尽心尽力地把工作做到最好。对公司来说，每年不仅可以省下一笔维修费，维修质量也得到了保证，真可以说是一举两得。

此外，长庚医院可以制造义齿的一共有10个人，但是每年他们的工作都效率低下，必须借助外包才能完成工作。王永庆也参考电梯的方式，设立了成本中心，然后把每年的量交给一个人完成。如此一来，不仅大大增加了劳动效率，也节省了大量的开支。

一个管理人员，应该善于利用一切可利用的手段来激发属下的潜能。一个组织和另一个组织的真正区别，就在于人员的不同。管理人员应该尽可能让员工产生"切身感"，把公司的事情当作自己的事来做。王永庆说："由于这些创造切身感所产生的效益，可以促使我们企业内部形成良好的竞争氛围。如果将每个生产工厂当成一个成本中心，让现在的厂长担任经营者的职责，课长担任经理人，以下各层干部依此类推，承担起他们应该负的责任，并让他们享受到经营绩效提升的成果，我想他们的潜能就能被激发出来。这样不仅对公司有利，对员工本身也是非常好的事。而最重要的是，透过这样的方式，员工和企业的潜能都发挥到极致。"

选出适任的接班人

王永庆语录：*选择接班人实际上是一件很重要而又很困难的事情。但话说回来，道理又很简单。一般来说，如果企业管理有合理化，事事明朗就能训练出可用的人才；在这些人才当中，自然可以选出适任的接班人。*

对一家企业来说，如果高层管理者突然变动，往往会使企业造成巨大的动荡。领导者的突然去职会让整个团队因群龙无首而人心涣散，接着会导致公司出现很多不必要的问题：企业业绩下降、股票市值下滑，甚至导致破产。因此，在这一切发生之前，企业就要做好人力资源的准备。国外很多著名企业都有一套完整的接班人计划，这个接班人计划并非是“临终遗嘱”式的“交接”，而是一套完整有序的计划。

1975 年 7 月，王永庆因肺病赴美接受手术治疗。这个消息传出之后，立即在股市引起了不小的风波。

台塑当日的股价大跌，很多人甚至怀疑王永庆是否能挺过这一关。还有的人认为，如果王永庆真的就这样倒下了，台塑王国可能就会土崩瓦解。因此，大家都非常关心台塑的接班人。人们都在猜测，王永庆会不会像一般的企业家那样，把事业传给儿子呢？然而，王永庆本人似乎对这个问题胸有成竹。

当有朋友问他：“你儿子已经毕业，可以帮你的忙了，可以接班了。”他说：“老实说，儿子是我的，我和一般的父亲一样疼爱他，也希望他能帮我分忧。但是经过考虑，他还在读书，刚毕业可能是满腹经纶，不过他的学问没有经过实作验证，对基层事务也还不了解。因此，一旦儿子进入公司，就得先从基层做起。如果一开始我就让他有一个好的环境，那么他吃苦的机会就会大减。人总是好逸恶劳的，得先让他认认真真地吃点苦头。”

在王永庆看来，父亲爱儿子是一回事，公司合理化的管理则是另一回事。有的企业家只看到公司表面上赚钱了，就忽视员工们贡献的宝贵力量，不顾员工每天的勤劳，而拔擢刚从学校毕业的儿子当经理，甚至总经理，这是错误的。企业的经营要追求合理化，追求高效率化，因此每一个部门都应该有它合适的人选，这就叫适才适所、专人专事。

在某种程度上来说，一个企业的管理者决定着企业的命运，是关乎企业生死存亡的关键人物。因此，在企业新陈代谢之前，就应该做好充分的准备，用合理的制度来规范人力资源管理。

差别待遇十分必要

王永庆语录： *公司每年都应该进行薪酬调整，差别待遇十分必要。*

在人力资源管理中有一个“三 P”原则。所谓的“三 P”是指三种工资形式，即职位（Position）工资、人员（Person）工资，以及制度（Performance）工资。这种薪酬制度能很好地帮助公司摆脱员工工资自动成长，但赏罚不明的状况。王永庆要求管理者要对部下有充分的了解。只有充分了解员工，并给他安排合适的工作之后，员工才能服从。也只有充分了解了员工之后才能做到赏罚分明，实施差别化待遇。

大部分人都有成功的欲望，都希望自己的劳动能转化成合理的待遇。但如果赏罚不分明，就会失去公正，自然也就会降低员工的劳动积极性。因此，实施差别待遇非常重要，那么，企业该如何实施差别化待遇呢？

一个公平的薪酬制度是评价人员的先决条件，工作表现和所得的报酬应该是成正比的，工资差异十分必要。在员工取得好业绩的时候，公司应该立即给予他合理的奖励。但只有在制度化之后，这项工作才能展开。如果只是凭个别主管的直觉去判断就会很不公平。在台塑，工厂工人的工资是按照生产产品数量来计算的，生产得越多，得到的工资也就越多。而基层管理人员为负责整个生产的基本流程，一般是按照周薪计算；一般的经理则负责个别项目，因此按月薪计算。而高级经理往往需要花几个月，甚至一年的时间才能谈成一个案子，所以他们的薪水是以年为单位来计算。

接下来就是确定具体的薪酬结构了。合理的薪酬结构应该具有市场竞争力，让员工觉得公平，因此需要在固定工资和可变工资之间找到一个平衡点，使之既能稳定员工情绪，又可以刺激他们的劳动积极性。在台塑，员工的工资分为固定工资和绩效工资两部分。其中绩效工资占到工资总额的70%以上，而这就大大激发了员工的潜能。以1971年为例，台塑不仅每年付给员工相当于20个月以上的工资，还注明员工可以拿到奖金的项目。以1971年看，年终的绩效奖金就高达37000万新台币。

最后，就是建立合理的考评制度了。为了让从业人员报酬的发放更合理，台塑员工的业绩考评是由人力资源部专门的考评小组负责。这个小组是一个独立的部门，不受制于任何一个部门和分公司，而由总经理直接管理，这样就能保证考评工作的客观公正性。而且考评小组采取的个人工作绩效评核是以日为单位，然后累积为月，以作为核发每月薪资或绩效奖金的依据，并将月累积为年，作为年度考绩的基准。

考评小组每完成一次月考评、季考评之后，都会直接上呈总经理，最后再按照制度实施奖励或惩罚。在实行金钱鼓励的同时，台塑还会根据员工工作的具体表现提供各种福利，如员工住宅、膳食补贴、购物券、信用磁卡，等等。

只有实施差别待遇，公司各部门的员工才能发挥出巨大的潜力。企业应该给全体员工提供合理竞争与发挥能力的机会，如果不这样做，就可能既埋没人才又失去了效率。

该裁员时一定不能手软

王永庆语录：*如果我只考虑人情，让现状继续下去，那么最后的结果就是，工厂无法经营而只能关闭。到时候，所有的员工都要失业。*

裁员，是一个企业领导者不得不面对，但又最不愿意面对的话题。长期以来，不论在什么时候谈论裁员问题，企业领导者都会感到烦恼；员工们听到裁员也是一个个神经紧绷。但是对大多数企业来说，为了企业的发展，又不得不裁员。那么如果你掌握了这样的“生杀大权”，该怎样让企业尽可能安然地度过这个危机时刻呢?

美国通用中学公司的总经理说：“任何人，如果他‘很乐意裁员’，那么他就没有资格做企业的领导。反之，如果他‘不敢裁员’，他也不够格做一个企业领导人。”

企业裁员一般有以下几种情况：首先，由于市场竞争和经营不善，导致企业长期处于困难境地，企业面临生存的危机，只能被迫采取裁员的方式来改变现状。其次，由于企业改革，结构调整，原来很多部门现在都进行重组，于是产生了很多冗员，而裁员可以提高人力资源的利用率。最后一种就是根据员工的业绩进行裁员，淘汰掉不适合企业发展的人员。

在王永庆看来，企业在该裁员的时候一定不能手软。当他接管 BatonRouge 以及 Delaware 两家工厂之后，就开始大规模的裁员。当时有记者问他：“您觉得这样大规模的裁员，是否考虑到那些被裁掉的工人会面临极大的生活困境呢?”王永庆回答说：“如果我只考虑人情，让现在亏损的状况持续下去，那结果是工厂无法经营，最后只能关闭。到时候，所有的员工都要失业。这是一种妇人之仁的做法，对公司没有任何好处不说，对员工也没有什么好处。”

王永庆也不是没有替员工着想，但是无论如何都要顾全大局。那些被裁掉的员工在短时间可能会遇到问题，但是从长远来看，企业这样做绝对是件好事。

合理的裁员可以让员工更加珍惜现在的工作。企业用人也要从过去的单纯追求学历、职称，向追求能力、实力的方向。只有建立了合理的制度，公司才能高效运转。

企业裁员也一定要制定详细的计划，一旦有裁员的想法就要实时的将真实情况告诉员工，请他们体谅公司所面临的困境。在整个过程中也要做到信息公开透明，执行的时候更要秉持公平、公正的态度。另外，为了避免因裁员引起的劳资纠纷，企业在裁员时应按照劳委会的各项法规，给予被裁员工一定的经济补偿，尽量减少以后不必要的麻烦。最后，针对留在公司的员工，领导者需要做好沟通工作，让他们尽快走出裁员的阴霾，提高士气，重建高战斗力的团队。

做一个领导艺术的高手

王永庆语录：身为一个管理人员，不仅要明了部属的想法，对于世间的一切事物及人与人之间的相处之道，也应有更深入的了解。宽严务求得宜，才可以带动自己的部属。

办企业不是做过路生意，不能只赚到一笔钱就心满意足。企业要有健全的管理制度，也要有适当的人才来继续营运。作为一个成功的企业家，王永庆对管理有着自己独到的见解。他认为对组织的协调，就是要将企业内所有的员工努力拧成一股绳，并指导他们朝着企业的目标共同奋斗。善于协调各方面的关系，是领导艺术的一个重要方面，也是作为领导者的一个重要任务。现代的管理理论，建立在系统论的基础之上，对任何物件的管理，需达到整体优化的目的。台塑的许多规章制度也体现着这方面的含义，对生产过程中每一件产品的产出都制定了严格的要求，既准确又可行，同时也使管理工作更有主动权。

不过，管理的重心始终是“人”，这同时表明许多东西并不能采取简单的定量或定性的方法，而是需要企业的领导者运用领导艺术和哲学思想去处理。美国决策理论学家、诺贝尔奖得主A·西蒙认为，所有不能定量化、模式化、程度化，但又需要领导者及时处理的问题，都需要领导艺术。领导艺术被广泛运用于那些不能依靠固定的程式，不能依靠严格的定量，不能依靠可解的数学模型，而是需要依靠领导者的知识、经验、智慧、直觉力来处理的问题上，可是这样的问题又是非常非常多的。

王永庆认为，领导艺术由四个方面组成，即统筹的艺术、决断的艺术、用人的艺术与应变的艺术。如果一个领导者能将这四个方面结合起来，适时适当地加以运用，就可算得上是高明的领导者了。王永庆一直是一个驾驭领导艺术的高手。他知人善用，人尽其才，针对不同的人，采用不同的方法，将人们的积极性充分地激发了出来。台湾地区企业有一种较普遍的现象。就是员工的流动率很高，甚至严重影响到了企业的发展。有几次，王永庆同日本友人谈起企业员工高流动率的现象和这种现象对经营活动形成的阻碍时，日本人不以为然地说：“这可能是你们中国人的天性吧！在日本，这可不是什么问题。”但王永庆并不这样认为，他认为员工的流动与所谓“国民性”没有什么关系，而是环境使然。

在王永庆看来，造成台湾员工高流动率的原因有如下几个：

①辞职后可以马上找到待遇更优厚的工作。

②因为目前的工作不理想，缺乏兴趣，而且认为再做下去也不会有前途。

③因为人事方面的问题多，感到不满而离职。

④其他企业主动前来挖人，开出更为优厚的条件，吸引对自己有较大作用的人才。

日本企业的员工很少有中途离职的，一般人会“从一而终”地在一家企业终身服务。这其中的一个原因是日本企业在制度方面较为完善，各项管理也上了轨道，无论是管理者还是员工，彼此的信赖度较高。而且日本企业对待人才的态度也有所不同，他们认为真正有能力、懂得做事的人才大多是在企业内部成长起来的，唯有本企业内土生土长的人员才能从根本上保证企业的发展需要。他们一般认为，从别处挖来的人才不太可靠，所以也很少有从其他企业挖人的想法。一位日本企业的高级管理人员曾经对王永庆说过这样一席话："我今天的职位，是从操作员、管理员开始，一步步地升上来的，对生产管理及至营业活动我大致都应付得了。在日本，自己创业当老板十分不易，所以也很少有人有这种想法，而且除非企业倒闭，一般也很少有人中途跳槽。在日本语中，中途跳槽叫'中途突人'，会面临降级或是减薪，所以除非是不得已而为之，否则人们会认为跳槽是一种可耻的行为。"而在美国和德国，员工转业则是极为常见的情况，由于他们的企业管理制度比较完善，加之社会保障体系较好，所以员工换工作或自我创业并不是什么大事，而且还被当做是一种自我能力的体现。

王永庆认为，人才的流动并不是坏事，关键是管理者要能从中发现自身可能存在的问题。企业要将训练人才当成是一项重要的工作来做，而训练人才的关键在于主管的领导是否正确，懂不懂追求效率、分析改善。做主管的须及早醒悟，明白自己的职责，对部属的要求做到正确与高效率，设计一套科学的事务处理办法，提升部属对工作的兴趣，使其所做的工作符合要求。如此一来，部属有实绩表现，自然会产生兴趣，也能较为轻松愉快地接受工作。

王永庆指出，企业经营管理的内容是多方面且错综复杂的，例如，产品的品质能不能符合标准；售价能不能为顾客所接受；企业的竞争力究竟如何；营业人员对客户来往及事务处理是否有条不紊；售后服务能不能使客户满意；生产与销售是否配合较好；客户对于品质的抱怨，到底是什么原因导致，等等。所有这一切都需要人的力量去完成，因为一个企业兴衰成败的原因固然有很多，但追根究底，无非是"人"的问题。一个人的设身处世，做事待人，小则关系个人荣辱、家庭祸福，大则关系到企业、国家乃至民族的兴亡。孙中山先生曾说："人生以服务为目的。”的确，个人必须依靠他人才能生存，社会也只有各行各业密切配合，才能实现整体的繁荣。一个企业的领导者，只有具备超强的责任感，员工才会有向心力，公司的各种业务也才会进展较顺利。相反，如果企业在人才管理方面比较欠缺，无论过松或是过紧，都不能为员工提供一个公平的发展环境，当个人的能力无法充分地发挥出来时，整个机构的竞争力也将大受影响。如果领导管理过于松散，一味温和，则员工很容易被“惯坏”，变得言行随便，且不思进取；如果过于严格，则往往会导致部属心理畏缩，表面顺从而内心不满，缺乏主动性，不愿将自己的全部精力投入到工作中去。可见，“物极必反”的道理在管理中也是非常有用的。领导者要宽严得体，才能发挥出管理的艺术，收到事半功倍的效果。许多领导者喜欢对自己唯命是从、逢迎拍马的下属，而对那些持不同意见的人加以排斥。其实，聪明的领导者决不会只想着将自己的部属培养成唯命是从的傀儡，而是让他独立思考，自主地工作。

王永庆认为，企业要有完善的经验管理，必须要有“懂事”的人做领导。只有懂得追求需要、追求目的，并以最适当的手段去达成，才谓之管理。就好像人们买米，一次要买多少才算恰当？那些懂得持家的家庭主妇，即使收入不多，也能将全家人的生活安排得井井有条，因为她不但不会浪费一分一毛，而且会用最少的钱，买来最适用的东西。从内部造就人才，是王永庆管理思想中一贯的主张。其实，企业造就人才，也就是造就企业的利润与未来。

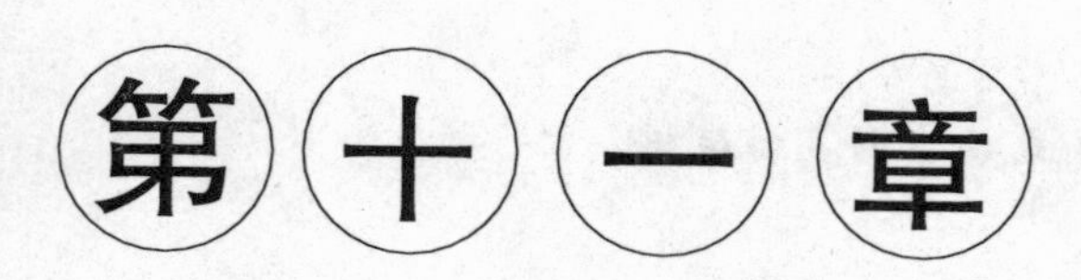

第十一章

王永庆的经营关系之妙

经营关系就是在经营成功。人生在世，没有谁单打独斗就能成就一番事业，都需要结交各种人际关系，以利用其中的资源，帮助自己抓住各种机会，战胜各种困难来壮大发展自身的力量。纵观王永庆的事业发展过程，他建立的人际关系起到了非常关键的作用。从早期踏入塑胶工业到后来台塑的发展过程中，他通过经营各种关系，使自己涉险不惊并勇渡难关，让自己的事业得以顺利的发展。

拥有良好的政商关系

王永庆语录：*人与人之间是相互回报的*。

良好的政商关系，会让企业家大大受益。

良好的政商关系，让王永庆如虎添翼，获得了更大的发展空间。

以王永庆目前所拥有的庞大家族产业而言，其在台湾地区有着举足轻重的地位，也成为政界人士从不敢忽视他们的原因所在。尽管这个家族中并没有人在政坛任职，但凭借其良好的政商关系，为其洞悉与把握台湾的经济发展趋势奠定了很好的基础。

王永庆本人没有在政界任过职，不过，他曾在1985年被聘为“经济革新委员会”产业组召集人，这也反映出台湾当局对其在经济管理方面的信任与器重。虽然从台塑创办之初，王永庆就得到了当局的大力支持，得到了许多官员的协助。不过，在台塑的发展过程中，在建立轻油裂解厂工程中，他也受到了来自政界的许多压力。因为当时的当局担心，一旦王永庆的事业做得太大，可能有一天会控制不住他。

在台湾，王永庆虽然并没有担任一官半职，可是他却可以随时见到那些高官，其关系之广，影响力之大是显而易见的。另外，王永庆与弟弟王永在在台湾商界的关系也是极为广泛的，台塑集团旗下的几十家企业，与许多家族大企业互相持股，从而形成了一个庞大的互相持股与投资的商业关系网络。

作为一个有世界影响力的大企业家，王永庆不仅在台湾地区有着重要的影响，而且还借助其国际知名度，与许多国家的领导人及商界名流建立了良好的关系。

王永庆几乎每到一地，都会得到有关国家领导人的会见。20世纪80年代初，当台塑打算在美国投资的消息一经传出，美国两个州的州长亲自出马争取这个专案。加拿大、印尼及菲律宾的领导人也通过各种途径争取王永庆到自己的国家投资设厂。1988 年，美国得克萨斯州还组织了一个高级代表团前往台北访问王永庆。

王永庆的弟弟王永在，一直也是王家庞大家族产业的重要人物，尽管他的威望与影响不及王永庆，但在建立与政界及商界的融洽关系方面十分有建树，成为了王永庆发展事业的坚强后盾。

在台湾地区，各大财团都拥有自己的高尔夫球场，因为这是建立良好的政商关系的重要场所，王氏家族当然也不能例外。王氏兄弟投资建立的长庚高尔夫球场是许多名流显要的聚会场所，每逢假日，那里往往贵宾如云，或交谈畅叙，或展开公关攻势，球场也因此声名远播。长庚高尔夫球场的会员证价码高居台湾第二，此外，还每年定期举办“会长杯”与“总经理杯”两项球赛，以加强联谊。

作为王氏家族的第二代企业家，王文洋一直是王永庆的得力助手。同时，王文洋还是台湾多家民间工商界联谊团体的成员，其在政界、商界都交往甚广。

虽然政治与经济是两种不同体制的东西，可是实际上却很难真正分开，尤其是那些事业做得很大的企业家，往往更需要政界的支援。王永庆深谙此道，他通过种种努力，运用灵活的手段建立了良好的政商关系，同时洞悉时局，把握时机，为事业的发展插上了翅膀。

人脉是一笔巨额隐性财富

王永庆语录：今天我帮他一把，明天他就会帮我一把。

世界上所有的富人的共同点是什么？著名的成功励志大师卡耐基的答案是：一本厚厚的名片夹。意思就是说，所有的百万富翁都拥有建立人脉的能力。

一个人想要有所成就，就必须非常重视人际关系，而创业初期的年轻人更应该重视这个问题。在你刚开始创业的时候，你可能没钱、没经验、没技术。这些都不要紧，只要你拥有一颗真诚的心，多结交朋友，掌握好人脉这个资源就够了，因为人脉可以帮你补足你缺少的东西。

王永庆从做生意开始就非常重视建立人脉。台湾光复后，当局大大加强对粮食等重要物资的监控，严禁私人越区运输粮食，王永庆因为违反禁令被捕入狱，被关了29天。这个经历令他终生难忘，但也正是这次牢狱之灾，让他放弃了米店经营。在朋友的支持下，王永庆开始做木材生意。

由于经营木材生意，王永庆经常往返台湾各大著名的林场，并与客户结下了深厚的友谊。在做木材生意时，他对客户的条件放得很宽，往往都是等到客户卖出木材之后再结账，而且从不需要客户做任何担保。不过从来没有一个客户拖欠和赖账，原因就在于王永庆不但了解每一个客户的为人，也理解他们做生意的难处。正因为有了这份信任，客户很快就跟王永庆建立起了深厚的友谊。

现在华夏海湾塑料有限公司董事长赵廷箴，当时从事建筑生意，建厂时需要大量资金周转，于是向王永庆表明了自己的困难。王永庆二话不说，立刻借给他十几根金条，还不收分文利息。两人由此结下了深厚的友谊。等赵廷箴营造厂成立之后，工程上所需要的木材全都向王永庆购买，成为了他最大的客户之一。

王永庆后来回忆这段往事的时候说道："人和人之间都是相互回报的。今天我帮他一把，明天他就会帮我一把，所以赵廷箴先生向我买木材。"正因为结识了木材界众多的"绿林好汉"，所以王永庆才能在木材业迅速崛起，站稳脚步。直到今天，木材业还是他的重要产业之一。由于光复后的台湾百废待兴，建筑业蓬勃发展，王永庆木材厂的生意非常兴隆。

如果你想要创业，却没有足够的资金作后盾，是不是就永远不能改变现状，一直穷困呢？答案是否定的。如果你建立了充足的人脉资源，有一群可以在你最需要帮助时，二话不说就伸出援助之手的朋友，你在不久的将来就会成功，因为人脉就是你的一笔巨额隐性财富。

积极寻求贵人相助

王永庆语录：不要等到一切准备好了再行动，要学会边行动边准备。

创业者都希望能得到贵人相助，那么哪些人才是你的贵人呢？其实你周围的每个人都有可能成为你的贵人，尤其是身边的朋友。他们在你创业的某个阶段，在你最需要帮助的时候，能给你最需要的东西。也许这个东西并不贵重，也许它仅仅只是一个微笑、一句鼓励、一个眼神，但却可以帮你渡过难关。那么贵人从何而来？在平时应该如何找到贵人、厚植人脉呢？这是每一个创业者都应该知道的事情。

其实，找到贵人并不需要刻意为之，只需要在人际交往中与他人坦诚相待，大方沟通就行了。对于第一次见面的人，千万不能置之不理，要想办法让路人成为朋友，让邂逅成为永恒。王永庆最初和台湾当局经济部门负责人尹仲容并不熟，但赵廷箴与尹仲容有不错的关系，所以在一次商务宴会上，赵廷箴将王永庆介绍给尹仲容认识。两人一见如故，相谈甚欢。

台塑建立之初，危机四伏。由于这是台湾第一次自主研发生产 PVC 塑料粉，因此谁也不敢保证产品的质量。而当时台湾当局又实行管制进口的政策，因此很多企业都大量向外国采购 PVC 塑料粉。所以在 1957 年 3 月至 12 月这段期间内，台塑的经营危机非常严重——这段时间生产的 PVC 塑料粉一吨也没卖出去。不仅销路出现了问题，工厂员工也整日怠工。当时台塑的处境真可谓是骑虎难下，四面楚歌，几乎已经面临破产了。面对这样的困境，王永庆挖空心思也没能想出解决的办法。这个时候，老朋友的力量发挥出来了。

尹仲容对时局看得非常清楚。他向王永庆建议：如果市场仅仅局限于台湾，那下场只有一个，死路一条。台塑现在的任务是，努力去争取海外市场，唯有扩大销路才能挽救现在的局面。

于是，王永庆就开始思考拓展海外市场。由于规模很小，当时每月100吨的产量在市场上根本没有任何竞争力，所以王永庆做出了一个大胆的决定：他一方面努力扩大规模，增加产量来降低生产成本；另一方面又积极联系其他合伙人筹资建立加工厂，为自己的产品找出路。这项措施在1958年的8月收到了成效。产量从每月100吨一下子增加到200多吨，生产成本得到了有效的控制。不过，这种月产量跟日本那时的月产量相比，还差了很多，所以在海外市场上仍然不具竞争力。因此，王永庆决定进行第二次扩建。

在当时台湾工业会第一处处长沈观泰的全力协助下，台塑在1960年顺利完成了1200吨的扩建。这次扩建之后，产量大增，生产成本大幅度下降。与此同时，王永庆还成立了一个加工公司——南亚塑料公司，帮助台塑销售PVC粉，于是将生产和销售做到了全面的结合。他在台塑年庆大会上感激地说：“回想当年，在外汇管制日益加强的时候，如果不是沈观泰先生支持我的扩建计划，台塑不知还要落后世界多少年。”

因此，创业的时候就必须多多留意身边的人，培植自己的贵人。贵人多了，就可以大大缩短成功的时间，就可以提供给你想象不到的资源，让你如虎添翼，在创业的道路上走得更顺。

靠诚信赢得人心

王永庆语录：生意场上就得一诺千金。

一个企业最长远的资本就是信誉，以诚相待是商场交际中最重要的筹码，也是创业者最应该具备的素养之一。大多数矛盾都可以用诚信的方法来解决。只要能以诚待人，赢得良好的声誉，获得他人的信任，就是获得了一大笔无形资产，会让企业和个人终身受益。

王永庆做生意时，十分讲究信用。台塑公司在 1973 年办理的现金增资案，就最能表现他的诚实守信。1973 年时，台塑为了扩大规模，再次办理现金增资。当时有很多人前来购买股票，台塑提出按增资股权乘以每股 244 元的价位办理。但是，不久就碰上石油危机，世界金融受到影响，台湾的股市也大幅下跌。到 1974 年初进行承销抽签时，台塑的股价已经跌到 238 元，比原来的价格少了 6 元，因此股市投资人个个人心惶惶，很多被套牢的股民都四处喊冤。

台塑公司马上召开股东大会，而那些被套牢的股民代表，要求王永庆补偿承销价和市场价的差额。王永庆当着众多股民的面宣布，在 6 月 30 日以前，如果增资股的市价没能超过 244 元的承销价，台塑公司就以 6 月 30 日的收盘价作为弥补承销价和市场价的基准。股市到最后依然大跌，6 月 30 日的收盘价仅为 202 元，很多股民也更加失望了。但王永庆此时仍按照约定，每股退回了 42 元来补偿差价。台塑这一次用来补偿差价的金额就达到 4000 万。

其实，如果那些股东真的去打官司，未必可以赢过台塑，但是王永庆还是本着信守承诺的原则补偿了他们。尽管这让台塑伤得很重，但是王永庆一诺千金的美名却远扬海外，至今还被很多投资人津津乐道。王永庆此举让股民对他本人和台塑都产生了莫大的信赖。金融危机过后，股市恢复正常，台塑的市值迅速上涨，还顺利完成了增资的任务。

曾经担任过台湾经济部门负责人的江丙坤，曾在许多场合公开表扬过王永庆诚实纳税的事情。他说：“台塑 1993 年的销售额为 12000 亿台币，纯利润大约有 1600 亿台币。台塑的 12 万股东得到了利益，拥有 9% 股权的王董事长也取得相应的收益，但是他缴纳的税金就高达1160 亿台币。”

一个企业无论经营状况多么让人惊喜，都离不开诚信，诚信才是企业的立身之本。一个有长远目标的企业家，首先就应该有诚信。

设身处地为他人着想

王永庆语录：*做生意时应该是合理的，应该为生意伙伴着想，而不应该只想到自己。*

在商业竞争中，我们常常会为了获取最大的利益，而只注意自己。其实这是一种愚蠢的行为，最好的方式应该是双赢。也就是说，不踩着对方的肩膀往上爬，也不会卑躬屈膝，而是双方都获得相应的利益。就好比吃一顿自助餐，人人都可以各取所需，这才是最好的合作。

王永庆向来认为，做生意时应该是合理的，不仅要为自己着想，还要为生意伙伴着想。在和对方谈判的时候，一定不能咄咄逼人，应该有一定的限度。只有了解对方，双方达成一种默契，才能获取最终的胜利。如果让对方认为台塑是一个既没能耐又不会做事的企业就麻烦了。在谈判桌上，如果某件产品价格为300美元，而对方开价250美元，你就应该降到280美元，而不是200美元。如果降到200美元的话，对方就会认为你对做生意一窍不通，根本就不懂如何谈判，你的价格喊得越荒谬，就越容易被人欺骗。

跟别人做生意时，还要兼顾对方的习惯，所以王永庆要求他的员工，在处理业务的时候要尽量使用对方国家的语言。如果有12个人坐在一起，即使其中只有一个外国人，那么在进行业务往来的时候也要尽量使用外文。这是一种礼貌的表现。王永庆曾说：中国人的头脑很好，但对做生意却不太在行，因为中国人做生意最不细心，不能实事求是，不能为他人考虑；那些非洲及东南亚等落后地区的国家，发出的信件和电报都比我们要强得多，而且他们会考虑到我们的习惯，用我们的语言进行商务贸易；这点我们恰恰做得不够好，我们常常习惯用自己的语言和别人沟通，这种做法在商务贸易中很不礼貌。

王永庆还注意到：美国、德国、意大利等欧洲国家在经营自己事业的时候都非常用心；只要我们这边一发电报，即使是20万的生意，他们也会派人前来；如果是我们到他们的工厂参观访问，他们一定会到机场迎接，而且带我们到宾馆后，就会对第二天陪同我们参观工厂等事项做详细的说明，不会像我们一样只是坐在一起喝酒、玩乐，以为这样才是礼遇；即使是喝酒，他们也和我们不同，他们知道自己能喝多少就喝多少，但我们却见不得对方的酒杯空着。

如果懂得尊重他人、照顾对方，合理地保护自己，那么大家就都会有发展。如果只为自己考虑，其结果可想而知。人与人相处就是这样，时时都要有一种“设身处地”为他人着想的心境去理解他人，才能获得朋友，赢得商机。

做人一定要善良

王永庆语录：做人一定要善良，只有善良，别人才愿意和你打交道。

美国当代著名的成功学大师金克拉说过：“如果财富丢了，你就只失去了一点；如果没了信誉，你就会失去更多；如果没有了爱，你将失去人生的全部。”优秀的管理者总是善于和属下员工沟通。他们不会随意责骂属下，而会以一种仁爱的方式善待他们。他们懂得如何说话才能收到最好的效果。人非圣贤，孰能无过？面对属下犯错就斤斤计较、小心眼的人不可能赢得他人信任。创业是一项团体的事业，只有那些能激发每个人的力量，集合所有人的优点和潜力的人，才能成为领袖人物。

王永庆是一个非常念旧的人，尽管他对属下的要求十分严格，但在关键时刻，他还是以仁爱为本。阿明是王永庆的老司机，跟着王永庆南来北往十几年了。随着年纪慢慢增加，阿明已经不再适合当司机了。王永庆念在阿明追随他多年的情分上，就安排他在台塑高雄工厂里当仓库管理员。这个工作既不需要花太多精力，也不需要什么技术，而且收入也不错，对阿明而言是再适合不过了。但阿明过于沉迷赌博，欠下了一屁股的债。为了还清债务，阿明不惜铤而走险，把仓库中的原料私自偷运出来，拿到市场变卖还债。到了年末仓库盘点的时候，主管才发现很多材料不知去向。阿明在事情败露之后，再也不敢去上班，而是整天过着东躲西藏的日子。

王永庆知道之后，马上派人到乡下找到阿明。阿明见到王永庆之后，惭愧地低下头，心想："这下全完了，王董事长素来严厉，这次肯定要坐牢了。"结果出乎阿明的意料，王永庆并没有报警，而是狠狠地骂了阿明一顿，让他记取教训不要赌博了。王永庆说："人总会做错事，这是无可厚非的，但只要发现做错了，就得马上更正，更正后还可以好好做人。我就是这样不断地要求自己。你一直跟着我，这么多年来吃了不少苦头，这次糊涂犯下大错，在经济上给公司造成这么大的损失。我想你自己心里也很内疚，所以我就不再说什么了，明天继续回到公司上班，把你的过错弥补起来。"阿明听了这番话后，当时就差点感动得跪下。从此以后，阿明心甘情愿地为王永庆努力工作。

在台北老家新店市的直潭，王永庆还特地在老宅子里整理出一块小花园，并在花园中盖了一座"报恩亭"，用来怀念祖先。他常常对公司员工说："做人一定要善良，只有善良，别人才愿意和你打交道。"

王永庆对基层员工也很爱护。一位曾经被王永庆召见过的职员回忆说："在我的想象中，王董事长是一个非常严格的人，整天都板着一张脸的大人物。想不到这次的接触却改变我多年来对他的印象。他其实是一个非常和蔼的上司，从不吝惜自己宝贵的时间与属下进行沟通。他会不厌其烦地跟你讲做事的原则和方法，尽管要求很严，但是他往往很爱护努力工作的员工。"

在经营公司的时候，老板和属下的沟通一定要讲究人性化。老板是人，员工也是人。老板千万不能滥用老板的权力，一定要讲究策略，得人心才能得天下。

第十二章

王永庆的吃苦耐劳之功

不经一番寒彻骨，哪得梅花扑鼻香。世上没有免费的午餐，没有付出就没有收获，要想获得比常人更多的成就，就必须付出比常人更多的汗水。王永庆拥有常人所没有的吃苦耐劳精神，他由此还提出了著名的“瘦鹅理论”，指出要想成功，就需要学习瘦鹅那样的忍耐力和面对困境时的坚毅态度，吃苦耐劳，这样方可渡过难关，踏上人生的坦途。

拥有瘦鹅一样的耐力

王永庆语录：人在失意的时候，千万不能倒下去，而是要像瘦鹅一样，努力锻炼自己的忍耐力，只要能坚持下来，终有一天会茁壮成长的。

王永庆出身贫寒，超出了一般人的想象。其父王长庚以教书为业，收入十分微薄，全家人耕作着几亩茶田，靠卖茶叶为生，尽管茶商可以成倍赚取大把大把的钞票，可是茶农却只能挣到仅供糊口之钱。所以，在王永庆贫寒的家里，除了两间尚可躲避风雨的茅草屋外，一贫如洗。

小小年纪的王永庆，不得不面对生存的艰难与困苦。他每天都会随母亲守候在运送木材或是煤炭的板车车旁，捡拾从车上掉下来的木材、煤块，换点小钱来补贴生活。就这样，他在板车旁度过了自己卑微的童年。

王长庚不希望儿子沿袭自己的生活，下决心把他送进学校，希望他学点文化，将来能改变王家的处境。不过，学校生活对7岁的王永庆来说一点儿也不轻松，他每天天未亮就要起床，拎着沉甸甸的水桶，一趟趟地从附近的水井取水，直到将家里的大水缸装满，然后再向十公里外的学校跑去；放学后还要去喂猪。恶劣的生活环境让王永庆无法安心读书，他的成绩也一直很差。

就在这一家人艰难度日的时候，更不幸的事情又降临到了他们的身上。王永庆9岁那年，操劳过度的父亲一下子重病不起，全家的生活重担都压在了母亲身上。王永庆不得不开始了半工半读的生活，一边上学，一边为别人放牛来帮助母亲维持一家的生计。王长庚眼看着自己不光不能干活，还要连累妻子儿女，竟然决定上吊自尽，幸好被家人及时发现了，才没有酿成更大的悲剧。但这件事在王永庆的心中留下了永生难忘的悲怆记忆。

不过，辛酸的童年生活，也给了王永庆另一种人生历练。他吃苦耐劳，早早就懂得了生活的不易，没有勉强自己一定要读书走仕途，而是希望自己能早一点学会谋生，自立自强。

1930 年，15 岁的王永庆放弃学业，只身来到嘉义的一家米店做工。一年后，他用父亲借来的 200 元钱，开了一间自己的小米店，当起了老板，这不能不说是他人生的一个大飞跃。王永庆身兼伙计与老板，为了让自己的米好销一些，他挨家挨户地去推销，尽可能地多卖一些。

各家米店的米从价格和质量上看，都没有太大的差别，王永庆为了能让自己的米店更受欢迎，决定从品质与服务上下工夫。他在售卖之前，会将米里的杂质认真地拣干净，使米的卖相更佳。此外，他还主动为顾客送货上门，而且到了顾客家，他会先将米缸里的旧米倒出来，再将新米倒入。他还会认真地记下顾客家里的人数，到了下一次需要买米的前两三天，便将米送上门去。

此外，王永庆还会记下顾客发薪的日子，有的人在月初领薪，有的人在月底领薪，王永庆都会一一记在心上，待顾客的领薪日过后两三天再去收账。透过这种细小处的用心，许多人都感到这个小老板不光卖的米好，而且服务也很周到，所以他们都成了米店的固定客户。王永庆的米店，生意也比以前好了许多。

正如当时人们所讲的一句俗语："粜米卖布，赚钱有数。"开米店不仅辛苦，利润也非常微薄。这种刻苦的经历让王永庆体会到，人只有通过自身的努力，才能改善处境，而且做生意时，一定得比别人想得多，想得周到，这样才能赢得顾客。

随着米店固定客户的增多，王永庆买来了碾米的设备，自己碾米自己卖。后来，他又租下了一家规模较大的碾米厂，把碾出来的米批发给别的米店。此时的王永庆，终于踏上了实业家的第一步。

在自己当了老板，生活条件有所改善之后，王永庆也没有改变幼年时代养成的勤劳、节俭的习惯。他甚至连洗个热水澡的钱都会省下来，他想，每天省三分钱，就等于多赚了三斗米的利润。

由于当时台湾处在日本人的占领之下，日本人对粮食的经营与采购采取高压政策，所以王永庆不得不结束了米店的生意。此时的王永庆手中已经小有资产，考虑到当时社会局势极不稳定，生意不好做，他便在家乡附近买了20多亩地。在当时那种极为动荡的时局下，将资金投入到土地上，对26岁的年轻人来说，实在是很不容易的。因为投资土地虽然稳妥，但回报速度很慢。不过这也显示了王永庆老到的投资眼光。

王永庆一直记得老一辈生意人的话：好不容易赚了点钱，如果只是吃吃喝喝，那么家产很快就会败光耗尽；如果将它用来买地，则不仅可保值，还能提升社会地位，而且在日后想有所发展时，还可作为信用的保证，向银行借贷。这也正应了中国人的一句老话，叫“有土斯有财”。

1942年，王永庆接管了一家砖瓦厂，不过很快便经营不下去了，只好关门歇业。但是王永庆并没有就此罢休，他仍然继续寻找着更好的机会。1943年，王永庆决心转向做木材生意，在经过了一段蒸蒸日上的时期后，由于受到山林滥伐及浪费无度的影响，整个木材行业也随着林源的枯竭而走向萧条，王永庆不得不面临又一次抉择。

年纪轻轻的王永庆，已经经历了人生的多次成功与失败的选择。这一点一滴的磨炼，让他的心智更趋成熟、稳健，也显示出了他非凡的韧性与生命力。在他的著作《生根·深耕》中，王永庆曾这样写道：

“当时在乡下各个家庭都饲养鸡、鸭、鹅，除了喂食粮食，也供以吃剩的食物。但是自从战争严重缺粮以来，连人都遭遇到饥饿困境，当然没有杂粮和剩余食物可以喂食，所以都是放出任其自寻食草等物果腹。看各个家庭所饲养的鹅大多骨瘦如柴，只是在苟延残喘而已，这种鹅价值不高，我就想，如果能找出饲料，养鹅的问题就可以解决。当时农村收取高丽菜以后都将菜根和粗叶弃留在田地，为了利用这些菜根和粗叶，我就雇工收回，另外向‘共精共贩’的统合碾米组织购买稻米的碎米死米，混合起来作为养鹅的饲料，同时收购各乡农户养得半死不活的瘦鹅，集中起来进行饲养。瘦鹅看到食物就拼命吞食，一直到喉咙也塞满食物为止，几个小时后喉咙囤积的食物消失了，就又大吃一顿，如此周而复始，没有间断。所以从开始不到二斤半的瘦鹅，经过饲养以后，每天都看得出来在长大长胖，三个月就变成肥壮的鹅，重量增加两三倍，从一般最多的六斤左右提高至七八斤，成果丰硕。”

“这些瘦鹅经过长时期的饥饿，如果生命力不强可能已经成为残废，即使再加以饲养恐怕也是成效有限，可是如果经过长时期挨饿仍然不残废，即可见其生命力相当强韧，加以饲养以后不但很快就能恢复正常的成长，甚至成长情形比一般的鹅还要良好。在日本殖民统治又遭遇战争的特殊情况下，作为台湾百姓不能完全伸脚出手，只能每天默默在乡下的砖瓦厂度日，隔绝于自我的期望与理想之外，这种境遇就如同瘦鹅每天惨淡地接受饥饿折磨一样。但是瘦鹅一旦重获温饱的机会，很快也会恢复正常的生长体态，在日本人统治下居住于台湾的中国人，也要像瘦鹅一样具有强韧的生命力，才能够长时期忍受持续不断的折磨，度过重重难关生存下去。”

失败并没有让王永庆消沉下去，反而激发出了他更加强韧的生命力，就如他在“瘦鹅理论”中所讲的那样，只有渡过难关，才能生存下去。

只有吃苦耐劳才能弥补不足

王永庆语录：*天下没有轻轻松松、舒舒服服就让你得到的事物。凡事一定要经过苦心的追求、经历才能真正明了其中的奥妙而有所收获。*

世界上大多数人的智力都相差不多，但为什么有的人成功，有的人失败呢？最关键的因素不在于先天的智力，而在于后天努力的程度。天下没有免费的午餐，没有舒舒服服就能成功的人。凡事都有因果关系，如果你肯下苦功，那么自然会有好结果。

1975年1月9日，只有小学学历的王永庆在美国圣若望大学接受荣誉博士的表扬。在赠与典礼上，他说了一段感人肺腑的话。他说：“我幼时无力进学，长大时必须做工谋生，也没有机会接受正式教育。像我这样一身无一专长的人。永远都感觉只有吃苦耐劳才能弥补不足。而且我出生在一个近乎赤贫的家中，如果不能吃苦耐劳，简直就无法生存下去。

直到今天，我还常常想到，由于生活中受过的煎熬，才让我产生了克服困难的精神和勇气。幼年生活的困苦，也许是上帝赐予我的福音。”勤奋刻苦不但是王永庆成长的座右铭，也是促使他成功的主要动力。

王永庆一生都很勤奋，7 岁的时候就帮母亲上山捡柴，料理家务；15 岁便离家到米店工作；16 岁开米店，整日辛劳，靠一斤米赚一分钱的微薄利润维持店面生意，最后成为台湾首富。虽然事业越做越大，但他从来都没有倦怠。在一次记者招待会上，有一位记者曾问王永庆：“您认为您能有今天的成功，哪一项因素最重要？是靠运气吗？”他回答说：“运气可能对成功有帮助，但是今天可以靠运气，明天呢？后天呢？成功最重要的因素还是在于勤奋。”

王永庆也要求台塑公司的员工这样做。他把公司的资产分成有形和无形两大类。有形的资产是可见的、可计算的，而无形资产就是整个企业的灵魂和文化。无形资产中很重要的一个因素就是员工是否勤劳肯做事，气势高昂。在王永庆看来，无形的资源远比有形的资源重要得多：一家公司只要能算出损失多少，就不是很严重的损失；如果公司员工工作不努力、做事不勤奋，这个损失就很严重了。

成功不是偶然，有些看来只是偶然的成功，只是一种表象，而不是事实的本质。成功需要脚踏实地的奋斗精神。

有的人会说，成功是一件很难的事，只有天才才能成功。其实，只要勤奋，每个人都能成功。古语说得好“业精于勤荒于嬉，行成于思毁于随”、“天道酬勤”，命运和机会都藏在勤奋之中，当机会降临的时候，就看你是让机会偷偷地溜走，还是让自己更加勤奋地工作，牢牢抓住机会，造就一番伟业。

现代很多年轻的创业者都幻想一夜暴富、一夜成名。殊不知从贫困到富有，最关键的一点就在于要懂得量力而行、稳健发展。心急吃不了热豆腐，要想收获，先得付出。管理学中有一个著名的“80/20 定律”，意思是，世界上只有 20% 的人是最优秀的，在他们的手上掌握了世界上 80% 的好机会；这 20% 的人也掌握了世界上 80% 的财富。那么这 20% 的人是怎样做的呢？他们的一个共同点就是：他们都不会急于求成，在创业初期不急于见到利润，而只是默默地比别人多付出 5%。

王永庆早年做生意就是这样。当时的米价非常便宜，一斗米12斤半，本钱是五角钱，但他只卖五角1分。也就是说，卖一斗米只能赚到一分钱。即使是这样，王永庆仍然坚持在质量和服务上下工夫，做到质量第一、服务第一、信誉第一。

有一天凌晨两点，整个镇的人都睡了，王永庆也早已关门休息了。可是突然听到外面一阵急促的敲门声，于是他披上衣服打开门，原来是嘉义火车站旁边的饭店厨师，说是半夜有人住店，等着要吃饭，可是恰巧店里的米不够了，要王永庆马上送一斗米过去。

当时正值台湾的雨季，外面下着倾盆大雨，如果换一个人遇到这样的情况，不是假装睡着没听见，就是赶走敲门的人。可是王永庆并没有那样做，而是马上准备好米，用油布包好，披上麻衣，戴上斗笠，迅速把米送到了饭店。

一斗米只能赚到一分钱的利润确实太少了，于是于永庆决定转向投资粮食加工厂。他很快就买了一大批碾米用的设备，开起了碾米厂。碾米厂最初的营运非常不顺，因为他对面就是另一家碾米厂。这家碾米厂是一个叫福岛正夫的日本人开的。

当时台湾正值日本占据期间，中国人和日本人受到的待遇简直是天壤之别。中国人做生意不但得不到当局的丝毫帮助，还常常受阻。他们两家工厂相隔不到50米，可是经营状况却大不相同：福岛正夫工厂每天的顾客常常比工永庆多几倍。但王永庆不放弃，反而下定决心，一定要战胜日本人。他清楚地知道，要想战胜日本人唯一的办法，就是比他们多付出，比他们更加努力地工作。

福岛正夫的碾米厂每天下午六点半就关门停业了，可王永庆却一直坚持做到10点半，每天都比日本人多工作4个小时。这样一来，晚间的市场就被打开了。一方面争取了很多晚间要货的客户，另一方面，由于在晚间营运，也不会和日本人的工厂有太大冲突，因此能够继续生存下来。

经过几年时间的努力，在嘉义的26家碾米厂中，王永庆排名第二，而福岛正夫排名第四。在日据时期能有这样的成绩，全靠王永庆那种“比别人多付出一点”的信念。这个信念在以后漫长的岁月中，一直影响着他，让他一次又一次的渡过难关，超越自我。

成功的关键在于自己努力

王永庆语录：*贫寒的家境，以及在恶劣条件下的创业经验，使我年轻时就深刻体会到，先天环境的好坏不足喜亦不足忧，成功的关键完全在于自己的努力。*

很多创业者总羡慕有的人一出生就有良好的家境、雄厚的资金、丰富的人脉，而自己却一无所有，只能白手起家。他们总是抱怨命运的不公，整天郁郁寡欢。确实，有的人一出生就可以住洋房、开好车，但有的人就算花一辈子的时间也不见得能得到这一切。而面对这样的现实，没必要去抱怨、去懊恼，最明智的选择就是接受。换一种角度看，贫苦也是一种福。正因为贫苦，才更有斗志；正因为贫困，想要成功的心情才更迫切；正因为贫困，才能吃得苦中苦。斗志、成功欲望和吃苦精神正是创业者必须具备的重要素养。

王永庆出生的村子里住着上百户人家，绝大多数人都没念过书，只能靠做苦工为生，因此全村都很穷，王永庆家也不例外。而且，王永庆上有一个姐姐，下有两个弟弟、四个妹妹。对这个原本就不富裕的家庭来说，要养活八个小孩简直是难于登天。家里为了节省粮食，一日三餐喝稀饭是常事。只有在过年的时候才能吃到一点猪肉和白饭，一过完年就要开始吃稀饭了。

王永庆的母亲非常贤惠，她知道炒青菜不放油是很难入口的，因此每次炒菜的时候总会放一点。可是放多了又负担不起，所以每次都只放一滴半滴。用这么一点油炒出来的菜，当然很不好吃。可是每次吃剩的菜，王永庆的母亲都舍不得倒掉，总要留到下一顿再吃。此外，王永庆的父亲体弱多病，于是母亲就承担了家里的一切家务。一年365天，母亲忙进忙出，非常辛苦。王永庆看在眼里，心里非常难受，所以从他懂事开始，就经常和母亲一起到他家附近的台道上捡木材贴补家用。他们把大块木材拿到市场上卖，小块木材则捡回家煮饭。

王永庆小学三年级的时候，也就是他九岁那年，是家里最困难的时候。父亲病倒了，全家的生计全都落在母亲一个人身上。母亲在原有的工作之外，又租种了一块菜圃，好贴补家用。王永庆身为长子，为了解决家庭困难，就开始了半工半读的生活。

他先找了一份替人看牛的工作，一个月赚五毛钱贴补家用。家庭的贫困也让他从很小的时候就懂得，人必须靠自己。于是，王永庆小学毕业后就外出闯天下。在日后的打拼中，他只要一想起自己童年的困苦生活，再大的困难也咬牙撑过去。每逢回忆往事的时候，他总说："贫寒的家境，以及在恶劣条件下的创业经验，使我年轻时就深刻体会到，先天环境的好坏不足喜亦不足忧，成功的关键完全在于自己的努力。"

贫困是锻炼人生意志最好的学校，对创业者来说更是这样。在不屈不挠的人们面前，贫困会丢掉狰狞的面容，变成成功的天使。因为贫困，所以努力奋斗，最终获得成功！

勇于吃苦才能有所成就

王永庆语录：要想达到最高处，就必须从最低处开始。

王永庆说："我们对事物的感觉可能会有所不同，最主要的关键就在于，你是否对这些事物下过一定的苦功。人只有先经过一番苦心的追求，才会真正尝到收获的甘甜。"王永庆不仅自己有这样的认识，也用这样的信念教育子女。

王永庆最出色的三女儿王雪红就承袭了父亲这种能吃苦的精神。她不靠父亲的帮助，自己一个人在外打拼 14 年，现位居台湾女企业家富豪榜首。创业八年之后，她创办的"威盛"市值已经超过了她父亲亲手创办的台塑。在这个男性占主导地位的社会，王雪红闯出了自己的王国，拥有了自己的一片天地——虽不靠父亲资金的援助，但父亲对她的教育却是让她成功的根本原因。

王永庆很担心子女因为家庭条件很好而养成骄奢的不良恶习，所以在每一个小孩念中学或是更小的时候，就把他们送到英国、美国读书。王家三姐弟回忆他们童年时总会说："被父亲送到美国念书，老实说我们的童年并不十分快乐。但是我们要感谢父亲，让我们去历练，让我们自己面对很多事情。"当时的王永庆虽然十分富有，对儿女的学费、生活费却是锱铢必较。如同他管理企业一般，什么都做到"刚好合适"，没有给子女一点闲钱和机会去享乐。他和儿女们的交流都是靠书信联系，从来都不会打电话，因为国际长途电话太贵了。

每次写信，父亲都会要求儿女们说明每笔钱的用途，就连买支牙膏的钱也必须说明。

王永庆对孙子的要求也十分严格。在美国念大学的长外孙（他长女的儿子），利用暑假空闲的时间回到台湾，进入台塑实习，但王永庆并没有安排一个舒适安稳的工作给他，而是让他直接到生产一线实习。同时王永庆要求他每天、每周都要写工作报告，总结这周有何收获。王永庆一直认为，人在年轻的时候就该多吃点苦头。如果不能吃人家所吃的苦，那么前途就很难乐观。

对于创业者来说，身份低贱并不可怕，一无所有，也不可怕，可怕的是没有一种勇于吃苦的精神。每个获得成功的人，早在他们功成名就之前，就已经默默地努力过很长的一段时间了，而这就是所谓的厚积薄发。

所以，王永庆严肃地告诫众多创业者：年轻人要创业就不要怕辛苦，怕辛苦就不要选择创业。他总说："别人那么辛苦都不在乎，我难道就不能和别人一样辛苦的工作吗？别人做得来，我也一定做得来。"

王永庆也很看不惯那些轻易退缩、轻易说辛苦的人。有一次他参加一个大型的聚会，聚会结束的时候，一位很有名气的妇人走下台来，台下的丈夫马上伸手过去说："夫人，辛苦了，您真是辛苦了。"王永庆当时就在他们身旁，听到这番话之后非常诧异，更气愤地说："真不明白有什么好辛苦的，她不就是坐在台上看吗？这种夫妻之间的礼貌也太周到了吧。难道是妻子太娇弱了，坐着也辛苦吗？坐了一会就满口‘辛苦、辛苦’去劝慰是很要不得的。”

王永庆每天四点就会去台北高尔夫球场打球，偶尔会在高尔夫球场上遇到一些认识的人，而他们都会用讨好的口气说：“王董事长，您真是辛苦啊，既要管理好公司，每天早上还风雨无阻，这么早就出来运动，真是太不简单了。”

王永庆听后只是客气地说声谢谢，但心里却想：这也算辛苦吗？那些做鲜花和海鲜生意的人为了打理生意，每天凌晨两点就必须起来进货，即使天气再冷也不例外。他们为的是什么？还不是早些起来，可以拿到更便宜的货源，然后用尽心思去争取十几元的差价。每天刚算完当天的所得，又得开始新一天的生意。我来打高尔夫，大概需要花3000多元，如果不是会员就得花6000多元。不过，这是在享受。那些每天为了自己的生计整日忙碌的人都没有说辛苦，我怎么能说辛苦。

台塑在进军海外市场之后，王永庆就经常对员工说：“我们有很多不利的因素存在，对手拥有比我们更强大的政府支持、更先进的技术设备、更快的物流支持，如果不努力，可能很快就会输给对方。我们能依靠的就只有一个，那就是勤劳能吃苦的美德。倘若连这一点都失去了，那不论什么事都会输给别人。因此，我们不能忘本，先苦才有后来甜。”

成功不会从天而降

王永庆语录：*做生意就像求道一样，要尝尽了苦头，求得那份慧心，才能够悟道。*

现代的年轻人大都向往过一种舒适享乐的生活，幻想可以轻而易举就一步登天，每天只要花一点时间和精力就可以创业成功。但成功不会从天而降，不劳而获的事永远不切实际。在你得到东西之前，也必须要付出某种东西。不幸的是，许多人只会对着桌子说："上帝啊，请给我一桌丰盛的晚餐，然后我再去买米。"但这种愿望怎么可能实现呢？

王永庆经常跟员工讲述一个平凡的道理：要想成功，要想创业，要想过舒适的生活，就先要为这一切付出代价。王永庆跟员工精神训话时，也说："没有什么轻而易举就能得到的东西。这个道理虽然简单，但能真正理解并加以实践的人并不多。普通人的弱点就在这里。"举例来说，妻子为丈夫做好一桌饭菜，但丈夫却抱怨这不好那不好；不是嫌口味太淡，就是不够鲜美。试想一下，如果是他自己辛辛苦苦做的一桌菜，恐怕再难吃都会觉得津津有味。

人人都希望星期天能够好好休息，尽情地放松玩耍。但如果这个星期的工作没有完成，或是成天都无所事事，在周末休息时恐怕不但是不舒服，甚至还会感到难受。

王永庆认为，享乐是工作的附属品，只有完成工作，用心做事，多吃苦，才能真正享受生活。就像是肚子饿了吃饭才会特别香，运动到大汗淋漓之后才觉得特别舒服一样。那种忽略工作，而一味只追求享乐的人，其最终结果是不能享受到真正的快乐的。

每一步都要脚踏实地

王永庆语录：*到目前为止，我一直是一个勤勉工作的人，身负着为社会和台湾地区致力的使命感，孜孜不倦地经营事业，因此才能达到这种精神上的改变。*

童年生活的困顿与年轻时代的打拼，使王永庆形成了务实、稳健的行事风格，从而奠定了他一步步走向成功的基石。

让王永庆获得巨大成功的台湾塑胶工业股份有限公司，就是在他的领导下脚踏实地、步步为营地发展起来的。

20 世纪 50 年代初，台湾地区的“12 业委员会”正着手推动一系列工业发展计划，其中包括由美国援助兴建生产石化工业基本原料的 PVC（聚氯乙烯）的工厂。当初，“工业委员会”准备将这个专案交给一家财团承办，但此财团的核心人物在前往外国考察后认为，筹建 PVC 厂产量小，成本高，无法形成规模化经营，不能和其他国家竞争，所以决定放弃这个专案。

而当时的王永庆正在申请一个由美国援助的轮胎制造方案，大财团的放弃，给了他绝佳的机会。而他正好将这个机会抓住了。经过三年的辛苦筹建，塑胶厂终于建成并投入生产，这便是后来闻名全世界的台湾塑胶工业公司。可当时，它却是世界上规模最小的 PVC 厂。而且，当时由于台塑的 PVC 产量少，成本高，所以产品基本上没有销路，处于囤积销存的状态。

面对出师不利的窘境，王永庆认为台塑的唯一出路就是增加产量，降低成本。同时他决定筹建加工厂以消化 PVC 粉，然后再想办法外销加工品。1958 年，台塑生产的塑胶粉月产量比以前增加了一倍多，而南亚塑胶公司的成立，更是形成了从原料生产到加工的生产体系。这样，王永庆将原先不利的局势扭转了过来，劣势变成了优势。

后来，王永庆进一步拓展塑胶加工业的商机，与人合资成立了卡林塑胶公司，生产雨衣及浴帘等塑胶制品。1959 年，王永庆又成立了新东塑胶加工公司，大量生产鞋类、皮包及玩具等，利用台湾当时充足的劳动力，以低价高品质的产品与外国同业展开竞争，并打入了国际市场。

台塑公司是王永庆进入石化行业的开始，也是他迈向成功的最重要的一步。经历了起步阶段的种种困难之后，台塑公司的规模不断扩大，公司的实力也得到增强，1965 年 3 月，台塑终于公开上市，获得了更大的发展空间。

台塑公司在王永庆的带领下，不断扩张，形成了多元化的发展格局。20 世纪 70 年代初，王永庆利用美国石化行业的低迷时期，大胆将触角伸向海外，收购了美国多家化工厂及美国铝业公司的天然气事业部，同时还在得克萨斯州兴建新工厂，这些不能不说是王永庆取得的华人企业家的傲人战绩。

如今的台塑集团，产品已经出口到世界各地，包括香港地区、东南亚、中国内地、欧洲、美洲等地。而王永庆也随着台塑的发展，成为了世界知名的企业家。王永庆旗下最著名的三家公司台塑、南亚、台化，被誉为王永庆累积财富的三宝，更是台湾制造业的榜样。

王永庆经营的事业，每一步都是实实在在的。正如他所说的那样，经营者成功的秘诀并不等于学分加学历，而是要吃苦耐劳，脚踏实地，这才是事业成功的根本。

年轻人须从基层做起

王永庆语录：*成功的最重要因素是勤劳，从基层做起。*

1979 年 3 月 20 日，王永庆应邀在台湾大学商学研究所做专题演讲。

演讲完毕，有一位研究生问他："在您成功的过程中，您认为哪一项因素最重要？有没有运气的成分？"

王永庆答道："今天以前有运气的成分，今天以后就不能靠运气。成功的最重要因素是勤劳，从基层做起。"

还有一次，王永庆到辅仁大学演讲，一位学生问他对大学刚毕业的年轻人有何建言。

他答道："年轻人刚踏入社会之时，不要东挑西挑，任何工作都可以做，都有前途；特别在企业界，只要你努力学，一年就可以得其要领，而三年有成，可以一展雄心大略。"

从王永庆这两段回答中，我们可以知道，他认为成功没有捷径，奉劝想要成功的年轻人，唯有找份工作，吃苦耐劳，按部就班，从基层做起。

王永庆指出，一个人为学也好，做事也好，就跟盖房子一样，一定是从基础做起的。读书，由小学而中学而大专；盖房子，由地基建起，没有从屋顶先盖的。做事也一样，必须由底层的基础工作开始，事无贵贱，职无高低，不由基础学起、不由基层做起，将来当了主管怎么管得了基层的事？

王永庆为了贯彻"从基层做起"的理念，严格规定台塑关系企业的大专新进人员，不论任何科系，不论将来担任何种职务，更不论他是谁的儿子（王永庆的儿子也不例外），一律得参加轮班训练，从最基层做起。在六个月的训练期间，他们将被派到泰山、彰化、宜兰、高雄等厂区，直接到生产的最前线，实际参与轮班的生产作业。

王永庆说："大专新进人员将来都要担任公司干部，如果没有利用新进这段期间好好训练，加入基层工作亲身去体会，将来升为干部必然不懂，但已经没有机会再从基层做起。无论为公司利益也好，为爱惜人才、培育人才也好，都应该在他们进入公司的时候，给予从基层做起的机会，实地到现场去参与轮班工作。"

轮班训练的过程中，受训人员除了参加生产作业，其他像打包产品、搬运物料、保养机械等工作都要去做，而且也必须和作业员一样，轮着上白班、夜班。同时，每个月还要提出心得报告，由主管辅导考核；六个月训练期满后，再由总管理处派主考官到各厂区举办期满考试，成绩合格者才正式任用。

轮班训练非常辛苦，此种训练的主要目的在考验新进人员吃苦耐劳的精神，磨炼他们的意志与耐力，培养正确的工作态度。同时，让他们了解，公司经营的好坏是从基层开始的：如果将来当上主管，才知道基层在做些什么。

对于少数仍然保持传统士大夫观念，不肯接受轮班训练，或是吃不了轮班工作苦头的人，纵使他们在校成绩名列前茅，也还是一概不予录用。

轮班训练的效果，可从下面两位台塑人江荣俊与郑仁伟的谈话中看出端倪。

江荣俊指出，他大学念的是企业管理，经过六个月实务性的工作，以往在课本上所学的理论性内容，都能在实际工作中获得印证。而轮班训练，使他对连续性生产的过程可以比教授讲述得更具体、更生动。以前在学校写报告总是泛泛之论，抓不到问题核心，但是现在利用轮班训练的体会，做专案改善时，已能针对问题提出具体的建议。

郑仁伟则表示，轮班训练能让他钻到问题里面看问题，从不同的角度看事情，往往能发现新的问题点。在一个环境里待久了，任何事物都会视为理所当然，但是当你接触新环境时，又往往会有很多“看不顺眼的事”，而这些“看不顺眼的事”，常常就是问题所在。

王永庆对轮班训练的成效下结论说：“日本人常说他们要培养一位一流企业里的一级主管，非要12年以上的时间不可。其实我倒认为，只要我们的轮班训练做得彻底，六个月以后再按其专长或志趣，有计划地训练和培养，不出五年，都有希望成为本企业之一流主管。”

王永庆所主张的“从基层做起”，除了像轮班训练中，从生产线的最基层做起之外，还蕴藏下列两层意义。

1. 脚踏实地，按部就班

在“时间就是金钱”的现代社会里，一切讲求快速；放眼望去，吃的是“速食面”，读的是“速成班”，走的是“捷径”，渴望的是“瞬间发财”，以至于造成了社会普遍短视、急功近利的虚浮现象。

老祖宗的宝贵经验告诉我们，牛肉要用小火慢慢地炖，然后再焖一晚，才会入味好吃；任何工匠，讲究的是慢工出细活；拜师学艺，至少要三四年才会有成。

王永庆表示，过去常听老一辈的话，说要学得一技之长必须当三四年的学徒。开始工作时，师父非常严格，打骂兼而有之，吃饭以外，几乎没有工资。但不能忍耐，吃不下苦就学不到功夫。

他说："学功夫似乎用不到三四年的时间，可是忍耐力的磨炼、精神情感的成熟和他的技艺不能说没有关系。那样熬炼出来，果然技艺圆熟老到，绝不毛躁马虎，真正是根基稳固，熟而为巧匠。"

王永庆指出，以前师父带学徒，都会一一教导基本的技艺知识。像盖房子用的砖块，在砌砖墙以前都要浸水，目的是要使砖块吸满水，这样才不会在砌好墙之后，吸取外层混凝土中的水分，导致混凝土松散，破坏墙的强度。还有，木材在使用以前，必须先风干，才不会在使用以后缩水，造成结构上的脆弱和危险。

他说："师父除了教导之外，还严格要求学徒确实履行。虽然学徒要好几年才能出师，可是做起事来一板一眼，绝不偷工减料、打折扣。现在进入工业社会了，大家都在讲'效率'，求速成，谁还愿意花几年时间学这些？结果就变成不但学艺不精，而且做事马虎。"

王永庆说："我看到很多年轻人刚刚到社会上，就要很快地冲，想很快得到很大的成就，结果大部分是失败的，成功的很少。谋求成就不可操之过急，要一步一步地打基础，没有人可以一下子发展起来的。"

房子要盖得好，看地基；球要打得好，看基本动作；拳脚功夫要学得好，看马步；要成功，必须从最基本处脚踏实地，一步一个脚印地做起。

2. 选定目标，咬住不放

美国一个研究"成功"的机构，曾经长期追踪100个年轻人，一直到他们年满65岁退休为止。结果发现：只有一个人很富有，其中五个人有经济保障，剩下94个人情况不太好，可算是失败者。

这94个人之所以晚年拮据，并非年轻时努力不够，而是因为他们在年轻时没有选定清楚的人生目标。

我们再重复王永庆前面的一段话："年轻人踏入企业界，只要你努力学，一年就可以得其要领，而三年有成。"

所以，不论就业或创业，在选定一个目标之后，万万不可操之过急，必须愈挫愈奋勇，咬住不放，才会成功。

第十三章

王永庆的价廉物美之招

价廉物美最具竞争力。降低成本，是一件众人皆知的企业经营道理。但很多人用不好，也不在乎，而王永庆却运用自如，将其发挥得淋漓尽致，成为他的发财之宝与看家本领。王永庆降低成本的本事，连世界级管理大师都为之惊叹，望尘莫及。正是坚持价廉物美这个信念，王永庆孜孜不倦地追求效率，千方百计地降低成本，终能积少成多，溪流成河，使自己的企业从一个小米行变为一个塑胶王国。“价廉物美”，这一最简单、最普通的生活哲理却成为了王永庆事业成功、发达的法宝。

降低成本就等于创造利润

王永庆语录：降低成本即是增加利润。节省一元钱等于净赚一元钱。其理由是：多争取一元钱的生意，也许要受到外在环境的限制；但节省一元钱，却可以靠自己的努力而实现。

王永庆一直强调“价廉物美”，认为它是台塑竞争力的核心所在。不过，产品的价格要低，就必须使产品的生产成本降低，否则“价廉”就无从谈起，而降低成本，进而降低价格，可以说正是王永庆的看家本领呢！

要降低成本，首先必须要做成本分析，可一般来说，分析出来的结果并不理想，最终产品的实际成本也都超出原来预计的成本，这样一来，成本分析也就成了空谈。

王永庆认为，导致这种后果的原因一般有三点：

一是成本分析以后，虽然也有将其交代下去执行，可实际上却被下属放在一边，使分析变成了纸上谈兵，失去了实际的意义，造成这种局面的原因在于管理没有跟上。

二是各企业的管理工作虽然上了轨道，也能根据所分析的数位去执行和控制成本，但因为成本分析的深度不够，而那些真正操作的人又不知道如何控制才能降低成本，以致不能在实际中发挥作用。

三是成本分析出来的数位过于宽松，而实际操作的单位根本不需要费多大的努力便可轻松达到，也能轻松将奖金拿到手，这可说是成本分析的深度不够所致。

曾有一家企业，其产品的成本比外国的同行高出五成以上。企业的股东们对此非常担心，认为如果再不降低成本，企业就只有破产关门了。于是，主办人员提供了所有的成本资料，与各股东进行讨论，以期能拿出一个可行的降低成本的方案。经过一番的研究，一个能够大幅度降低成本的方案果然形成了。

分析人员为了进行深度分析，到现场做了实地调查。在现场人员的协助下，分析人员针对工人的编制、机械的保养、原料的消耗、漏洞的防止等方面进行了详细的考察。可是，经过如此细致的工作之后，虽然成本降低了四成，可比起外国同行的成本还是要高一成。这是什么原因呢？

其实，原因还是在于其所做的成本分析不够深入，仅限于单位成本的分析而已。鉴于这个原因，王永庆提出了自己独特的单元成本分析。他指出：“一般成本分析工作是做到单位成本，我认为这样仍然不够彻底。以财务费用为例，我们应该再把它详细分为原料的财务费用、制造的财务费用，以及成品、营业上的财务费用。如果只以财务费用为单位成本，那么，分析工作势必无法再深入，得出来的结论往往与实际有一段距离，成本分析就无法做到正确。”

王永庆强调，如果经营者要想有效地降低成本，就必须分析各个影响成本因素的根本问题，也就是说，要做到单元的成本分析，只有这样才能彻底地将问题一一找出来加以检讨改善，并建立一个切实的标准成本。

要建立单元成本，首先应将制品的成本归纳为两部分，即固定与可变。而成本的主要构成为直接或间接的原料、人工及其他制造费用等。这样划分的目的是为了分析各项成本单元变动的控制作用。构成一项产品的单元成本可能有数千种，而引起每个单元发生改变的因素又有很多，所以，由单元成本的控制开始，能够较容易地改善成本的结构。而只有建立合理的单元成本标准，才能有效地控制成本。

分析单元成本的意义，就在于能够从计算成本的过程中，找出人、事、物等方面可能存在的不合理处，并着力加以改变，寻找出合理的途径。由于单元成本的专案极多，所以单元成本分析的范围也很广，主要包括技术与人员的管制，资材与营业管理的好坏，生产效率的高低，废料的多寡及品质的好坏等。

王永庆对降低成本，可谓一直用心良苦，甚至还被认为是一味追求利润，唯利是图。其实，他这样做是努力追求工作的合理化，以效率为重。王永庆为此解释道："讲求成本，要以维持高品质为前提。讲求成本，是要追求合理化。比如：如何提高生产效率，防止人为疏忽所造成时浪费等等，以求成本的合理降低，不是以降低产品的质量为前提的。"

要控制成本，还必须要创造切身的利益感，让实际参与工作的人与成本的控制之间有直接的利益联系。这样一来，工作效率就可能得到很大的提升。王永庆说："由于这些创造切身利益感所产生的效益，促使我们进一步研究在企业内生产部门实施的可行性。如果将每一生产工厂设立为一个成本中心，让现任的厂长担当经营者的职责，课长成为经理人，以下的各层管理人员依次类推，由他们负起经营的责任，并且可以充分享受经营绩效提升的成果，那么，将能激发全体人员的工作切身利益感，彼此会密切配合，共同为追求更为良好的绩效而努力。这样，不但对员工及公司都有利，最重要的是，通过这种方式，员工及企业的潜力才能发挥得淋漓尽致。"

王永庆从看似极小的事情着手，一点一滴地努力降低成本。他认为，企业的进步，是一点一滴积累起来的，企业竞争力的培养，也是一点一点积累起来的。如果你每千克的生产成本比别人少五角，当别人损益平衡时，你却还有五角的利润可赚。这就是王永庆最基本的竞争哲学。

王永庆的弟弟王永在曾说："降低成本，就等于创造利润。"而王永庆也认为，企业经营犹如逆水行舟，不进则退。所以台塑企业不断追求合理化，对于降低成本方面更是精益求精，怀着"存疑"的态度，不满现状，不断进行成本分析，寻求降低成本的最佳途径。发扬激流勇进的精神，努力改变现状，求得生存与发展，这是企业经营者应有的素质。

运用“三低”来降低成本

王永庆语录： *企业为了保持一定的利润，就必须全面研讨降低成本的可能性，并且努力追求。此一工作可能就是企业营运当中最辛苦、最困难的工作。而实际上，这也是企业永无止境，继续不停追求改善，谋求合理化的原动力。*

王永庆除了用单元成本分析来降低成本之外，还以建厂成本低、生产成本低、营销费用低等“三低”来降低成本。

1. 建厂成本低

为了降低建厂的成本，王永庆一向重视培养机械人才。台塑的机械事业部有700多位工程师，占了总公司员工人数的六分之一，每人平均有十年的实践经验，阵容非常强大。

一般认为，石化工业的中间原料厂所需机器精密，设备投资庞大，事实上并非如此。他们所需要的机器与设备，半数以上都是管路、气槽、干燥机等不需要很精密的设备。

所以，当1980年，王永庆在美国德州休斯敦筹建全世界规模最大的PVC塑胶工厂时，从策划、设计、安装、施工到试车完全由台塑一手包办，所有硬件设备都由台塑机械事业部在台湾制造完成后，再运到美国安装。

经过两年多的努力，该厂已于1983年正式投产，它的整个建厂成本，大约只有美国人所需的62.5%、日本人所需的75%。由于该厂的建厂成本比一般水准节省了四成，因此为日后营建了有利的竞争条件。

再看看台塑的关系企业永嘉公司，该公司生产高密度的聚乙烯（HDPE）和聚丙烯（PP）。在1980年7月规划建厂时，也秉持台塑一贯的政策——除了软件和机器向海外订购之外，自己负责基本设计、细部设计和工厂建造。

结果当然也是大幅降低了建厂的成本，聚乙烯厂花了12亿元，聚丙烯厂花了16亿元，大约只花了海外公司建厂所需的七成。这也难怪1984年6月永嘉公司的聚乙烯一上市，立刻使其内销价格从新台币52元降到了合理的32元。永嘉的聚乙烯能卖得便宜，与其建厂成本的低廉有极其密切的关系。

王永庆自豪地说："我们台塑建厂时，有好多的设备都由台塑机械事业部自己制造，而且也建造得相当不错，甚至于我们拿出来跟人比较，都会感到很骄傲的。还有，台塑在美国建厂时，很多机器都是由台塑自己设计的，而且，由自己的机械工厂制造并负责安装，受到美国方面的好评，这点我认为是相当有成就的。"

1984年5月动工，1985年完工正式投产的南亚印刷电路板厂，也是秉承台塑"经济、速度、确实"的一贯原则，在短短一年零四个月内，仅仅花了8亿元，就把东南亚第一座全自动化的印刷电路板厂盖好了。

南亚投资兴建的印刷电路板厂，是在美国惠普科技公司的技术指导之下进行的，台塑自行设计软件，寻适当的机器设备，使台塑除了节省建厂成本之外，在电子技术的转移方面，也获得了一次可贵的学习机会。

2. 生产成本低

王永庆为了降低生产成本，从节约能源与精简人员这两大方面去着手。

台塑如何节约能源呢？以工厂为例，他们一方面观察工厂室温，发现室温过高，以致影响了操作人员的工作情绪与效率，而其原因是蒸汽管路及干燥机的保温材质欠佳，热量散出所致。经过彻底改善之后，不但有效杜绝了热能的浪费，工作环境也获得相当的改善。另一方面，原来全部排放掉的40—80℃的废气也加以回收，用加压法把温度提升到150℃，而予以充分利用。

1980年10月与1981年2月，台湾当局两度提高油电价格，对台塑的经营造成了极大的冲击。在第一次油电价格变动前，台塑关系企业每年的能源费用是新台币 53.8 亿元，经过两次调升之后，能源费用增加至 71 亿元，增加了 17 亿元，从而造成了沉重的负担。

于是，王永庆下令采取下列三种方式，全面推动“节约能源运动”。

第一，成立能源改善专案小组，负责各单位本身有关能源改善的事项，不断自行检讨，以求改善的持续进行。

第二，集合各事业部能源改善专员，赴各厂实地了解各厂能源改善的执行情况，一方面学习他厂的长处，一方面提出建议以促进各厂的改善。

第三，举办征文、标语及海报比赛，使节约能源的观念深植于每一位从业人员的脑海中，以促进全员对节约能源的重视。

就拿电灯来说，台塑一共有 10 万盏双管日光灯，加装反射罩之后，两支灯管减成一支，它的照明度反而从以前的 250 勒克斯（1kix，测划亮度的单位，又称米烛光）增加为 256 勒克斯；虽然投资了 600 万元的费用，但一年下来却节省了 7000 万元的电费。同时，在一夕之间多出了 10 万支备用日光灯。

经过台塑全员的努力，该年能源改善效益高达 12.68 亿元，抵消了因油电涨价所增加的大部分能源成本。

接下来是精简人员。对于精简人员，王永庆曾公开说：“为了提高工作效率，应对不景气的冲击，台塑企业预计使同一生产单位的人数，减少原来的 1/3，甚至 1/2。”

为了使人力资源能够充分利用，台塑制定了标准工作量。以一天上班八小时，实际工作时间八成来计算，每天工作 6.4 小时，那么，每人每月便应该有 160 小时的工作时间。

以台塑的修复人员为例，由于修复人员所做的工作均须填修复单，详细记载修复设备、部位、工时，所以评估人员将一个月修复单上的工时相加，若超过 160 小时，便有绩效奖金，若不到 160 小时，就得检讨。

评估人员把台塑 2300 多位修复人员每月的实际工时相加，结果低于标准。这是因为修复人员工作不力呢？还是因为修复工作原本就不需要那么多人呢？最后台塑决定，一方面要求修复人员每人达到标准工时；另一方面大量裁员，大约要裁掉四成，也就是920人。

以台塑关系企业台化为例，1985年初，员工总共有8900人，到了当年12月底只剩下7500人。换言之，在一年之中，精简了1400人，约达一成六。

台塑关系企业总经理王永在说："在各项节约成本的措施中，以'精简人员'最重要。适当地精简，不但可以节省不必要的支出，同时还可以提高员工的工作士气与工作效率，一举两得。"

3. 营销费用低

台塑节省营销费用是很有名的。若干年前，台塑有四位主管因公请三位客人吃饭，一顿西餐吃下来，一共花了两万元。这件事被王永庆知道之后，不但把四位主管叫来狠狠训斥一番，还处罚了他们。

王永庆对部属如此，那么对自己又如何呢？他的应酬地点多半在台塑大楼后栋第13层的自家台北招待所内。台北招待所内备有厨师、服务员，在这里宴客，除了具备卫生、可口等优点之外，最主要就是节省。

台北招待所的菜色相当精致可口，而且，还有一项特色就是，菜的分量不多也不少，恰到好处。一般餐厅出菜铺张，分量过多，以至于吃一小部分、倒掉一大部分，这种情形在台北招待所里，绝不可能发生。此外，王永庆经常采用"中菜西吃"的方式，让大家围坐在圆桌前，将每人的盘子端出，由侍者个别分菜，一人一份，吃完再加，既卫生又不浪费。

为了节省营销成本，并配合管理上的需要，台塑在台北、林口、宜兰、彰化、高雄，还有美国德州，均设有员工招待所。所谓"招待所"，是指拥有十几间或二三十间数量不等的客房的小型旅馆式建筑；通常盖在厂区内，内部装潢虽不豪华，但整洁雅致，住起来舒适方便。

台塑企业内的各级主管，配合管理上的需要，到各厂区出差的频率非常高，招待所就是应主管们出差投宿的需要而设立。这么一来，既可省下住宿费与交通费，又可省下往返厂区与旅馆之间的时间，可以说一举三得。

还有，一般大企业都配给高级主管人员轿车以代步，台塑基于节约的理由，不但处长级没配轿车，连经理级也没有。

节约成本需从一点一滴做起

王永庆语录： *要谋求成本的有效降低，无论如何必须分析到各个影响成本因素的最根本处。*

降低成本，是众人皆知的企业经营之道，很多人用不好，也不在乎，但却成为了王永庆的发财之宝与看家本领。王永庆说：做生意要坚持一个最简单的原理——“价廉物美”。人们都在寻求王永庆成功的秘诀，希望从中得到启迪。然而事实上，王永庆经营企业获得巨大成功，似乎并没有什么特别的发明创造，只是在一些为人皆知的经营常识中，别人做不到的，他做到了；别人不经心做的，他认真去做了，久而久之，他就有了自己的经营理念与哲学，便在众多的同行中脱颖而出，成为了一位成功的经营大师与管理大师。

王永庆当初设立 PVC 粉工厂时，设计能力为日产 4 万吨，其设备投资额达4000 万元。经过一年多时间的生产运转，他发现，若能增加一定设备，即可大幅提高产量，于是再追加投资 1000 万元，增加设备及改善生产条件，产量一下子提高了五倍。这一惊人的可喜成果给了王永庆很大的启发，即以尽量少的投资，达到最大的经济效益。所以台塑凡在拟定新计划或扩充设备时，除了追求工程品质外，更要严格做到控制投资成本的标准。一个重要手段就是自行设计，控制成本。台塑旗下的南亚公司在设立多元脂棉丝厂时，最初计划是日产六吨，由德国一家公司供应设备。其成本颇高。王永庆认为这样做很不划算，便决定让南亚公司工务部门与生产厂家共同研究制程，自行设计扩建工程，以压低成本，提高效率。南亚公司的工厂建成后，其多元脂棉丝产量迅速增加，竞争力增强，在世界市场占据了一席之地，已跃居世界第三大多元脂棉生产厂家。南亚公司后来在美国设立多元脂棉丝厂时，也采用同样的方法，大大节约了成本，提高了效率。其年产能虽达20万吨，但员工不超过500人，仅是同等规模企业员工人数的1/3，仅此一项人事费用，一年便可节约5000万美元，大大提高了企业的竞争力，也让傲慢的美国人再次信服了王永庆的经营能力。

在严格的单元成本分析思想指导下，王永庆做每一件事情都能做到精打细算，节约成本，取得良好的经济效益。在企业经营或生产活动中，自己能做的，尽量自己动手来做，这比请他人来做能大大降低成本。

20世纪80年代初，王永庆在美国兴建石化原料厂，计划将部分PVC原料运回台湾。当时，国际上一些商船公司为争取台塑公司这一大客户，便自愿降低运费，纷纷打折，希望承揽这一巨额业务。王永庆委任专家分析后，认为打折后的船务公司运费还是偏高，于是决定自组化学船队，这在台湾历史上还是第一次，其面临的困难与挑战是可想而知的。自组化学船队要有人懂得海运知识，熟悉相关技术与业务。而当时台塑公司尚无一个这方面的专家。王永庆当机立断，指派台塑海运的负责人苏忠正到海洋学院去学习。苏忠正仅用了几个月的时间就学完了一般必修四年的航运管理方面的课程。随后，王永庆以3500万美元的价格从日本订购了两艘化学船，同时，王永庆从台塑企业中抽调20多位海洋学院的毕业生，充实船队的力量。王永庆再次依靠自己的力量，取得了巨大成功，1981年4月，"台塑一号"与"台塑二号"化学船正式起航，直接从美国与加拿大运回了PVC的中间原料——二氯乙烷。事后，台塑海运负责人苏忠正讲，台塑化学船开航之后，原来每吨100美元的运费，很快跌到40美元左右。如果1年以运输20万吨计算，等于节省了1200万美元，相当于一艘化学船费用的2/3。五年下来，台塑这支化学船队累积运输量达16600多万吨，如果委托商船公司运输，运费会高达1.2亿美元，利用自己的船队运输仅花了6500万美元，仅此就节省了5000多万美元，达到了显著的经济效益。随着经营业务的扩张，这一化学船队仍不能满足运输需要，王永庆决定再订购一艘化学船。这时，接任台湾"中船公司"董事长不久的韦永宁，便试图争取台塑公司化学船的制造业务，因为这不仅可以大大改善"中船公司"营利不佳的局面，而且能够积累承造化学船的经验，为扩大日后这方面的业务打下基础。然而，消息灵敏的外国船商也不甘落后，纷纷参与竞标，希望取得承揽这项业务的权利。于是，韦永宁率领的“中船公司”与日本、韩国等其他九家外国知名造船公司展开了激烈的竞争，希望得到台塑化学船的订单。在10家公司的竞标中，“中船公司”竞标价格并非为最低者，但韦永宁自认为与王永庆有交情，志在必得。然而王永庆却似“铁面无私”，在议价时，不断压低价格，韦永宁尽管一再忍痛降价，仍达到不王永庆所订的目标，王永庆仍要他再降低50万美元。韦永宁听后百感交集，认为“中船公司”经过几个月的奔波努力，价格已降到几乎赔本的地步，王永庆还在杀价，便生气地对王永庆讲：“王董事长，我们还是好朋友，若再杀价，这笔生意我就不做了！”王永庆认为自己的目标已达到，也为韦永宁的诚意所感动，于是将这笔大生意交由“中船公司”承做。“中船公司”得到这笔业务后，全力投入，经过一番努力，1984年2月28日，其制造的“台塑三号”化学船正式下水启用，加入台塑化学船队。台塑集团化学船队组建后，不但给集团公司节省了大笔运输费用，也不必再为PVC生产原料担心，对降低企业生产成本发挥了重要作用。

不久，国际二氯乙烯（EDC）价格一路下跌，最低时一磅还不到六美分，一些厂商还在期待继续下降。王永庆则认为一些生产二氯乙烯的企业因价格下跌可能停工或转让，不久价格将会上扬，便大肆在国际市场收购二氯乙烯原料。正如王永庆所料，三个月后，国际上二氯乙烯价格又一路上涨，最高时一磅计13美分，上升了一倍多，连精明的日本商人也没预计到。而这时，王永庆的化学船队正将一批批廉价的二氯乙烯运回台湾，既保证了企业的原料供应，也因此降低了生产成本，提高了产品竞争力。不仅如此，建立了自己的船队后，王永庆就把单元成本理论运用到船队运输上来，集团总管理处派成本分析专案小组来到船上，随船记录各项单元成本，按月或按航次记录，然后决定以各项单元成本最低者或以平均值为标准成本。标准成本设定后，每月必须编订标准成本与实际成本的比较表。如果某一单元成本超出，与这项单元成本有关的主管必须提出检讨。如果超出标准单元成本的理由是非主管可以控制的，例如油价的提高，主管就可过关，不影响将来的考绩。否则，将记上一笔不良纪录，影响考评，主管与这件事有关的人员还必须一起马上找出原因进行纠正。

当然不是事事都是自己都可以来做的，一些设备的采购、工程的兴建等可能需要专业公司来做，但王永庆同样要坚持最低的支出，以获取同样的效果。一个重要办法就是在招标时做到杜绝说情，尽量降低成本。在选择供应上，大处着眼，小处着手，不放过任何可能降低成本的地方。

台塑企业是石化工业，在生产中使用大量的蒸气。1973 年时，生产一吨纤维，需用 100 单位的蒸气。经过不断改善技术，到 1978 年，生产一吨纤维，只需 85 个单位的蒸气，到 1981 年，只用 40 个单位的蒸气，只有原来的五分之二。

台塑集团像其他许多单位一样，在办公事务中都使用公文夹，这是一件很平常的事。王永庆发现台塑企业生产的公文夹的成本是一本一元二角，而台塑美国公司所用的公文夹，每个不到五毛钱，怎么会差这么多？台塑集团一年使用大量的公文夹，这样一年多支出多少？一年、五年、十年，要多支出多少？这还了得，他陷入了沉思。不久，他下令南亚公司研发中心，就这一问题进行研究，务必将公文夹成本降到与美国同样的水平，甚至更低。为此研发中心以近两年的时间研究，终于将公文夹的成本降至一个五毛钱的水准，赶上了美国，为整个集团每年降低了许多支出。王永庆就是这样从一点一滴做起，力争最大努力地节约成本，不多花一分钱，以达到降低成本的理想目标，实现企业的合理化经营。

追求产品的高质量

王永庆语录：_讲求成本，要以维护高质量为前提。_

企业经营学上有一句话叫“管理是手段，效益才是目的。”怎样才能取得效益呢？当然要靠产品说话。产品质量和服务的好坏决定了一个企业的兴衰成败。质量观和服务观是每个企业管理者都必须具备的重要信念。如果一个企业的产品赢得顾客的广泛赞誉，在消费者中建立良好的美誉度，就能树立自己的信誉。

王永庆经营台塑也是这样，他否定那些只追求表面利益、唯利是图的做法。他说："讲究成本，要以维护高质量为前提。讲求成本要追求它的合理化，比如提高生产效率、防止人为疏忽造成的浪费等等。"台塑力求提供价廉物美的中间原料。王永庆从不允许员工以降低成本为由，用假冒伪劣产品滥竽充数。

台塑要求内部企业领导人要以身作则，起好带头作用，凡事都要追根究底，做到合理化。王永庆说："如果你在意产品质量，希望产品能有一个好的销路，那么在生产的时候宁可将心思花在100个细节的地方，也不要奢望技术上一个大的突破。因为前者更容易让你的顾客增加几十倍。"

决定产品质量好坏的关键不是厂家也不是商家，只有客户说话才算数。好的公司一般会采纳客户的意见来改进生产，而不是让客户来听从它。在王永庆看来，即使台塑的产品质量是世界上公认最好的，但如果哪天有客户说产品还不够好，提出了其他的要求，那么不管是在国内还是在国外，台塑的产品就还没有做到最好。为了赢得客户的信赖，台塑非常用心，只要是客户提出来的合理要求，它都尽力满足。

1986年，由于世界经济和台湾当局政策的影响，台湾货币大幅升值。这个变化让很多下游加工厂的产品外销十分困难，而台塑此时为了缓解客户的压力，在保证产品质量的同时，在供应原料的价格上主动吸收了升值的汇率差——台塑总共损失了100亿元左右的净盈利，这对台塑的打击相当大。王永庆早就预料到会出现这样的情况，但为了帮助客户摆脱困境，他仍然坚持这样做。

没过多久，货币市场就开始逐渐稳定，各大下游加工厂也开始恢复生产。由于是台塑帮助这些下游工厂渡过了危机，因此他们也投桃报李，追加了许多订单，而且许多没和台塑往来的客户也慕名前来。这样一来，台塑不仅稳固了自己的经营，也将整个台湾的塑料产业推向了世界。

追求好的产品质量和服务是一个持续的过程，台塑在这个过程中，凝聚了企业各阶层的共识，建立了追求合理化的习惯，把随时落实做到了极致。

充分把握市场脉动

王永庆语录：*当同行推出什么新产品时，我们就要在同一瞬间推出更新的产品，否则就会成为失败者。*

王永庆认为，不论做任何事情，若能抢占先机，先发制人，就是多了一分胜算。而作为企业的负责人，也必须时刻把触角伸出表面，吸收时代的感觉。

王永庆还指出，作为企业经营的一个重要方面，新产品的研发必须能够做到快速反应，时时想着走在同行的前面。譬如针对同样一项研究工作，有的研究员两三天就能完成，而有的则需要一个月，更有甚者，虽然花了很长时间，却压根儿没有成效。这种差异将严重地影响到公司的发展速度，因为竞争是残酷的，而时间即意味着金钱。

王永庆认为，不论在任何时候，企业都处在激烈竞争的漩涡中，为了不至于落后他人，经营者必须将对方的想法与动向摸得一清二楚。所谓“知己知彼，百战不殆”，只有做到这一点，才能“料事如神”，做到有所防备。

如果企业非要等到对方已经采取措施之后才去研究对策，注定是要落伍的。经营者要事事抢先一步，制敌于先机。因为企业竞争好比决斗，真刀实枪地你来我往，只许赢不许输，胜者为王。作为经营者，为了生存与发展，就必须知难而上，直面竞争。

当然，竞争也要注重遵循游戏规则，绝不能不择手段地乱来。在与对手斗智斗勇的过程中，要时时提醒自己，从长计议，必须将竞争建立在合法的基础上，切不可以下三滥的手法来赢取胜利。

王永庆认为，在今天的台湾商界，竞争已经达到白热化，生意很不好做，企业所面临的困难与危机越来越多，处境也越来越艰难。一种新产品刚刚上市，另一种更新的产品紧跟着就问世了，产业进步神速，常让人有喘不过气来的感觉。可是由于新产品功能更好，而价格却更低，所以生产者无可选择，只有以最快的速度投入到新产品的生产中去。这种频繁的设备更新与巨大的研发资金投入，都让企业的发展变得异常不易。从产品推销的角度看，也非常不易。新产品上市频繁，消费者并不了解产品的功能，所以推销的任务不光是推广产品，还要将产品的创意及功能也一起加以推广。经过一番艰苦的努力，当消费者刚刚开始接受新产品的时候，又有更新的产品出来争夺市场。无论在哪一个行业里，进步越快，竞争的程度也就越激烈，所以，今天经营一家公司是很不容易的。

在优胜劣汰的市场经济体系里，今天的胜利者，很可能成为明天的失败者。经营者必须时刻保持危机意识，对那些可能出现的不利因素，有前瞻性的认识，并制定出应对策略，做到未雨绸缪。

市场经济有着自己内在的规律性，不是外界的人为力量所能左右的，一旦原先的优势丧失了，就必将被市场无情地抛弃。王永庆认为，以市场规律办事，把握经济脉搏，是每一个企业经营者必须做到的事情。

坚持竞争的原则

王永庆：只是一味地要求台塑繁荣的想法是千万不可的。我们要祈愿商界的发展，促进社会的繁荣。这样，我们的存在才有意义。这就是台塑的经营理念和经营基础。

台塑一步步发展成为一个超大型的跨国企业集团，积极参与到跟日本、美国及欧洲等世界强手的竞争中。正是在与这些国际强手竞争的锻炼中，王永庆步步胜出，令竞争对手望尘莫及。

可以说，王永庆正是在长期的实战中，确立了自己的竞争“信条”，即把握原则，正当竞争。王永庆认为，如果竞争失去了原则的话，不仅无法保证自己的利益，还会失去对方的尊重，企业的前途更会受到影响。

在激烈的市场竞争中，价格往往成为竞争的焦点。很多企业一味打价格战，却忽视了从服务上进行自我改善。那些在价格上大做文章的企业，不是采取低价销售的策略，就是低价甩卖，有时，就连批发商和经销商也会对制造商提出降价要求。可是，价格的制定并不是随意的，必须考虑到成本，那些建立在合理成本与利润基础上的价格，是不存在讨价还价的余地的。企业只有在降低成本、保证合理利润的基础上，才可能答应降价的要求。

对于业界常常会有的价格战，王永庆又是怎样看待的呢？他认为有两点：

一是只有物价低，才能刺激消费，从而反作用于生产，进一步降低价格。

二是价格是一个综合指数，包括成本、服务及利润等因素，合理的定价是不应该随便变动的。

基于以上的认识，王永庆认为企业经营者应当一方面努力降低成本，以尽量低廉的价格出售产品，另一方面也不能随意减价。也就是说，王永庆的降价策略绝不是一时的权宜之计，而是着眼于长期的战略眼光。

不过，有时候经营者面对同行的价格竞争，必须被动地做出选择。是坚持原则，拒不降价，还是迅速跟进呢？这对经营者而言是一个艰难的选择。面对这种情况，王永庆又是如何坚持自己的价格原则的呢？

第一是纠正错误的行情。对那些刚刚生产出来的新产品，王永庆要求其定价要比市场上销售的货品高一些。他一直认为，有些商人在新产品刚一上市就开始减价的做法是不可取的，而且他以商人的立场来剖析产品的价格成分，将定价合理化，并请求销售商的协助，以求共存共荣。王永庆的做法，一般都能得到销售商的理解与支持，况且销售商们在自己利润空间也较为合理的情况下，更愿意卖力地推销产品。

第二是击败杀价高手。在许多行业的竞争中，价格往往成为一个“撒手锏”，能够起到最明显、最直接的作用。但是，作为竞争的手段之一，价格又是一个最有争议的因素。就像在国际贸易中每天都存在的针对某国货品的“反倾销诉讼”一样，其最主要的争议也是关于价格的问题。在王永庆的创业历史上，可谓无数次与“杀价高手”竞争，此时你别无选择，只有迎难而上并击败之。曾有一位杀价高手非常厉害，在整个业界利润薄，生意不好做的艰难境地，他拼命杀价。当时，王永庆快要招架不住了，可他想到如果自己一旦输了，那些多年跟随自己辛勤工作的员工们赖以养家糊口的饭碗也就没了。于是他找到对方，坦言道：“大家都是这样挥汗劳作的，好不容易才生产出这样的货品，价格也合理。如果再杀价，那生意就没法做了。”其实对方也深知，那样的价格是很不合理的，也根本就支撑不了多久，经过了一番权衡之后，终于改变了此前的做法。

不过，王永庆对杀价并不是一否定的，因为有时候虽然定价可能非常合理，但却与买方的购买能力不符，所以此时的杀价就必须再行商榷了。一次，某经销商要求以低于现价 20% 的价格进货，王永庆并没有立即拒绝他的要求，而是做了一番调查，得知对方是以世界标准与购买力来要求降价的。于是他请求对方先以原先的价格进行销售，给自己一个改良产品的时间，届时一定以对方要求的价格交易。这样一来，对方也暂时接受了不降价的请求，但作为生产方面也必须加紧产品改良。王永庆曾说过：“不要把降价要求当作荒唐的无稽之谈，不妨检讨一下看看。如果对方拿世界标准的价格来杀价，那么就不能认为这是无理取闹，而必须从所有的角度来研究其可行性。”

其实在商业竞争中，可选择的促销方法很多，譬如降价打折、配送赠品、有奖销售等等，有些商家甚至还奖励消费者去各处观光，可谓是花样百出，不一而足。无论是生产者还是销售者，都莫不为产品的销售而殚精竭虑。

许多促销方式的作用都非常有限，虽然可能诱惑一些没有经验的消费者，但却不能持久地吸引顾客。王永庆认为，在所有的促销方式中，服务是最重要的。他说："亲切的笑容才是最重要的。虽然招待顾客观光的方法不错，但只要以一颗随时感谢的心，用笑容接待那些经常光临的顾客，那么即使没有招待旅游的活动，顾客也会感到很满意的。相反，如果缺少笑容，即使招待顾客观光，也无法与顾客维持良好的长期关系。"

此外，广告也是一个竞争的重要因素，因为现在已经不再是"酒香不怕巷子深"的年代了。那些实力雄厚的企业，在产品还未上市之时，就开始大力造势，以取得销售的主动权。没有人敢忽视广告的威力，广告不但可以让消费者认识产品，还可以树立企业的形象。对于广告的作用，王永庆也有着深入的认识，他相信人们所说的"现在是一个很容易成功的时代"，因为一旦有了新产品，通过广告，可以在一夜之间让它家喻户晓。这对经营者来说，无疑是一种福音。所以王永庆一直强调，应当充分利用资讯时代的种种便利，来迅速做成那些以前需要花很长时间才能完成的事情。

王永庆认为，广告宣传的目的，首先是让大众认识产品。这样做不仅是为了销售，也是经营者对社会大众所承担的义务。他说："做广告宣传，并不是为了推销才做的，而是要让更多的人认识。"当然，这里的认识，不光是认识产品，还包括认识企业、公司，因为现代企业形象的树立，正是通过大众传媒来实现的。

有些经营者可能会认为，批发商与经销商作为营销者，其广告应当由他们来承担。王永庆却认为这样的想法是错误的，因为经销商固然可能做广告，但除了那些专营店以外，其总不可能为自己所售的每一种产品做广告吧！所以，制造商必须承担为自己产品做广告的任务，这样还可以为经销商树立信心，使其更为积极地推销产品，以增加自己的营业额与利润。

传播媒介的巨大威力，在使一些优质品牌家喻户晓的同时，也让一些质量并不怎么样的产品得以逞一时之能。王永庆认为，产品的销量决不能光靠广告，如果没有过硬的品质作为后盾，那么用过一次的人就不会再买了。王永庆主张，自己的广告应当是"清纯的宣传广告"，他甚至极端地号召要制造完全的良品。

每一个经营者都明白，顾客是自己生存的上帝、衣食父母，只有千方百计地吸引顾客，才能谈得上发展。王永庆吸引顾客的策略有两点：

一是不以贱卖来吸引顾客，而是努力以高品质的服务来增加竞争力，以期获得合理的利润。

二是从正常的利润中拿出一部分来用作投资事业。他认为，经营者要时常站在顾客的角度，以顾客的眼光来看待自己的商品与服务。如果你的商品与服务在顾客的眼中是出色的，你的生意就会好做很多。所以，深切地了解顾客的需求，是竞争成功的关键所在。

王永庆认为，无论市场的竞争态势如何，都必须采用正当的竞争手段，因为正当的竞争是促进事业成功和个人成长的绝对必要的因素。在台塑企业所遵奉的精神信条中，有一项就是“力争上游”，要以力争上游的精神去努力工作。其实，商场如战场，如果没有奋战到底的旺盛斗志，最终往往会败下阵来。但是，经营者必须采取正当的方法，而不能陷害或中伤竞争者。

事实上，无论采取何种竞争手段，人们都应认识到，良好的竞争心理，正当的竞争精神是必要的。经营者不能为了竞争而竞争，而是通过竞争来维持商界和社会的共同繁荣，这才是竞争的真正目的。

第十四章

王永庆的止于至善之慧

如果要用一个词来概括王永庆的一生，“止于至善”最为合适不过。正是对于内心完美的不懈追求，才成就了足以让台湾乃至中国为之骄傲的台塑基业，才成就了影响台湾企业家至今并将持续影响下去的“经营之神”，更是留下了充满智慧光芒的管理和经营理念，这些理念仍旧在为我们提供着源源不断的精神营养。

创造财富是一种生命的乐趣

王永庆语录：*我追求成功从来不是为了获得金钱和荣誉。我追求的是成功所需要的才能和激情。*

挑战不单是为了财富，创业最需要的不是财富而是挑战精神。成功的创业者总是那些能把财富看成是实现梦想的附属品的人。如果创业之初就只关心财富，把财富看成衡量成功的标准，创业就很可能会失败。

王永庆曾说：“假如有一天钱赚够了，你就会觉得钱实在没什么用。我追求成功从来不是为了获得金钱和荣誉。我追求的是成功所带来的激情。”

一般人在赚到钱之后，就把钱花在洋房、好车、服饰等物质享受上，而忽略了精神，渐渐地就倦怠了。到头来还是得不到满足和快乐，徒余空虚。

王永庆认为，一个人幸福不幸福，心才是最要紧的，钱只是附带的。钱太多了，还不一定是好事，如果没有好好利用，反而是一种负担。因此，他在创业成功之后，就打定主意回报社会。他认为，只有秉承“取之于民、用之于民”的理念，才会有收获。台塑集团已经进行很多捐赠计划，金额高达30亿人民币。其中有一个计划是在中国设立一万所小学，目前已经在中国31个省、自治区和直辖市成立了几百所学校。同时，他还决定捐赠14000多套“电子耳”，帮助中国聋哑儿童开口说话，光这项捐赠就高达15亿人民币。

在王永庆看来，创造财富已经不是满足口腹之欲，也不再是为了证明自己个人的人生价值，而成为了一种生活方式，一种生命的乐趣。他知道钱财都是身外之物，任何财富最终都将回归社会。他认为，对于白手起家的创业者来说，赚第一个十万最难，因为那是从零开始的积累，到了后期就要容易得多，而这时就应该要有回报社会的想法了。创业要想获得财富，其实并不难，但是要想成为“不朽”，让企业基业长青，就需要花大工夫了。

做到止于至善

王永庆语录：*我经常鼓励我的同事，在管理工作上一定要实事求是，凡事追根究底，点点滴滴谋求合理化，做到止于至善。事实上，台塑集团几十年来就是以勤劳朴实的精神在力求实践，从无中断。我可以十分明确的指出，台塑集团今天能够在经营上有若干的成就，主要的力量完全是来自于此。*

王永庆去世后，他的女儿王雪红写了一篇《止于至善》的文章来怀念父亲。王雪红认为，她父亲的一生是对“止于至善”的完美诠释。以下是王雪红的文章内容：

2008 年 10 月 15 日，父亲去世了。就如同一座大山在顷刻间崩塌，连脚下的土壤都开始浮动起来。我像是突然间被推入一个冰冷而陌生的世界，再也寻不到父亲的世界。除了难以言传的悲痛，更有无法填补的空缺。

自然，父亲不只属于我，不只属于他的家人。作为一个传承历史并创造历史的人，他属于华人社会和整个世界。人们尊他为“产业之父”，敬他为“经营之神”。从台湾到祖国大陆，从华人社会到国际工商业，父亲白手起家而志怀高远，历尽艰辛而成就大业，勤勉睿智而止于至善，成为当代华人商业传奇的经典。而他对于我，则是永远的父亲和老师，永远的榜样和偶像。

作为父亲，他首先赋予我生命，这是我此生一切的缘由和根本。所以，仅仅为这出生于世的机会、存在于世的权利，我也永远感念父亲。

而且，父亲不仅带给我生命，更呵护和关爱这个生命的成长。供养子女，让子女衣食无忧，让子女接受良好的教育，保有健康的身心，无论在传统的男权社会还是在当今时代，都是一项沉甸甸的责任和负担。父亲在这方面的承担和投入，用世间最高的标准审视，也是一个典范。他真正做到了于己于家问心无愧，旁人后人无可挑剔。

而这一切，其实并非从天而降，对我虽是与生俱来，在父亲则需要辛苦劳作。父亲的养育之恩，我当永远铭记在心。

不过，最让我感到幸运并受用终生的，是父亲的教诲。是父亲教我要正直、善良，诚信、承担，包容、感恩；是父亲教我要有独立的人格、自强的精神，一生都要勤勉努力，一切要靠自己打拼；是父亲教我要戒绝骄奢，戒绝浮躁，追根究底，潜心经营，敢为人先，止于至善。无论为人，还是处世，无论学习，还是事业，父亲都是我最亲近和最严厉的老师。

十几岁时，我在父亲的安排下离开台湾，前往美国求学。那时候的日子是艰苦的，父亲给我的钱只有精打细算才能用到月末。而且，父亲也不允许我总打电话，因为当时长途电话费很贵。但是那时候是我和父亲交流最多的时候。每隔一段时间，我都会收到父亲的长信。信中父亲会教我如何管理公司、如何追根究底、如何追求合理化。每次我读信的时候，脑海中呈现的，就是父亲那著名的“午餐汇报会”——在台塑，父亲每天都会邀请一名主管共进午餐，就该主管的管理细节追根究底。深究的程度让所有参加午餐汇报会的主管惴惴不安，即使事先做了最充分的准备。可以想见，如果不对所负责的工作达到痴迷的程度，是很难应对父亲的午餐汇报会的。

1982 年，我学成归来，加入了二姐创办的大众电脑公司。不过刚到公司不久，我就遭遇了人生的第一次挫折。但是事隔多年之后，那次交易被骗的经历在很多人眼中更像是一个传奇的序曲：我不顾姐姐和姐夫的阻挠，孤身前往巴塞罗那追债，同时还借此机会用了不到半年时间对欧洲的 IT 市场有了一个全面的了解。后来，我离开大众电脑，加入了台塑公司。虽然这一次仍旧没有持续多长时间，但深受父亲影响的我始终认为：只有像父亲那样打拼出一份属于自己的事业，才能真正实现自己的价值。

1988年，我30岁。这一年，我把母亲送给我的一套房子做抵押，借了500万开始了自己的创业生涯。尽管父亲没有给予资金上的任何帮助，但是父亲在商界内的深厚影响却给我带来了巨大的无形资产。当时，我去找人，别人会想，她是王永庆的女儿，做事应该不会差吧。尽管我自己已在一个全新的IT产业链打拼，但在我心中，父亲仍像是要对我追根究底的老板一样。每一次跟父亲汇报，我都像是父亲手下的业务主管，虽精心准备，犹诚惶诚恐。在我的印象中，父亲几乎从未给过我称赞，给我的，多是批评、质疑和建议。我心里一直奢望，父亲有朝一日能比较满意女儿的表现，夸我是个还不坏的学生。而这种奢望，正是我追随父亲的精神、效法父亲而一往无前、止于至善的动力。记得我刚刚当选台湾第一女富豪的时候，父亲的朋友问他是什么感觉，父亲摇了摇头，缓缓地说道："她还差得远呢。"在几年之后，当我又获选亚洲之星的时候，父亲的朋友再次询问他的感觉，他虽然没有笑，但目光中有一丝遮挡不住的得意。

父亲的"教"，是言传身教，是言行合一，是行胜于言。父亲是一位不折不扣的行动者，坐而论道从来不是父亲的风格。从少年开始，父亲就每周工作7天，每日工作10个小时以上。他每天凌晨两点起来打坐，静思，跑步，然后开始每天的日常工作，数十年如一日。正是这种勤奋，使父亲每每在进入一个新领域后，能快速形成深入的认知和独到的见解；正是这种勤奋，使父亲在台塑成为巨无霸后，仍能对企业的经营细节了如指掌，谋划持续改进之道。父亲的勤奋已经成为一个特殊的基因，渗透到企业乃至家庭的每一位成员。如果不是因为父亲的榜样的作用，我肯定做不到坚持早间4点多就起来长跑，一周4次，风雨无阻；如果不是因为父亲的榜样，我在工作强度要远远超出传统产业的IT领域，不会有如此的坚持和发展。以父为师，或许最重要的，是品味、理解父亲的奋斗历程，汲取其教益，传承其精神。父亲的生活点滴和创业实践，父亲给予我们的家庭环境和自己的成长阅历，已经是我一生都挖不完的宝藏，一生都学不尽的课堂。

小时候总是不理解父亲为什么陪伴我们的时间那么少，长大后慢慢明白了，他把更多的精力都放在管理公司、回报社会上面了。小时候在台湾，父亲每个月都会带我去长庚医院（王永庆投资兴办，目前是台湾最大的私立医院）。在那儿，父亲会告诉我说，所有的钱都不是自己的，而是社会交给自己保管的，最终还得回报给社会。而父亲的一生确实也是这么度过的。主说："流泪播种的，会欢呼收割。"父亲去世，长庚医院救治的很多病人、明志学校的好多学生都前来吊唁，父亲在天之灵看到这些，也应该欣慰了。而对自己，父亲总是很节俭。一日三餐非常简单，甚至他办公室里椅子上的皮都破了，他也不换。父亲90多岁的时候，还是闲不下来，每天坚持工作很长时间。勤劳和简朴说起来不难，难的是把这些当做习惯，坚持一辈子。在父亲的影响下，这些都成为父亲公司特质的一部分。到现在，我也慢慢明白了父亲的做法：人其实需要的不多，如果物质的欲望太多了，能用来认真做事的心力就少了。

在我看来，父亲是一个超人，也是一个凡人。父亲离开了我们，却依稀在我们面前。他是榜样，是最可学习与效法的榜样；他是偶像，是最亲近与最不神秘的偶像；他是神话，是最真实与最质朴的神话。父亲的一生，是对"止于至善"的完美诠释。

君子爱财，取之有道

王永庆语录：**获利是经营者的天职，如果经营者不能赚钱，不能让财富在自己手里升值，那就是失败的。因为经营者利用社会大众的资金来营运，不营利也就谈不上回馈大众；同时，经营者会将自己正当利润的一部分作为税金上缴，也是在为整个社会作贡献。**

坐在办公桌旁签签字，盖盖章，这种工作态度是不会对工作产生责任感的。必须使自己更进一步地、深切地感觉到工作的意义，自动自发地对工作表现出热诚，这样才可达到得到他人的信赖和信赖他人的境界。所以，经营者有无工作的责任感和工作的热诚，是决定事业成败的关键。

由于现在商业法律不够完善，所以人们更讲究“信用”两字。诚实守信，是一个人较高的道德标准，而一旦这种声誉建立起来的话，也会给当事者带来很大的方便。

王永庆很早就意识到了信用的重要性，在他眼里，信用不仅是商业经营的筹码，更是一个人内在的道德素养。在王永庆的从商道路上，他始终能够严格约束自己，恪守承诺。

1978年，台塑集团正处在高速发展时期，急需资金来扩展事业，于是王永庆向台湾地区的银行申请1500万美元的贷款，可由于官僚机构从中作梗，贷款计划未被获准。在向本地银行申请未果之下，王永庆转而向海外银行求援。在经过一番调查与评估之后，英国的建利百联银行、美国运通银行及美国信孚银行决定联合向台塑放贷1500万美元，而且创下了外国银行贷款给台湾企业的最低利率的记录。而最让世人惊奇的是，这笔巨款的担保竟只有王永庆的个人信用，而没有要求其他台湾银行作为担保。

王永庆的名字，就意味着信用，一个经营者能够建立如此之高的信誉度，做起事来可谓是游刃有余。可是建立信用的过程，需要长期一贯的努力，有时为了恪守信用，还不得不吃点眼前亏。不过王永庆认为，如果吃亏就能取信于人，取信于社会，则不仅不会得到良心上的不安，还会获得别人的信赖。

对经营者来说，仅有个人的信誉是远远不够的，还必须保证自己产品的信誉。对制造行业来讲，产品的质量关系着企业的信誉。王永庆最不能容忍的就是产品质量低劣，以次充好。

一次，日本某机械厂的社长与其助手来台湾地区考察，并举行酒会宴请相关业者，王永庆也在受邀之列。在交谈中，日方的一位技术人员直率地对王永庆说：“为什么台塑生产的尼龙丝不注重质量呢？别说和我们日本货相比，就连韩国货也不如呀！”王永庆听了，吃了一惊，因为这个情况他还是第一次听说。

这名技术人员还提出了进一步的品质管理的问题，他认为台塑的产品质量不够好，并不是因为生产设备不够先进，而是因为制造过程中的一些细节影响到了产品的质量。对于这样的评价，王永庆十分诧异，但他没有为自己的产品辩解，而是十分感谢对方的提醒。在他看来，尼龙丝投资巨大，如果真如这位技术人员所言，那台塑将来的损失可能不光在尼龙丝一项上，而是会严重影响到整个企业的声誉。于是，他回去后马上着手整改。

王永庆认为，获利是经营者的天职，如果经营者不能赚钱，不能让财富在自己手里升值，那就是失败的。因为经营者利用社会大众的资金来营运，不营利也就谈不上回馈大众；同时，经营者会将自己正当利润的一部分作为税金上缴，也是在为整个社会作贡献。

可是，正所谓“君子爱财，取之有道”，商人的责任感和道德感，是其立足社会的根本。不诚信的商人，是不可能有大发展的。

王永庆认为，只要经营者对自己的工作倾注了热情，就一定会有回报。就像一个人经营着一个小小的面摊，如果他只是想赚取糊口的利润，对一切马马虎虎，他的生意肯定不会有多好。但如果经营者对自己的事业有热忱的话，就会询问顾客用餐后的感觉。假如有人称赞汤面味道可口，有人说盐味或辣味太重，有人说甜味太浓等等，作为经营者就应该认真分析其中的原因，分析顾客的层面，这样你的汤就有了标准，而生意也会好很多。相反，如果经营者对顾客的感受不闻不问，固守陈规，便无发展可言。

经营者在追求利润的时候，决不能只想着个人的利益，还必须从更大的范围来考量自己工作的成绩。经营者不能将自己的利益建立在对他人或对社会的损害之上，一个人只有承担起作为公民应有的责任，才能保有自己做人的价值。无论在什么岗位，一个人都应该在那个岗位上兢兢业业地工作，为社会做出应有的贡献。

随着自己的事业越做越大，王永庆更加深刻地体会到自己刚踏入社会时所得到的经验与教训，那就是顾客至上，以诚待人，不赚取暴利，但也决不做亏本的生意。

正是因为经历过以前普通人难以想象的艰苦生活，所以王永庆在一步步经营自己的事业时，总是抱着平凡诚实的心态，也总是坚持恪守信用，一诺千金的做人准则，而没有在追求财富的过程中迷失自己。

树立一个节俭朴实的好榜样

王永庆语录：*从事企业首先要有节俭的精神，这便是根。经营管理讲究成本，不节俭，物料就会浪费，当主管的要有这种认识，才会提高警觉，避免人、事、物的不合理。不合理的现象就是浪费。*

白手起家的第一代往往是因为缺乏各种条件，要接受众多现实境况的折磨，同时感觉如果自己不格外努力就根本没有出头的日子，因此辛辛苦苦地经营，创立了良好的基础。第二代、第三代如能对此基础善加运用，要谋致成就必然比第一代容易。但事实往往相反，平顺安逸的生活环境，反而可能销蚀人奋斗向上的志气。第二代就比第一代弱，第三代就更糟了。

中国有句老话，叫“富不过三代”。那是因为经历过艰苦奋斗的父辈们，为了不让孩子们经历自己遭受过的挫折，尽力给他们提供最好的条件，而这无疑将孩子们变成了温室里的花朵，从而缺乏克服困难的勇气。作为一个庞大家族企业的掌门人，王永庆对此有着深深的顾虑，并时时不忘以身作则，给后辈们树立一个节俭朴实的好榜样。

虽然在普通人的眼中，那些身价上亿的大富翁可能过着挥金如土、神气活现的生活，可说出来大家也许有些不相信，王永庆的节俭却到了令人难以置信的地步。据说王永庆喝咖啡的方式就颇有些特别，他会先将奶精打开，将奶精倒入咖啡杯中，再用小汤匙舀一点咖啡放入奶精盒中，轻轻地涮一涮，再倒回杯中。糖包也是先撕开一角，倒入一半，将剩下的递给邻座，顺便交代他不必再撕开新的糖包了。

王永庆招待客人时，也不会在外面的餐厅请客，大多选在台塑的招待所里，因为这样可能节约不少开销。而且用的是中菜西吃的方法，既卫生，又避免浪费。如果客人拿的菜太多吃不完的话，就会被要求打包带回去。而如果发生这样的情形，客人会觉得很不好意思，所以一般人都会适量取菜，不会发生浪费的情形。

据说，王永庆曾经到厨房检查，还教导厨子在汤开了后，就应立即把火关小，若是继续使用大火，那就是浪费瓦斯。

节约能源，杜绝浪费，在地球资源越来越短缺的今天，尚可理解，可是他在某些方面的“斤斤计较”却有些叫人“不可思议”了。有一次，王永庆因为坚持锻炼，成功地缩小了腰围，就连平常穿的西装都显得又宽又松了。王夫人请来裁缝到家里为他量尺寸，裁缝还以为他要做几套新西装呢！哪知王永庆二话不说，就从衣柜里拿出了五套旧西装，要师傅只是把腰身改小就行了。他说：“旧西装不过只是松了一点，料子还好得很，何必浪费钱呢?”

这事很快就成了报纸上的花边新闻。

像这样的事例还有很多。譬如王永庆家里用的肥皂，即使用到很小时也不会丢掉，而是将它黏在大块的新肥皂上，继续使用。在台塑，工人戴的手套如果掌心磨破了，王永庆就会要求他们将手套换到另一只手上，这样有洞的地方就到了手背上，又可以继续使用。又如，据说王永庆每天练习毛巾操时用的毛巾竟然用了20年都没有换过。

早年王永庆出差一律搭乘飞机的经济舱，有一次被空姐发现了，她觉得怎么能让这位赫赫有名的大富翁屈就于经济舱呢？于是上前请王永庆去商务舱就座。在空姐的坚持之下，王永庆只好改乘商务舱。后来，王永庆为了不再引起空服人员的困扰，只好改坐头等舱，而且他一上飞机就会休息，以便一下机就马上投入到工作中去。

王永庆不仅自己节俭，而且要求自己的员工也保持勤俭节约的习惯。台塑的员工出差时，一律住在各厂区营业处的招待所，吃住全在里面解决，既可以省钱，又方便处理公事。王永庆在美国新泽西州有一幢高级住宅，内有网球场、游泳池等设施，十分方便。每当有员工出差到美国当地，王永庆便指定他们在这里住宿，这样可以节约一笔不小的酒店费用呢！

台湾地区并不是一个资源丰富的地方，王永庆认为，台湾人没有浪费的条件，对浪费的人他也极不欣赏。早年的台湾，由于经济不发达，人们处处要想着尽量节约。后来，随着台湾经济的快速发展，人们的观念不知不觉地起了变化。

以前在欧美国家住旅馆时，人们一般会拿 1 美金的小费，而在台湾地区则只需用新台币 10 元即可。可是后来情况有了很大的不同，在外国只需付 2 美金小费就算不错了，而台湾地区则差不多要付 200 元新台币。这虽然只是一件小事，而且小费付多少，完全是出于自愿。可王永庆认为，这反映了台湾人观念的某些变化，人们花钱的方式较以前更浪费了。

王永庆曾多次教导下属杜绝奢靡之风，但是发觉效果并不大，便对自己的管理人员提出了严厉的批评："我认为经营管理阶层对此仍一无感觉，也谈不上反省。到了今天，此一错误的观念不但无任何改善，更恐因为有了一些小小的成就而导致放松，则问题不但仍然存在，恐怕更加严重。"

王永庆认为台湾人已经将以前节俭的传统丢弃了大半，普遍的浪费造成物价过于昂贵，而且大部分人觉得，只要有了物质享受，生活水准提高了，生活就会很满足。台湾地区城市的大街小巷里，各种餐馆、咖啡店林立，各个生意兴隆。而在那些先进国家，大多数人会在晚间留在家里与家人共享和谐宁静的家庭生活，人们的生活并不喧闹，较为有规律，整个社会也较有一种文化与精神的品质在里面。

王永庆很欣赏加拿大人的简朴生活，在那里，百万富翁与普通人的生活几乎没有两样，人们享受宁静的家庭生活，有时间会去旅行看世界，从不将钱花在奢侈的吃用方面。而在台湾地区，很多人认为带一家子上饭馆吃饭就是一种享受。面对这种情况，王永庆痛心疾首，认为应该洗心革面大大检讨。

王永庆曾说："从事企业首先要有节俭的精神，这便是根。经营管理讲究成本，不节俭，物料就会浪费，当主管的要有这种认识，才会提高警觉，避免人、事、物的不合理。不合理的现象就是浪费。"

有一次，王永庆在谈到自己在马尼拉的见闻时说：“南洋的华侨经过一番受苦、节俭、努力才有了成就，而后在马尼拉闹市区的大马路边筑有富丽堂皇的华人坟墓，坟墓周围则是贫民窟，房子破破烂烂，和华人坟墓的气派形成强烈的对比，令人侧目，结果影响了华侨在当地生根发展。”

精打细算，节俭朴实，对一个巨富来说，是不容易做到的。王永庆常常告诫自己的属下，即使自己有所成就，也千万不要忘记过去经历过的苦楚，要在内心深处保持谦卑，在行事上更加忠厚，时时念着困苦的过去，不要忘记自己的本分。

积极回馈社会

王永庆语录：*假如有一天钱赚得够多了，你就会感觉到钱实在是很没有用处。*

许多中小企业家往往将赚钱当成自己的头等大事，而一旦手头宽裕，就想着自己享受，以补偿工作的辛苦。持这种观点的人，到头来很难将自己的事业做大，因为狭隘的金钱观必将影响到个人对社会的看法。

虽然我们不能要求每一个大富豪都像沃伦·巴菲特那样，成为财富哲学家，但绝大多数拥有上亿元资产的富翁们，如果不想让金钱成为影响自己及家人幸福生活的因素，就必须对此多加小心。

王永庆是一路从极为困乏穷厄的境况中打拼出来的，他对财富的看法，比他人来得更深切。他认为金钱对那些需要它的人来说，是非常重要的，而对那些拥有财富的人来说，其个人的需求其实十分有限，甚至显得无用。所以，为什么不用那些对自己“没用”的金钱，去做一些对他人有用的事情呢？

多年来，王永庆致力于兴办非营利事业，先后成立了明志工专、长庚纪念医院、生活素质研究中心等，并将台塑的成功经验运用于这些事业体的管理上，取得了良好的效果。

著名的长庚纪念医院，可说是王永庆在回馈社会、兴办公益事业方面的大手笔。而且对如何办好私立医院，王永庆也有自己独到的见解。他认为，多数自行开设的医院，因为受限于资源及人力不足，医疗服务水准的提升受到限制，在医疗服务的提供及经营上，都有力不从心之感。必须开设开放式的医疗中心，而那些小型医院则转而为那些社区内的病人提供服务。这样一来，医生与病人之间能够相互了解，就像其做健康服务的家庭医师一样，从事一般性的诊察工作；当病人的身体需要做全面的检查及进行手术时，则转到开放的医疗中心，接受开放医院所提供的护理及技术服务。只有这样，才能让不同规模的医院，承担起各自不同的医疗责任，而病人也会根据不同的需要，接受不同品质的医疗服务。此外，私立医院认真服务病人，也可以在实际工作中积累经验，若有机会参与到开放式医院中来，则可能利用已有的各种新颖设备来增进医疗效果，同时注意吸收医学新知，从而有助于医疗技术水准的提升。

王永庆认为，公立医院普遍不如私立医院，究其原因多是因为体制。那些自行开设医院的医师每逢病人发生紧急病情时，往往不论三更半夜地前去诊治，将自己的所有时间都交与病人，其心力上的付出，绝非一般的局外人所能体会与了解。在此情况下，若能推动开放式的大型医院更为规范，而将小型医院转为诊所，那么就可扭转台湾当下自行开设的小型医院居多，而公立及财团法人开设的中大型医院占少数的情形。

王永庆对医疗事业的见解，绝不是泛泛而谈，而是倾注了极大精力的研究成果。如若不是真正关心民众的生活，一个实业家可能不会花这么大的精力来观察与分析和自己没有切身利益的社会现象。

虽然大富豪们常常说，金钱不过是一个数字，早已经失去了实际的意义，可是对普通人来说，这种感觉多少是不可捉摸与体会的。但有一样是可以理解的，那就是金钱可以让人做一些别人做不到的事情。而那些有社会责任心的企业家，会将金钱用来回馈社会，取信于民，而这也是其获得良好社会声誉的途径。

做事要一丝不苟

王永庆语录：对自己的要求越高，就越能感觉到自身的不足之处。

作为一个管理者，应该做决策性的工作，将具体的事物交给属下去办，而不必事必躬亲。可是，这并不意味着把事情交给属下之后，主管就可以高枕无忧地不闻不问了。主管还必须花时间做好各项监控工作，对每一件事情都要追问到最根本的细节。

王永庆对每一件事情都采取一丝不苟的态度，习惯把每一件事情都追问到最根本处。他认为，很多管理书上提及的欧美企业管理方法，在很大程度上并不适合台湾企业。欧美企业的历史悠久，各种管理都已达到了合理化、制度化、标准化，因此企业负责人就可以只作政策性的决定，而将事务性的工作交给部门办理，管理者也不必把所有的事情都记在心里，每天只需对着计算机下达命令即可。但是在发展中国家，企业的整套管理和经营还没有达到这个水平，如果负责人不做好监控，不追根究底的追问细节，那么企业就不可能做到合理化，也不可能有长足的发展。

有一次，王永庆和一名年轻的日本社长洽谈生意。他问社长说："你们公司一共有多少个部门，每个部门每年的实际支出和收益大概是多少?"那位社长说："我不知道，我对管理比较专门。一般来说，我只决定大的政策，这些小的事务，我一般不会插手。您稍等一下，我请各部的部长和课长来回答您的问题。"王永庆听完就很不高兴，委婉地拒绝了这笔生意。在他看来，一个企业的最高管理者连这些基本的企业状况都不清楚，这个企业的发展是不会好的。因此，台塑也不会选择这样的合作伙伴。从这个事例不难看出王永庆一丝不苟的做事态度。

还有一次，一家保险公司派工作人员到台塑跟王永庆对保。因为王永庆是台湾的名人，当面见过他的人虽然不多，但由于他经常在报纸、杂志、电视等各大媒体露脸，很多人都认识他，这名工作人员也不例外。当他找到王永庆之后，就直接请他在对保单上签字盖章。对保员本以为这件事就此完成，可没想到第二天，王永庆就打电话给这家保险公司的经理说，昨天的对保工作不算数，原因是对保人员没有核对他的身份证，手续不全，所以请保险公司再次派人对保。王永庆这种认真的态度感染了台塑的每一位员工。后来，凡是台塑的员工出门办事都会巨细靡遗地处理好各个细节。

真正成功的商人和创业者，无论做任何事都会讲究效果的最适化。他们会把制订计划、执行计划、评估计划等各个阶段都做到心中有数。创业经营从来不得有半点马虎，所有的经营者都必须勤劳诚恳，脚踏实地地关心工作中的每一个细节，不达目的誓不罢休。

凡事需要追根究底

王永庆语录： *只要肯花心思把事情做好，自然就必须深入探讨事务的本源，这是做事的不二法门。*

王永庆具有一种“追根究底”的精神，也就是说对问题不追究到水落石出，绝不罢休。

王永庆以木材起家，因塑胶而发迹。他早年的木材生意，都是向林场采购原木，经过简单加工，再转售出去。那些待售的原木，林场为了避免因干燥而导致木材龟裂，全都浸泡在大水池里面。

当时台湾木材商采购原木的做法是：到林场里先用长竹竿在水池中探测浸泡原木的数量，再用肉眼辨别原木的树种（原则上可分为针叶木与阔叶木，前者价高，后者价低）与品质（判别原木完好与龟裂程度），再填写标书向林场投标，最后由最高价者中标，购得原木。

由于大部分的原木都浸泡在水里面，光用竹竿去评估其数量，经常造成很大的误差，再加上海根原木价格昂贵，动辄数十万元，因而投标的风险很大，大家各凭经验与本事，有人赚也有人亏。无论如何，“赌”的味道很浓。

有一次，王永庆向嘉义的阿里山林场标购原木，结果出乎同业意料之外，王永庆所标的价格虽然高出其他同业甚多，可是却因购得那一池原木，而赚了很多钱。同业们都大惑不解，到底他用了什么方法，能够把那一池的原木数量估算得那么准确。

原来王永庆在招标截止的前一天晚上，趁着月黑风高，悄悄地跳入水池中，花了一晚上的时间，把水池里原木的数量点得一清二楚；所以，第二天他才能报出合理价格中标，因此也狠狠赚了一把。

在夜晚潜入浸泡原木的水池中清点原木数量，极为危险，但王永庆为了追根究底，查得清清楚楚，勇敢地冒此危险，为常人之不敢为，所以才会成功。

王永庆曾说：“经营管理，成本分析，要追根究底，分析到最后一点，我们台塑就靠这一点吃饭。”

台湾前经济部门负责人赵耀东说：“啊！王老板（指王永庆）的追根究底功夫真让人钦佩，被王老板看上的问题，不到水落石出，绝不罢休，这是王老板经营企业最成功之处。”

那么，何谓经营管理的“追根究底”呢？那就是日本行之数十年，对提高经营绩效极有助益的“原流方法”。所谓“原流方法”就是，凡事遇到问题或发生异常都要深入分析，并且追究问题的本源；就好像河川的流水混浊了，我们要探求它的原因，必须溯流而上，一直追到河川的源头，才能真正排除异常，解决问题一样，所以叫做“原流方法”。

王永庆说：“所谓‘追根究底’也好，‘原流方法’也好，本来就是处事的真理原则。只要肯花心思把事情做好，自然就必须深入探讨事务的本源，这是做事的不二法门。”

经营管理要进行“追根究底”，必须从根源处去追求。王永庆举一棵树为例来说明：树的上面有树干与枝叶，下面有根，中有大根与中根，连接中根的还有许多细根。树的生长是靠细根吸收养分，经中根、大根至整棵树，才能自然地成长。冬天来临时，叶落满地；但是因为有根部供给养分，春天一到，即再生树叶而绿意盎然。人们最注意的，往往是茂盛的枝叶，而忽略了最重要的根部。

王永庆的意思是，一棵树要长得枝繁叶茂，必须从看不见与容易被忽略的根部去下工夫；经营管理要做得好，也必须从平常看不见与容易被忽略的根源处去追求。

他说："我们做事应该和树有细根一样，必须从根源处着手，才能理出头绪，使事务的管理趋于合理化。"

王永庆为了强调经营管理必须从最辛苦而又乏味的基础工作着手，他又举盖房子与建桥梁来说明。无论盖高楼大厦也好，或是建一座桥梁也罢，基础是最费工、最花钱的工程。等到大厦或桥梁完成，最费工与最花钱的基础却都看不到了，只能看见大厦的上层和桥梁的表面，人们称赞的也是这些外在看得见的部分，没有人会想到基础。哪一天发生洪水、地震，有的塌了，有的倒了，才知道基础的重要。

总之，王永庆认为，基础工作最容易被轻视与忽略，最费精神、辛苦而乏味，却是经营管理最重要的一环。

其实，王永庆一而再、再而三强调的"追根究底"，是来自古代四书之一的《大学》所训示的"知止"与"止于至善"。

王永庆曾说："我这一生深深感觉，中国的哲学里，一句可以终生利用的话，就令人受益无穷。譬如说'大学之道，在明明德，在亲民，在止于至善。'还有'知止而后能定，定而后能静，静而后能安，安而后能虑，虑而后能得。'要追求'止'，即是根源，若未能追根究底，建立起一个道理的话，基础便不稳固，所以在止于至善，由'止'建立基础，才能达到至善，才能定、静、安、虑、得。"

王永庆更以选择工作为例，深入浅出地解说"知止"、"定、静、安、虑、得"及"止于至善"的道理所在。在选择工作时，如果彻彻底底了解工作的实质意义所在，自然就明白自己应该从事哪一种工作，以及应该以什么样的态度工作。同时，基于彻底的了解所做的选择才会坚定，不致因为客观因素的有利或不利，或者因为别人的褒贬而产生犹豫或信心动摇，这就是《大学》所说的“知止而后能定”；心定之后才能静，才能安于自己所从事的工作，进而在本位的工作上运用思虑，不断地改善、求进步，最后终能将事情的处理做到“至善”的境界，这就是“定、静、安、虑、得”一贯的道理所在。

从上可知，王永庆从《大学》之中撷取了古人的智慧，而后加以发扬光大，活用于经营管理上，从而缔造了他庞大的企业王国。

读石油版书，获亲情馈赠

亲爱的读者朋友，首先感谢您阅读我社图书，请您在阅读完本书后填写以下信息。我社将长期开展"读石油版书，获亲情馈赠"活动，凡是关注我社图书并认真填写读者信息反馈卡的朋友都有机会获得亲情馈赠，我们将定期从信息反馈卡中评选出有价值的意见和建议，并为填写这些信息的朋友**免费**赠送一本好书。

左手李嘉诚 右手王永庆

1. 您的年龄：20岁以下□　　20~30岁□
   30~40岁□　　40岁以上□
2. 您的文化程度：大专以下□　　本科以上□
3. 您购买本书的动因：书名、封面吸引人□　内容吸引人□
   版式设计吸引人□
4. 您认为本书的内容：很好□　　较好□　　一般□　　较差□
5. 您认为本书书名反映内容的程度：很高□　　较高□
   一般□　　较差□
6. 您认为本书在哪些方面存在缺陷：内容□　　封面□
   装帧设计□
7. 您认为本书的定价：较高□　　适中□　　偏低□
8. 您对本书的综合评价

____

您的联系方式：

姓名____________

单位____________　邮政编码____________

地址____________　电话____________

手机____________　E-mail ____________

回信请寄：北京安定门外安华里二区一号楼　石油工业出版社
社会图书出版中心

邮政编码：100011